MELYSGYBOLFA MARI

Melysgybolfa Mari

Mari Gwilym

Argraffiad cyntaf: 2012

ⓗtestun: Mari Gwilym/y cyhoeddiad: Gwasg Carreg Gwalch

Rhif rhyngwladol: 978-1-84527-373-6

Mae'r cyhoeddwyr yn cydnabod cefnogaeth ariannol
Cyngor Llyfrau Cymru

Cynllun clawr: Tanwen Haf
Llun yr awdur drwy garedigrwydd Cambrensis

Cyhoeddwyd gan Wasg Carreg Gwalch,
12 Iard yr Orsaf, Llanrwst, Conwy, LL26 0EH.
Ffôn: 01492 642031 Ffacs: 01492 641502
e-bost: llyfrau@carreg-gwalch.com
lle ar y we: www.carreg-gwalch.com

Argraffwyd a chyhoeddwyd yng Nghymru.

I Emrys a Nanw,
ac er cof doniol a dwys am fy rhieni annwyl ac arbennig i.

Diolch

i Nia Roberts, y golygydd, am ei chymorth a'i chyngor cyson; Myrddin ap Dafydd am fentro cyhoeddi'r gyfrol hon! I Emrys am ei amynedd, a Nanw ac Yncl Wiliam am eu hatgofion. I'm teulu a'm ffrindiau un ac oll, ac i bawb sydd wedi cyd-chwerthin â mi ar hyd y blynyddoedd. Diolch hefyd i'r rheiny nad oedd fy ngwamalrwydd at eu dant, gan fod hynny wedi bod yn symbyliad anuniongyrchol i mi sgwennu cyfrol fwy sylweddol!

Eirian, Palas Print, Caernarfon; Dwynwen, Bys a Bawd, Llanrwst; Canolfan Ysgrifennu Tŷ Newydd, Llanystumdwy; Gwasanaeth Hyrwyddo Llenyddiaeth a'r Celfyddydau, Cyngor Gwynedd; llyfrgelloedd led-led gogledd Cymru; Criw Melin Crawia; Theatr Bara Caws; Cymdeithas Theatr Cymru; y Cyngor Llyfrau; Gruffydd Jones (Atrium, Caerdydd ar hyn o bryd); BBC Radio Cymru; Adran Blant HTV; y diweddar Angharad Jones, S4C; Canolfan Dreftadaeth Kate Roberts; Bethan Gwanas; Angharad Price; Angharad Tomos; Gwen Lasarus; Elen BBC; Em Gom; criw sgriptio Rownd a Rownd, T. Llew Jones; Ann Fôn; Marian Wyn Jones; Sian Teifi; Karen Owen . . . a llawer, llawer mwy. Dros y blynyddoedd mae'r uchod i gyd wedi f'annog i sgwennu. Ymddiheuriadau lu os ydw i wedi anghofio enwi unrhyw un arall.

Cynnwys

Melysgybolfa

Byddai Dad a Mam wastad yn gorfod chwilio a dyfeisio geiriau a thermau gan fod pobol yn dod i'w siop a deud pethau fel: 'Hy, hen iaith sâl ydi'r Gymraeg, does na ddim gair Cymraeg am Jeli hyd yn oed!'

Roedd Dad yn chwilio am air am 'treiffl' pan oeddan ni'n fân a dyma fo'n dod ar draws y gair 'Melysgybolfa' yn y cyddestun noson gymdeithasol, rhyw fara brith/brethyn cartref difyr o noson gan aelodau rhyw gymdeithas ddiwylliannol neu'i gilydd. Dw i'n amau mai R. E. Jones Llanrwst oedd piau'r gair. Yr hyn wnaeth Dad oedd ei gymhwyso at ddefnydd arall – sef treiffl.

Myrddin ap Dafydd

9

Rhagair

Mae 'na fynd ar hunangofiannau, yn ôl y sôn, a rhyw unwaith neu ddwy rydw i wedi cael cynnig sgrifennu un. Ond 'sgen i, a doedd gen i, a fydd gen i fyth awydd croniclo chwydfa fanwl o hanes fy mywyd. Dwi'n berson rhy breifat i hynny. Ar y llaw arall, oherwydd fy niddordeb mewn rhoi tro ar sgrifennu rhyddiaith i oedolion roedd gen i awydd creu rhyw fath o gyfrol, gan obeithio y byddai'r gyfrol honno wedyn yn datblygu i fod yn llyfr. Gosod her i mi fy hun ro'n i, mae'n debyg, yn ogystal ag ateb rhyw angen ynof i ddogfennu rhai straeon a phenillion o f'eiddo sydd eisoes wedi cael eu recordio, eu hadrodd ar lafar neu eu perfformio dros y blynyddoedd ar gyfer plant, pobol ifanc ac oedolion. Ac mewn gwirionedd, plentyn sbardunodd fi i sgrifennu'r gyfrol hon, yn enwedig Rhan 3. Mae'r eglurhad am hynny i'w gael ar ddechrau'r traean olaf.

I'r rhai hynny oedd yn awyddus i weld fy hunangofiant, felly, rydw i wedi cyfaddawdu.

Fel llawer un arall yn y byd celfyddydol, rydw i wastad wedi gweithio'n llawrydd, heb fod ynghlwm â neb yn arbennig, yn gwisgo sawl het fel petai. Rhai o'r jobsys ddaeth i'm rhan, yn ogystal â chreu gwaith ysgrifenedig, oedd perfformio, actio, darlledu a chyflwyno. Fy syniad ar gyfer y gyfrol hon, felly, oedd dewis a dethol peth o'r gweithiau hynny, a gadael i ddarnau yn eu tro fy sbarduno i groniclo'r atgofion neu'r straeon sydd ynghlwm wrth y gweithiau. A dyna'n fras yw'r rhannau hunangofiannol o'r llyfr.

Mae tair rhan i'r gyfrol: mae'r traean cyntaf yn cwmpasu rhai darnau sgrifennais ar gyfer plant; yr ail ran yn cynnwys gwaith ar gyfer ieuenctid a darnau doniol; a'r drydedd ran yn fwy traddodiadol, yn gronicl o straeon a throeon trwstan fy hynafiaid a rhai straeon byrion o f'eiddo i – ac o'r herwydd, dwi wedi defnyddio arddulliau mwy ffurfiol yn y rhan olaf.

Felly, rhyw fath o gywaith i bawb rydw i wedi anelu at ei greu – pigion yma ac acw, i un ac oll, yn blant dan gant, gan obeithio codi gwên yn fwy aml na heb, hefo ceiniogwerth o ddwyster yma ac acw. Potes o straeon amrywiol, wedi'u croniclo mewn sawl arddull a ffurf – mewn gair: Melysgybolfa!

Mari Gwilym
Tachwedd 2012

Rhan 1

CHWARAE PLANT

Fo yw fy Ffrind

'Sna neb isio chwara 'ma heddiw:
   ma' Carwyn 'di mynd at ei nain,
ma' Gwyndaf yn Blackpool ar wylia
   a Brenda'n ca'l traffarth 'fo chwain.

Ma' Mam yn brysur yn 'gegin
   a Dad a'i drwyn yn 'i waith;
ma' Rhacsyn y ci yn piwsio'r gath ddu –
   'sna'm hwyl ar fy mwji fi chwaith!

Mond un ateb sy 'na amdani:
   a' i lawr at y llyn, ac i'r dŵr;
yn fan'no ga' i afael ar gwmni –
   ga' i hwyl efo hwnnw, dwi'n siŵr.

Dwi wedi cael gafael ar froga
   sy'n denau a llonydd a swil;
mae'n rhythu'n syn i fy llygaid –
   dwi'n meddwl g'na i alw fo'n Wil.

Ma' Wili a fi 'di bo'n chwara
   a chwara drwy'r dydd i gyd
nes bod hi yn amser gwely –
   mae o dan fy ngobennydd o hyd!

Ych! Ma' Mam yn mynnu fy swsian,
   dwed, 'Nos da, pwt. Cysga'n dynn.'
O, hec! – ma' Wili 'di neidio
   ac ma' Mami yn edrych yn syn!

'Wa-a-a-a-a!' medda hi – wedi dychryn;
    dyma Wili yn sboncio o'i ffordd
a Mam yn rhoi ordors i'w ddal o,
    a nghalon i'n curo fel gordd!

Dwi'm isio cael gwared â'r broga
    a ninna yn ffrindia, ni'n dau;
o'dd o'n lot gwell na chwara 'fo Brenda
    a phen honno'n llawn o ryw lau.

Daeth Dad, a chael madael o Wili
    a deud, 'Broga'n tŷ? Ma'n beth ffôl!'
We-hei! Ma'n ffôn i yn crynu –
    ma' Carwyn 'di tecstio! Mae'n ôl!

Fory, ma' Carwyn a minna
    am fynd allan, i lawr at y llyn;
mi ffendiwn ni Wili yn fan'no.
    fydd 'i lygaid o'n sosars mawr syn!

Rhaglen Saesneg y BBC ar gyfer plant bach yn y 1950au o'r enw *Watch with Mother* sy'n gyfrifol am fy hoffter o lyffantod a brogaod, i ryw raddau beth bynnag. Doedd ganddom ni ddim sianel Gymraeg bryd hynny – a nemor ddim rhaglenni Cymraeg i blant – ac wrth gwrs, doedd S4C na Cyw ddim wedi cael eu dodwy, heb sôn am eu deor, fel petai! Felly, un diwrnod glawog, diflas a llaith pan oedd fy mam yn wyllt brysur yn y gegin a minnau dan draed, cefais fy sodro o flaen y set deledu, a'm siarsio i 'ista'n ddel a gwrando' ar y rhaglen Saesneg y soniais amdani.

Wrth gwrs, mi brotestiais, gan ddadlau nad oeddwn eisiau gwylio a gwrando ar fy mhen fy hun, heb gwmni Mam. Aeth pethau o ddrwg i waeth wedyn pan gododd hithau ei

llais a dwrdio – rhywbeth eithriadol o anarferol; rhaid ei bod
hi'n rhy felltigedig o brysur i ymresymu yn ôl ei harfer!

'Yli!' siarsiodd y diwrnod hwnnw, 'rhaid i ti edrach ar
Watch with Mother hebdda i heddiw – *or else!*'

'Fedra i ddim, Mam!' taerais innau, yn fy nagrau bron.

'Paid â rwdlian!' ges i wedyn. 'Hen hogan fawr (ro'n i'n
bedair oed) yn cau edrach ar y telifisiyn ar 'i phen 'i hun!'

'Ond, Ma-am,' plediais, 'dydw i ddim i fod i edrach
hebddat ti, achos mae o'n deud *Watch with Mother!*'

Chlywodd Mam mo' nadl i, achos roedd hi wedi rhuthro
am y gegin gan fod 'na arogl llosgi trybeilig yn dechrau
treiddio drwy'r tŷ. Gadawodd fi'n poeni'n arw ar y soffa o
flaen y telifisiyn, yn dal i bendroni be naethwn i: gwylio ar fy
mhen fy hun, heb fam, 'ta be? Wedi'r cwbwl, roedd y bocs
oedd yn rhythu arna i wedi gorchymyn i mi edrych arno hefo
rhyw 'Mother'. Tybad fasa mam rhywun arall yn gneud y
tro? Misus Wilias Garej, mam Carys, ella? Neu Misus Jôs
Nymbar Tŵ, mam Gwyneth? Ond gwyddwn na fedrwn i
ofyn iddyn nhw'r diwrnod hwnnw, achos doedden nhw
ddim adra. Ro'dd rhaid i mi ddod o hyd i rywun i wylio hefo
mi! Ro'dd Dad yn rhy brysur yn sgwennu, a doeddwn i ddim
i fod i'w styrbio fo ar unrhyw gyfri. (Roedd Dad, Gwilym O.
Roberts, yn seicolegydd disglair iawn, yn uchel ei barch, ac
er 'mod i'n ymwybodol o bwysigrwydd ei waith, doeddwn i
ddim yn deall llawer amdano bryd hynny.) Ro'dd y ci allan
yn rwla yn hela cwningod neu gathod neu rwbath gwaeth.

Gwrandewais yn astud i weld a oedd Mam yn dal yn
brysur yn ei chegin, ac a barnu oddi wrth sŵn cloncian y
sosbenni a'r crochenni, roedd 'na ryw fynd garw o gylch fy
mam a digon o brysurdeb i mi fedru mentro allan heb iddi
sylwi ar ddim!

Felly, ar flaenau fy nhraed, es i allan i'r glaw smwc, i
bendroni. Cerddais ling-di-long i lawr at y llyn. Rhyw bwll
lili o beth oedd hwnnw, a'r 'llyn' roedden ni'n ei alw am ei

Mam a Nhad yn America

fod o'n o fawr. A be welais i'n syllu'n syn arna i oddi ar ei glustog o ddeilen lili ond broga. Llamodd fy nghalon, achos roeddwn i wedi darganfod cymar i wylio *Watch with Mother* hefo mi, ac yn y fan a'r lle, mi enwais i o'n Joni-Wili!

Fûm i fawr o dro yn ei ddal a'i sodro fo mewn pot jam gwag ddarganfûm i yn y cwt, ac yn ddistaw bach es yn fy ôl i mewn i'r tŷ ac eistedd ar y soffa hefo Joni-Wili yn fy nghôl – i wylio'r rhaglen oedd yn dal ar y teledu. Erbyn hynny, byddai *Watch with Toad* wedi bod yn amgenach enw arni.

Fel ergyd o wn, daeth Mam i mewn yn ffwdanus o ganol ei phrysurdeb a golwg wedi ffrwcsio arni. Mae'n debyg ei bod hi newydd gofio'i bod wedi anghofio amdana i, ac yn poeni mod i'n rhy ddistaw, achos golygai hynny fel arfer mod i'n gwneud rhyw ddrygau, yn ôl fy rhieni.

'Wyt ti'n iawn yn fan'na, 'mach i?' gofynnodd Mam yn annwyl, gan blygu i gusanu fy mhen. Dychrynodd Joni-Wili, a sboncio'n syth allan o'i bot jam, heibio trwyn Mam, a glanio'n daclus ar fraich y soffa.

Sgrechiodd Mam dros y lle. Roedd yn gas ganddi frogaod a llyffantod a phob trychfil dan haul ffurfafen! Sgrechiodd eilwaith, ac ar hynny rhuthrodd fy nhad i mewn, gan feddwl bod 'na ryw drychineb ar droed – achos fyddai Mam byth yn sgrechian fel arfer.

Pan sylweddolodd Nhad be oedd wedi digwydd, dyma fo'n dweud,

'Peidiwch â dangos eich *phobia* i'r plentyn, Mary, neu mi'i trosglwyddwch o iddi hi.' Ac aeth yn ôl i'w stydi i roi'i drwyn yn ei lyfra seicoleg yn ôl ei arfer.

Un o fy hoff luniau o Mam

A chwarae teg i Mam, mi wrand'odd ar genadwri fy nhad, achos os byth y byddai gen i lyffant neu froga wrth f'ymyl ar ôl hynny – ac mi fyddwn yn cadw un yn gwmni yn aml, byddai hithau'n mygu ei hatgasedd ac yn dioddef yn dawel a byth yn fy nwrdio ar gownt y peth er mwyn i mi gael mwynhau'r pleser diniwed o gyfeillgarwch broga, a'm harbed rhag bod ei ofn o.

Bûm yn lwcus iawn o gael rhieni fel fy rhai i. Wedi'r cwbwl, does 'na ddim llawer o ferched o'r un to â mi all frolio'u bod nhw wedi cael rhieni warchododd nhw rhag *phobia* llyffantod a brogaod!

Tro Cynta
(ar gyfer plant oed cynradd)

Ro'dd heddiw yn dro cynta
    i mi fynd draw i'r siop
i brynu rhes o betha,
    a mhen i'n troi fel top!

'Dwi isio chwech o wya,'
    o'dd be orchmynnodd Mam,
'potyn bach o *mayonnaise*,
    mincemeat, O! – a ty'd â jam!'

Mi geisiais gofio'r rhestr
    o'r pethau ddeudodd Mam;
o'dd cofio rhes o neges
    yn gneud 'mi deimlo'n wan!

Mi ddwedais wrth y siopwr:
    'Ga' i wy, a mae o'n neis;
jam-*meat* o'dd gen Mam isio,
    a photyn chwech mins-peis.'

Edrychodd Mistar Siopwr
    dros sbectol hanner crwn
a bloeddio: 'POS sy gen ti –
    'Dda i'n siŵr o ddatrys hwn!'

Mi wnaeth fy siopa drosta i
    nes oedd fy mag yn llawn;
ac wedi i mi dalu,
    es adre ganol pnawn.

Roedd Mam mor falch o'i neges
  ond . . . ga'th hi 'bach o sgeg:
y *mayonnaise* ddaeth allan, jam,
  chwe pei . . . a . . . *pickled egg*!

Roedd heddiw yn dro cynta
  i mi fynd draw i'r siop,
a hwnna fydd yr ola –
  'chos dwi 'di gweiddi: 'STOP!'

Mae 'na wastad dro cynta i bopeth, a phan siarsiodd fy mam
fi i fynd i lawr Lôn y Wig i siop y pentre ar fy mhen fy hun am
y tro cynta erioed i brynu nwyddau iddi hi pan oeddwn i tua
chwe blwydd oed, mi ffrwcsis i'n lân! Ac yn wahanol i'r
rhestr o bethau angenrheidiol y soniais amdanynt yn y gerdd
fach flaenorol, dau beth yn unig oedd Mam eu hangen
mewn gwirionedd, sef potelaid o *salad cream* a hanner dwsin
o wyau. Serch hynny, mi lwyddais i gawlio pethau, a'r atgof
am hynny sbardunodd fi i sgrifennu'r gerdd 'Tro Cynta'.

Roedd y diwrnod hwnnw o haf hirfelyn yn un sych a
llychlyd, a deud y lleia, a doedd 'na ddim dafn o ddŵr yn
unrhyw un o'r pylla ar Lôn y Wig, felly doedd 'na ddim
pwrpas i mi sboncio i mewn ac allan ohonyn nhw i weld y
diferion yn tasgu i bob cyfeiriad. Felly, mi gerddais ling-di-
long i lawr y lôn gan ryw lun o jinglo'r arian rhydd oedd yn
fy mhoced. A thrwy'r adeg, ro'n i'n ailadrodd y geiriau:
'Potel o salad cream a hannar dwsin o wya' drosodd a
throsodd wrtha i fy hun, gan bryderu mod i am anghofio be
siarsiodd Mam i mi ei nôl iddi.

O'r diwedd, cyrhaeddais y siop a loetran y tu allan iddi
cyn mentro i mewn. Roedd 'na ryw blwc o swildod wedi
cydiad yndda i. Syllais ar yr adeilad er mwyn gwastraffu
amser. A dyma fi'n meddwl mewn difri fod y siop yn edrych

yn un ddigon simsan, ac yn debyg iawn i gwt go fawr. Beryg mai wedi cael ei chodi ar gyfer y twristiaid ddeuai i'r meysydd carafannau ym misoedd yr ha' roedd hi'n wreiddiol, ond ein bod ni'r pentrefwyr yn ei defnyddio hi rownd y ril. Wedi'r cwbwl, hon oedd yr unig siop werthu bwyd ym Mhontllyfni. Ar hynny, mi 'laris arna i fy hun yn tin-droi'r tu allan, a dyma fi'n ymwroli, cythru am y drws, a mentro i mewn ar garlam.

Mae'n rhaid fod 'na olwg anarferol o wyllt arna i, a mod i wedi gwneud rhyw dwrw annaearol wrth sgrytian cloch y drws ar fy ffordd i mewn, achos mi droth y ciw o ymwelwyr lliwgar uchel eu cloch a'r dyrnaid pentrefwyr di-ddeud oedd yn aros eu tro wrth y cownter i rythu'n chwilfrydig a mud arna i. Ro'n i'n teimlo'n andros o hunanymwybodol a di-ddim – fel petai pawb oedd yno'n gowbois mewn salŵn yn un o'r ffilmiau du a gwyn hynny erstalwm lle byddai'r criw wrth y bar yn troi fel un i edrych yn syn ar ryw ddihiryn oedd newydd feiddio dod i mewn. Yr eiliad honno, yn ein siop fach bentre ni, teimlais mai fi oedd y dihiryn.

Mae'n siŵr fod Mr Baum, y siopwr, oedd yn Gymro Cymraeg glân gloyw er gwaetha'i enw a'i dras Almaenig, wedi deall f'ansicrwydd gan fod 'na olwg wedi rhusio arna i. Mae'n debyg fod hynny wedi'i daro'n anarferol gan fod gen i ddigon i'w ddweud fel arfer pan fyddwn i yno yng nghwmni Mam. Gwyddai'n iawn na fûm i rioed yn nôl neges yno ar fy mhen fy hun o'r blaen p'run bynnag. Felly mi dosturiodd wrtha i, achos mi ges fynd i flaen y ciw ganddo, a dwi'n ei gofio fo'n gofyn yn garedig:

'Be fedra i neud i ti, 'mach i?'

Ro'n i'n chwys oer drostaf, achos erbyn hynny roeddwn i wedi anghofio, yn fy nychryn, be andros oedd fy neges. A dweud y gwir, fedrwn i gofio coblyn o ddim! Ac i goroni'r cwbwl, roedd y 'dorf' wedi dechrau rhyw gilwenu ac edrych yn ddisgwylgar arna i, a minna'n mynd yn fwy hunanymwybodol wrth y funud! Rhoddais ryw gipolwg o gylch y silffoedd, oedd yn llwythog hefo tuniau a phacedi a jariau o bob lliw a llun – rhag ofn i mi weld rhywbeth fyddai'n f'ysbrydoli i gofio.

'Ma' Mam isio . . .' meddwn i. Ddwedis i ddim byd arall, a theimlwn fod fy llygaid wedi mynd yn fawr fel soseri yn fy mhen gan faint fy ofn.

Mae'n rhaid fod Mr Baum yn gyfarwydd ag anghenion fy mam o'r dewis nwyddau yn ei siop, achos mi ddaeth i'r adwy drwy ofyn yn obeithiol:

'O'dd dy fam isio wya, dybad?'

'Oedd!' meddwn inna fel ergyd o wn, a'r rhyddhad i'w glywed yn amlwg i bawb yn f'ebychiad, achos erbyn hyn roedd 'na ryw hen ddistawrwydd lletchwith wedi treiddio drwy'r lle – yn fy meddwl diniwed i, beth bynnag! Yn ddi-os, roedd 'na rai bellach wedi dechrau piffian chwerthin – a gwaeth! – roedd 'na rai eraill hyd yn oed wedi dechrau gwneud rhyw synau 'A, bechod!', fel 'san nhw biti drosta i. Ac mi ymwrolais o ganlyniad i hynny, a deud fy neges yn glir fel cloch mewn llais uchel, stowt, dros y lle:

'Ma' Mam isio potal o wya, a hannar dwsin o *salad cream*!'

Aeth pobman yn dawel am un ennyd fer cyn i sŵn chwerthin y bobol oedd o nghwmpas i atseinio uwch fy mhen a'r Cymry'n cyfieithu i'r Saeson. Wrth reswm, doedd 'na ddim malais o gwbwl yn eu hiwmor iach, ond gan fy mod yn argyhoeddedig mod i wedi dweud yn gywir be oedd fy neges, ddeallais i ddim pam roedden nhw'n chwerthin, ac roedd hynny'n fy ngwneud yn anesmwyth. Felly, wedi i mi dderbyn y *salad cream* bondigrybwyll a'r wyau, a thalu amdanyn nhw, mi stompiais adre a ngwynt yn fy nwrn, gan drosglwyddo'r nwyddau a'r newid i Mam, a datgan:

'Dwi'm isio mynd i'r siop 'na byth eto!' heb roi unrhyw eglurhad o gwbwl.

Fu Mam fawr o dro yn datrys y dirgelwch gan ei bod hi'n arferiad gan bawb yn y pentre ryw ben o'r wythnos fynd draw am glonc i siop Mr Baum. Rhoddodd rhywun hi ar ben ffordd cyn pen dim, er mawr ddifyrrwch iddi. Ac wedi i minnau dderbyn pisyn tair ceiniog gan Nhad ymhen deuddydd neu dri, fûm i fawr o dro yn 'nelu am y siop am yr eildro ar fy mhen fy hun i wario f'arian.

Aeth f'anffawd yn angof nes i mi ddigwydd cofio am yr wyau a'r *salad cream* dro'n ôl, a hynny yn ei dro a'm sbardunodd i sgrifennu'r penillion syml uchod.

Potsian yn y Pyllau
(Roedd gofyn i sgwenwyr amrywio acenion weithiau
mewn straeon teledu i blant 'stalwm)

Roedd Lowri a Rhodri moyn mynd i'r dre gyda'u tad yn y car. Roedden nhw wedi gwisgo'n drwsiadus yn eu dillad newy' ar gyfer y siwrne.

'Brysiwch, glou!' gwaeddodd Dad. 'Ni'n mynd nawr! Dewch mewn i'r car!'

Rhedodd Rhodri ato, a dringodd mewn i'r sedd gefen a gwisgo'r gwregys diogelwch. O! Ro'dd e'n 'drychyd mla'n am y daith.

Ond ble roedd Lowri? Doedd dim golwg ohoni hi yn unman!

'Hmm,' meddyliodd Dad, 'pa ddrygioni mae'r ferch fach 'na'n ei wneud nawr?'

* * *

Ro'dd Lowri wedi gwisgo'i dillad a'i esgidie gore, ac wedi bo'n sefyll am ei thad a Rhodri ers amser. A gweud y gwir, ro'dd hi wedi blino'n siwps ac wedi bod yn sefyll amdanyn nhw ers ache, felly a'th hi bant i edrych ar y pylle dŵr o'dd y glaw wedi'u gadel ar hyd llwybr yr ardd gefen ar ôl iddi lawio'n drwm.

'Drychodd Lowri ar un pwll mawr. O! Ro'dd hi wrth ei bodd, achos gallai weld ei llun yn'do fe!

Wedi 'ny, gwelodd garreg fawr ar bwys y pwll. Gafaelodd yn y garreg yn ofalus iawn â'i dwy law. Edrychodd arni. Dyna garreg bert o'dd hi! Ro'dd 'na liwiau porffor a gwyrdd a gwyn arni. Doedd hi ddim yn drwm iawn, ond yn ddigon trwm i wneud sblash fach.

Yn sydyn, taflodd Lowri'r garreg mewn i'r pwll. SBLASH! Sbonciodd a thasgodd y dŵr, a chwarddodd hithe dros y lle. Syllodd eto ar y pwll. Doedd dim golwg o'r garreg bert yn unman, ond ro'dd hi wedi gadel siâp cylch ar wyneb y dŵr.

'Mowredd! Dyma hwyl,' meddyliodd Lowri, gan wenu o glust i glust, ac er mwyn cael mwy o sbort a sbri, aeth i 'whilo am garreg wahanol i'w thaflu, achos o'dd hi moyn gweld cylch arall ar wyneb y dŵr. Y tro hwn, daeth o hyd i garreg fwy o lawer na'r llall – un llawer trymach na'r un fawr bert, a thaflodd honno hefyd i'r pwll dŵr.

SBLASH! Roedd honna'n fwy o sblash, achos o'dd y garreg yn fwy'r tro hyn. Tasgodd y dŵr i bobman, nes bod Lowri yn wlyb ac wedi trochi ei dillad.

Ond wnaeth hi ddim sylwi o gwbwl, achos ro'dd hi wrth ei bodd yn edrych am hir ar y siâp cylch mawr oedd yn dal i 'whyddo a mynd yn fwy ar wyneb y dŵr – er bod y garreg ei hunan wedi damsgen a suddo i'r gwaelod ers peth amser.

'O! 'Na bert yw'r cylchoedd ar wyneb y dŵr!' meddyliodd Lowri.

Cafodd syniad. Ro'dd hi eisie gweld cylch mawr, anferth ar wyneb y pwll dŵr – y cylch mwyaf a welodd hi erio'd! Meddyliodd yn galed sut roedd hi am wneud hyn: ro'dd hi isie carreg fwy na'r ddwy arall. Ond doedd hi ddim yn meddwl y gallai gario carreg anferth ar ei phen ei hunan.

Ymhen dim, cafodd syniad da arall. Roedd hwn yn syniad gwell na'r twlu cerrig: ro'dd hwn yn syniad gwych! Nawr, ro'dd hi ei hunan yn llawer trymach na'r cerrig. Roedd y garreg fawr bert yn drwm, a'r garreg fwy yn drymach – ac o'i chymharu â'r ddwy garreg, hi, Lowri, oedd y mwyaf a'r drymaf un! Felly penderfynodd neido i mewn i'r dŵr ei hunan, i wneud y sblash fwyaf anferthol welodd neb erio'd! Felly – mewn â hi!

W-i-i-i-i-i, SBLASH! Glaniodd yng nghanol y pwll nes

bod y dŵr yn tasgu i bob man, i bob cyfeirad. A dweud y
gwir, doedd 'na ddim llawer ohono ar ôl yn y pwll wedi 'ny!
A do'dd Lowri druan ddim yn gallu gweld cylch o gwbwl
nawr, achos roedd ei llyged yn llawn o ddŵr a llaid brwnt. O,
druan a hi! Ro'dd y dŵr yn ei chlustie, ac roedd ei gwallt a'i
dillad newy' yn wlyb socan potch!

Doedd 'na ddim llawer o ddŵr ar ôl nawr. Achos bod
Lowri ei hunan yn drymach na phwyse'r dŵr o'dd yn y pwll,
ro'dd hwnnw wedi sbonco a thasgu mas i bobman pan
laniodd Lowri mor wyllt yn'do fe!

Dechreuodd y ferch fach lefen.

'Help!' gwaeddodd. 'He-e-e-elp!'

* * *

Tra oedd yn eistedd yn y car, clywodd Rhodri ei chwaer fach
yn galw, a dwedodd wrth ei dad ei fod e'n meddwl bod 'na
rywbeth o'i le. Rhedodd tad y plant at Lowri.

Roedd e am roi stŵr iddi, ond pan welodd yr olwg drist
a thruenus oedd ar ei ferch fach, penderfynodd ei bod hi
wedi dysgu ei gwers yn barod. Doedd e ddim yn meddwl y
byddai hi'n neido'n wyllt a dwl i mewn i'r pylle dŵr rhagor!

Chafodd Lowri fach ddim mynd i'r dref gyda'i thad a'i
brawd y diwrnod hwnnw. Arhosodd gartre gyda'i mam i gael
dillad glân a stori. Pan ddaeth y ddau arall 'nôl sha thre,
roedd Rhodri wedi dod ag anrheg gydag e, i'w chwaer fach.

Wyddoch chi beth oedd yr anrheg? Alla i weud 'tho chi
nawr, o'dd Lowri wrth ei bodd, achos yr anrheg o'dd . . . pâr
o welingtons coch, jest rhag ofan iddi fynd mas unweth 'to, i
botsian yn y pylle!

Egwyddor Archimedes:

*Pan fo gwrthrych yn cael ei drochi'n llwyr neu'n rhannol mewn llifydd,
mae'n teimlo brigwth sy'n hafal i bwysau'r llifydd a ddadleolwyd.*

(o'r Gwyddonydd)

Dros y blynyddoedd, dwi wedi sgwennu rhesi o sgriptiau a
straeon ar gyfer HTV, Adran Addysg y BBC ac S4C, ymysg
eraill. Mae'r stori fach am y potsian mewn pyllau, a
ysgrifennais yn 1993 ar gyfer plant oedran cynradd, yn
tynnu ar sawl digwyddiad yn fy hanes, a dweud y gwir, ac un
o'r rhai amlycaf yw'r tro hwnnw pan oeddwn i a'm rhieni'n
eistedd o amgylch y bwrdd te, a minnau newydd ddechrau
mynychu'r ysgol gyfun leol, sef Ysgol Dyffryn Nantlle.

Roedd Mam a Nhad wedi hen adrodd hanes eu diwrnod
hwy – y naill a'r llall – yn ôl ein harfer ni fel teulu. Gan mod
i braidd yn dawedog, heb stori i'w hadrodd, a hynny'n
anarferol, dechreuodd Mam boeni nad oeddwn wedi setlo'n
iawn yn f'ysgol newydd. Doedd 'na ddim problem, gyda
llaw, ond cofiaf fy mod yn hynod flinedig o fod wedi newid
o ysgol fechan gartrefol i un a ymddangosai'n anferth i mi!

''Nes di fwynhau'r ysgol heddiw, 'mach i?' gofynnodd
Mam.

'Do,' meddwn.

'Be ddysgis di yno?'

'Cymraeg a Susnag a Maths.'

'Dew,' meddai Nhad, yn rhyw natur tynnu coes, 'do'dd
hynna mond 'run fath yn union a 'rysgol Brynaera. 'Nes di'm
byd gwahanol yn 'rysgol fawr, d'wad?'

Ro'dd rhaid i mi feddwl dipyn am hyn, ac yna cofiais yn
sydyn mod i wedi cael gwers Ffiseg.

'Gesh i lessyn ffisigs,' meddwn, 'a nath Mr Thomas
ddeud bod 'na ddyn a'i enw fo'n Archie wedi pwyso rhyw

blisman ar glorian yn 'rawyr, a wedyn roth o fo mewn bath, a mi gollodd y plisman lot o bwysa.'

Edrychodd fy rhieni ar ei gilydd, ac ebychodd fy nhad fel y byddai'n gneud pan fyddwn wedi gor-ddweud rhywbeth:

'Brenin y bratia a'i draed drwy'i sgidia! Yli, dos i nôl dy gopi-bwc Physics.'

Ac mi es, gan agor y llyfryn a phwyntio at 'hanes' Archie a'r plisman. A dyma'r hyn ro'n i wedi'i sgrifennu, yn Saesneg, iaith ein haddysg 'stalwm:

> *Archimedes' Principle:*
> *When a Bobby is weighed in air and then in a liquid, there is an apparent loss of weight. This apparent loss of weight is equal to the weight of the liquid displaced.*

Wedi peth pendroni, sefydlwyd mai *body* oedd y gair cywir i fod, nid *Bobby*!

Ma' potsian mewn pyllau wedi bod yn bleser pur i mi erioed – boed nhw'n byllau ar lan y môr, ar dirwedd mynyddig, mewn gerddi neu'n rhai syml iawn fel yn y stori uchod, sef y rheiny y bydd y glaw yn eu gadael ar ôl cawod.

Does ryfedd mod i wedi ymddiddori ynddyn nhw. Roedd fy nghartre bron â bod ar lan y môr, felly roedd 'na doreth o byllau gwymon ar y traeth pan oedd y môr ar drai. Ffiniai ein tŷ ni hefyd â chors, efo afonig fechan yn stelcian ynddi. Roedd 'na byllau yn y fan honno hefyd oedd o'r golwg yn y brwyn, ac ym mhob un, fel yn y rhai ar y traeth neu'r un yn yr ardd, roedd 'na bob mathau o greaduriaid a thrychfilod yn llechu.

Rhwng y môr a'r ffordd fawr o Gaernarfon i Bwllheli

roedd 'na lôn fechan garegog, neu wtra, y galwem ni'r pentrefwyr yn Lôn y Wig. Roedd cael potsian ym mhyllau mwdlyd hon yn nefoedd i mi erstalwm, hyd yn oed pan oeddwn ar fy mhen fy hun, pan nad oedd 'na neb arall o'r plant yn rhydd i chwarae. Achos pyllau i neidio i mewn iddyn nhw oedd ar Lôn y Wig, nid rhai i chwilota beth oedd ynddyn nhw! Treuliais oriau pleserus, gwefreiddiol yn ystod fy mhlentyndod ar y lôn fach lychlyd hon mewn hen bâr o welingtons a dillad blêr, heb ofal yn y byd, yn dweud 'helô' wrth unrhyw un a âi heibio ac a ymddiddorai yn fy hwyl.

Droeon, cefais fy rhybuddio i beidio â gwneud hyn gan fy mod wastad yn baeddu fy nillad, ond sylweddolodd Mam yn gynnar iawn ei bod hi'n ail natur i mi fynd i chwilota ym mhopeth, hyd yn oed mewn baw a llaca, gan mai dyna oedd fy ngreddf. Felly, oherwydd fy mod wastad yn cael rhyw anturiaethau mewn mwd a mieri a phethau cyffelyb, fyddai fy mam ddim yn trafferthu fy ngwisgo mewn dillad taclus pan fyddwn i gartref.

Un tro, pan oeddwn yn rhyw bump oed, gofynnais am gael mynd i'r Dre (sef Caernarfon) ar y bws hefo Mam, i brynu rhyw degan neu'i gilydd yn siop fawr Woolworths. Roedd gwneud peth felly'n achlysur mawr bryd hynny. Dywedodd fy mam y byddai'n mynd â mi yno ar yr amod y byddwn yn 'gwisgo dillad del'. Cytunais. Byddwn wedi cytuno i unrhyw beth – achos roeddwn i a'm bryd ar gael y tegan bondigrybwyll! Mae'n rhaid fy mod i'n fwg ac yn dân amdano er na alla i gofio be oedd o, achos bodlonais ar wisgo dillad ffrili pinc a gwyn o'm corun i'm sawdl, ac roedd yn gas gen i'r lliw pinc!

Ro'n i'n teimlo'n anghyfforddus ofnadwy yn y rigówt anghyfarwydd, ac yn cywilyddio a meddwl yn siŵr y byddai pawb yn chwerthin am fy mhen am fy mod yn ymdebygu i deisen ffansi neu gandi-fflos. Roedd 'na andros o fflowns yn y ffrog, ac ymwthiai allan o'm blaen ac o'm cwmpas yn hollol anymarferol, am fod 'na rhyw bais stiff, ffrili oddi tani. I goroni'r cwbwl, roedd gen i rubanau yn fy ngwallt, a sanau a sandalau gwynion am fy nhraed. Teimlwn yn annaturiol o lân, a deallais yn union yn y fan a'r lle pam y byddai Gwenno, ein hen ast annwyl, ar ôl cael bath yn mynd yn syth bìn i'r ardd ac yn rowlio ym mhridd y rhesi tatws! Ond er mod i'n edrych fel *raspberry ripple*, roedd Mam yn meddwl mod i'n 'biwtiffwl'!

Does dim rhaid cael fawr o ddychymyg i ddyfalu be ddigwyddodd wrth i ni'n dwy gerdded yn sidêt i lawr Lôn y Wig. Bu bron i ni lwyddo i gyrraedd y briffordd a safle'r bws yn ddiffwdan, ond fedrwn i ddim maddau i'r pwll olaf un. Do, methais reoli fy ysfa i neidio iddo. Ac mi es i mewn hefo arddeliad!

Aeth y bws i'r Dre heibio i ni. Roedd Mam druan yn rhy brysur yn ceisio adfer fy nillad i sylwi. Sylwais innau fod golwg drist arni, a theimlais gywilydd dychrynllyd.

Tyfodd y cywilydd hwnnw achos, yn ôl ei harfer, ches i ddim cerydd na stŵr gan Mam. Anaml iawn y byddai hynny'n digwydd i mi. Doedd fy rhieni ddim yn credu mewn dwrdio'n groch a blagardio. Yn hytrach, byddent yn ymresymu.

Eglurodd Mam yn araf a phwyllog ei bod hi wedi talu'n ddrud am fy nillad crand am ei bod hi eisiau i mi gael y cyfle i edrych yn ddel fel pob hogan arall. Ac am ein bod ni wedi colli'r bws, eglurodd ymhellach na fyddwn i'n medru prynu'r tegan o Woolworths. Wrth gwrs, gallasai Mam yn hawdd fod wedi newid fy nillad a dal y bws nesa i'r Dre – ond roedd hi'n gallach na hynny. Roedd hi a'i bryd, yn ei ffordd dawel, ar ddysgu gwers i mi!

Ymhen rhyw wythnos, aeth y ddwy ohonom drwy'r un rigmarôl eto. Cefais fath, a 'ngwisgo'n ofalus yn yr un rigówt glân, siwgwraidd-binc. Doedd dim raid i Mam roi unrhyw rybudd i mi . . . a wnes i ddim meiddio neidio i unrhyw bwll dŵr. Wnes i ddim hyd yn oed mentro edrych ar unrhyw un ohonyn nhw wrth gerdded i lawr Lôn y Wig y diwrnod hwnnw, achos doeddwn i ddim isio cael fy nhemtio, a ddim eisio gwneud Mam yn drist ac, yn bennaf oll, roeddwn i isio'r tegan hwnnw o Woolworths yn fwy na dim! Erbyn meddwl, wnes i ddim neidio i mewn i'r pyllau yn fy nillad gora fyth wedyn gan fy mod i wedi deall bod Mam yn gwneud ei gorau drosta i – bob amser.

A do, mi gefais i'r tegan o Woolworths, ac roeddwn i'n meddwl y byd o Mam – nid yn unig am fy mod wedi cael anrheg ganddi, ond hefyd oherwydd y cyd-ddealltwriaeth oedd rhyngom. Deallwn yn iawn ei bod hi'n fy ngharu, ac yn caru fy lles i. Ac er fy mod i'n tynnu'n groes ar adegau, gwyddwn yn y pen draw mai hi oedd yn iawn. Roedd hi'n berson annwyl, addfwyn a theg, yn barod ei chymwynas â phawb, ac yn fwrlwm o asbri a chwerthin. Gwyddwn y byddai'n rhoi ei bywyd drosof pe byddai rhaid. O'r herwydd, roedd hi'n fam oedd yn hawdd iawn i'w pharchu a'i charu.

Rhag i mi fynd i ganu clodydd fy mam yn ormodol, ac anwybyddu Nhad, prysuraf i ddweud mai braint oedd cael bod yn ferch i'r ddau ohonyn nhw. Ac i blentyn bach, un o'u rhinweddau cryfaf wrth fy magu oedd y ffaith eu bod nhw'n cyd-dynnu'n rhagorol wrth wneud hynny. Byddai'r ddau'n gytûn ynglŷn â'm magwraeth, felly doedden nhw ddim yn fy nrysu; er enghraifft, os byddai Mam yn gwrthod i mi gael rhywbeth, byddai fy nhad yn gwrthod hefyd. Felly, roedd eu disgyblaeth a'u canllawiau at fyw yn hollol glir, a doeddwn i byth yn cael fy nhynnu ddwy ffordd. A phe baen nhw'n anghytuno, byddent yn gwneud hynny ymhell o'm clyw i.

Ond byddent yn dadlau fel ci a chath o mlaen i ynglŷn â manion dibwys, er enghraifft, y broblem halltu grefi. Byddai Nhad yn holi o hyd pam goblyn roedd Mam yn rhoi pinsiad helaeth o halen yn y grefi, ac yn anghofio'i droi, nes bod rhai cegeidiau o'r gwlych yn ddi-flas ar y naill law, ac ar y llaw arall gallech gael llond ceg o halen! Ar adegau fel hyn byddwn yn troi clust fyddar gan y byddwn yn grediniol fod y ddau ohonyn nhw'n hollol boncyrs! Byddwn hefyd yn deall bod modd i ŵr a gwraig ffraeo am gyfnod, ond nad oedd hynny yn ddiwedd y byd chwaith gan y bydden nhw wedi trafod a chwerthin am ben y rhan fwyaf o'r gwrthdaro fyddai rhyngddyn nhw. Ond rywsut, ddaru nhw rioed ddatrys problem halltu'r grefi!

Fel y crybwyllais, os byddai Mam yn fy nisgyblu, byddai wedi trafod y peth gyda Nhad yn gyntaf yn fwy aml na pheidio. Erbyn meddwl, mae'n bur debyg mai dyna ddigwyddodd pan benderfynodd hi fy ngwisgo fel *raspberry ripple*. Roedd fy rhieni wedi cael un o'u dadleuon bach diniwed yn fy ngŵydd ryw wythnos ynghynt, a hynny am fy mod wedi dringo coeden a minnau'n gwisgo ffrog, ac oherwydd fy mod wedi hongian ar frigyn ben i lawr yn esgus mod i'n ystlum, roedd fy nillad i'n hongian am ben fy nannedd, a fy 'nicyr yn golwg i'r byd', yn ôl Mam. Roedd hi wedi twt-twtian ac wfftio, ac wedi cyhuddo Nhad o anghofio mai hogan oeddwn i, a'i fod o'n fy magu fel taswn i'n hogyn! Byddai Dad yn arfer chwarae pêl-droed hefo mi, a dal sliwod yn yr afon ac ati – peth digon cyffredin i dadau ei wneud y dyddiau yma, ond pan oeddwn i'n blentyn, roedd merched i fod i ymddwyn fel merched a chwarae'n famol efo doliau. Ond roedd yn well gen i fod yn famol efo rhywbeth byw – fel Gwenno'r ci, er enghraifft. A dadl Dad oedd ei fod o'n ymdrechu i ngwneud i'n tyff, am mod i'n llawer rhy swil a theimladwy, ac yn unig blentyn. A dweud y gwir, chefais i rioed yr argraff fod unrhyw ots gan Nhad mod i'n ferch yn hytrach na bachgen, ac roeddwn i wrth fy modd yn chwarae pêl-droed a dal sliwod yn ei gwmni.

Ond dal i brotestio wnaeth Mam y diwrnod hwnnw:

'Ond Gwilym, ylwch arni hi ar y goedan 'na ar 'i phen i lawr yn 'i nicyr nefi-blŵ! Twt-twt! Dydy o ddim yn beth *ladylike* i hogan bach fod fel'na!'

Ac wedi iddo gymryd i ystyriaeth bod ein gardd ni, hefo'i chloddiau uchel, yn lle hynod o breifat ac nad oedd modd i neb dieithr weld fy nillad isaf, ateb pendant fy nhad cyn brasgamu ymaith oedd:

''Sa well i chi brynu nicar ffrils iddi felly, yn basa?'

Haf a Gaeaf yn Llŷn

Gwymon, cerrynt a chregyn,
  sêr môr mewn tywod melyn,
tonnau fel tannau telyn:
  haf a haul sy'n hael yn Llŷn.

Erwau'r ewyn yn Nefyn,
  fflangell eigion ar glogwyn,
bae gwag, gaea diderfyn –
  neb yn troedio traeth yn Llŷn.

Magwraeth wrth ymyl y môr

Dwi wedi byw'r rhan fwya o mywyd wrth ymyl y môr, neu o fewn tafliad carreg i'r môr. Os bydda i ymhell oddi wrtho, ar ben mynydd neu ym mherfeddion cefn gwlad, mi fydd gen i hiraeth am y dyfnderoedd cyfareddol a chyfnewidiol hynny, er tlysed pobman arall. Os digwydd i mi fod ymhell o olwg môr, byddaf yn ddieithriad yn mynd am dro i chwilio am afonig, pistyll neu lyn – neu hyd yn oed yn edrych o nghwmpas am bont i sefyll arni er mwyn cael rhythu ar li'r afon neu'r gamlas islaw. O bryd i'w gilydd, caf fy siomi'n fawr iawn o ddarganfod fy mod yn sefyll ar bont rheilffordd!

O ganlyniad i gael fy magu yn sŵn y tonnau, roedd rhaid i'm rhieni 'forol mod i'n gallu nofio cyn cerdded. A chan nad oedd Mam yn gallu nofio'n dda iawn, fy nhad gafodd y dasg o'm dysgu. Mae gen i frith gof ohono'n rhoi sawl trochfa i mi pan oeddwn yn fabi. Ar y dechrau, roeddwn yn sgrechian a phrotestio'n gynddeiriog, gan gasáu'r dŵr hallt oedd yn fy ngheg a'm ffroenau, ond dal ati i nghynefino fi â'r dŵr wnaeth fy nhad, heb ildio nes mod i'n chwerthin a mwynhau, ac yn deall sut i arnofio ar wastad fy nghefn ar wyneb y dŵr.

Wedyn, pan oeddwn fymryn bach yn hŷn, aeth ati o ddifri i nysgu i nofio drwy arsylwi ar lyffant. Daliodd un a'i roi o mewn powlennaid o ddŵr, a dangos i mi sut roedd y creadur yn defnyddio'i goesau blaen bob yn ail a'i goesau ôl i'w wthio mlaen drwy'r dŵr yn ddiogel heb suddo.

Mi gafodd o ffrae gan Mam am neud hynny, gan mai ei phowlen olchi llestri hi ddefnyddiodd o ar gyfer y llyffant, ac roedd hithau'n barnu nad oedd hynny'n beth *hygenic*!

Dyddia Difyr

Mi fydd 'na falchder yn llenwi nghalon bob tro y bydda i'n egluro mai 'ysgol ardal' oedd, ac ydy, Ysgol Gynradd Brynaerau, a fynychais erstalwm. Dwn i'm pam – bosib am fod hynny'n rhywbeth fymryn gwahanol i ysgol mewn pentre neu mewn tref.

Ond dydy'r ysgol ddim hyd yn oed ym mhentre Pontllyfni. Dydy hi ddim mewn unrhyw bentre o gwbwl. Yn hytrach, mae hi ar ben bryn mewn cornel fach dawel, wledig ym mherfeddion cefn gwlad sy'n deillio o gyfnod y Mabinogi. Yn ôl yr athrylith Syr Ifor Williams, oedd yn arbenigo mewn Cymraeg Canol, roedd yr enw 'Brynaerau' yn tarddu o enw ardal hynafol iawn a elwir yn y Mabinogi yn 'Brynarien'. Ac wrth ystyried hynny, dwi'n credu mai dyna pam rydw i mor falch mod i wedi cael y fraint o fynychu ysgol o'r fath.

Dim ond 'Rîding, 'Riting a 'Rithmatic' roeddan ni'n gorfod ei ddysgu – yn Gymraeg gyntaf, nes roeddan ni'n saith oed, a phryd hynny roeddan ni'n dysgu siarad, sgwennu a darllen Saesneg. Hefyd, roedd y genod yn cael gwersi gwnïo a gwau yn y Rŵm Fach hefo Miss Jones Gyrn Goch, a hefo Miss Mary Wyn ar ôl i Miss Jones ymddeol. Bryd hynny, byddai'r hogia i gyd yn mynd i'r Rŵm Fawr i gael gwersi arlunio, a byddwn innau'n ddrwg fy hwyl am mod i isio mynd i ganlyn yr hogia achos mod i wrth fy modd yn gwneud gwaith celf.

Un diwrnod, pan ges i row gan Miss Jones Gyrn Goch am fy mod i wedi cymryd blwyddyn gron i wau rhyw hen sgwaryn pygddu tyllog o gadach llestri, a mod i heb ganolbwyntio dim ar ddysgu sut i neud 'run pwyth arall heblaw 'plên', mi brotestiais, gan fynnu nad oedd gen i ddiddordeb mewn 'gwaith llaw', fel roedd o'n cael ei alw, a mod i isio cael fy nysgu i arlunio, 'run fath â'r hogia.

Canlyniad hyn oedd fy mod wedi cael mynd i'r Rŵm Fawr at yr hogia, er mawr ryfeddod i'r rheiny, i beintio llun du-a-gwyn (mewn *silhouette*) o Mam yn pegio dillad ar y lein.

Cefais fynd â ngwaith celf adre i'w ddangos, a chael fy nghanmol gan fy rhieni am fy ymdrech. Ond pan glywodd Mam yr hanes i gyd yn gyflawn – am y cadach llestri diffygiol, a'r ffaith mod i wedi herio Miss Jones Gyrn Goch a dweud bod yn well gen i arlunio hefo'r hogia na gwneud gwaith llaw hefo'r genod – roedd hi ar ben arna i! Daeth Mam yn gwmni i mi i'r ysgol fore trannoeth i ymddiheuro i Miss Jones a Mr Victor Thomas, y prifathro, ar fy rhan – rhag ofn fy mod i wedi bod yn haerllug. A bu'n rhaid i mi fynd yn ôl i'r Rŵm Fach at y genod a'r gwau a'r gwnïo am weddill fy nghyfnod yn Ysgol Brynaerau.

Yn ogystal â hyn, roedd rhaid i mi ddal bws moto coch Clynnog-a-Trefor bob dydd Sadwrn am gyfnod i fynd i bentre Pistyll yn Llŷn at fy modryb Nanw, oedd yn giamstar ar wneud gwaith llaw. Byddai'n aml yn gwau a gwnïo dillad i mi ac i Marian, Cadi a Dic – fy nghefnder a'm cyfnitherod. Hefo Nanw y dysgais sut i wau yn iawn, a meistroli gwahanol bwythau – a hyd yn oed dysgu sut i wnïo twll-botwm. A hyd y dydd heddiw, er ei bod hi bellach ymhell dros ei phedwar ugain ac yn rhannol ddall, mae Nanw'n dal i wau, ac yn aelod selog o'r Clwb Gwau fydd yn cyfarfod yn Llyfrgell Caernarfon yn rheolaidd.

* * *

Dyddia difyr iawn oedd rheiny a dreuliais yn Ysgol Brynaerau. A ches i ddim cam yno o gwbwl er nad o'n i'n cael arlunio hefo'r hogia, achos roedd 'na ddigon o gyfle i dynnu lluniau yn y gwersi natur, pan fyddem yn cael crwydro lonydd cefn gwlad yng nghwmni ein prifathro, yn dewis a dethol blodau a dail o'r cloddiau i'w didoli ar gyfer astudio'u rhywogaethau a thynnu eu lluniau yn ein 'copi-bwcs' natur.

Yn ystod dyddiau'r haf, er bod Mr Wilias y Garej yn dod i'n nôl o'r ysgol ac yn mynd â ni yno yn ei dacsi, byddem yn aml yn dewis cydgerdded y filltir adre'n haid, dan chwilio am nythod adar yn y gwrychoedd, a phwyso ar ambell giât yma ac acw i weld yr ŵyn bach yn rhedeg rasys, neu syllu i ddyfroedd afon Llyfni i weld a oedd 'na frithyll yn llechu rhwng y cerrig. Roeddan ni'n gwbod pryd y byddai'r lili wen fach yn dod allan, ac yn rhedeg i'r 'twll' (rhyw bant arbennig mewn gwig o goed) yn y gwanwyn, i weld clychau'r gog yn garped glas ar lawr.

Byddai'r gaeafau'n glyd ym Mrynaerau, a'r Rŵm Fawr a'r Rŵm Fach hefo tanllwyth o dân glo bob un, a photeli bach o lefrith yn rhes yno bob bore, yn twymo wrth y fflamau – un i bob un ohonon ni ei hyfed amser chwarae. Os byddai'n lawog neu'n eira, byddai pawb yn ymgynnull yn y Rŵm Ganol i chwarae tic, a thua unwaith y flwyddyn, mi fyddan ni'n cerdded hefo Mr Thomas i lawr at Bont y Cim, pont fechan hynafol iawn, i wrando ar ein prifathro yn adrodd stori drist, ledrithiol y bont.

Pont y Cim

Milltir fer gyda'r dŵr
i fyny o'r môr
drwy'r pentref bach clyd
a'i felin sydd fud,
tua phont fach y Cim, sydd yn dlysach na dim,
tua phont fach y Cim, sydd yn dlysach na dim.

Dal i'r chwith ar y tro
wrth efail y fro,
a dyna, o'th flaen,
y bont fechan blaen:
dyma bont fach y Cim, sydd yn dlysach na dim,
dyma bont fach y Cim, sydd yn dlysach na dim.

Mor fwaog yw hi,
mor gul uwch ei lli,
a'i meini a gudd
ei stori mor brudd:
O mor gain yw a glân, fe ddaw dagrau i'm cân,
O mor gain yw a glân, fe ddaw dagrau i'm cân.

O, Pontllyfni i mi,
Brynaerau mor gu,
yr ardal lawn hud
a'i melin sydd fud:
a phont fach y Cim sydd yn dlysach na dim,
a phont fach y Cim sydd yn dlysach na dim.

Rhyw benillion sgrifennais i pan oeddwn yn yr ysgol oedd y rhain. Roedd gofyn i ni greu rhywbeth am ein hardal, ac roedd alaw 'Angylion y Plant' (Hwiangerdd Brahms) yn chwarae ar fy meddwl ar y pryd, felly mae'n bosib canu'r geiriau ar y dôn honno. Os cofia i, dwi'n meddwl bod fy nhad wedi'u defnyddio ar gyfer rhyw grŵp pop ffurfiodd o erstalwm ar gyfer mynd o amgylch y capeli – grŵp o'r enw'r Gwylliaid Gleision – am fod y geiriau'n ffitio ar emyn-dôn. Felly, mae'n bosib ei fod o wedi newid rhai o'r geiriau at ei bwrpas ei hun yma ac acw!

Fel hyn yr adroddwyd stori drist y bont i mi pan oeddwn yn blentyn:

Roedd Catrin Bwcle, neu Buckley i roi ei henw cywir iddi, yn byw ar fferm Eithinog Wen ym mhlwy Clynnog Fawr. Roedd ei dyweddi o Lanaelhaearn yn ymweld â Catrin yn rheolaidd ar gefn ei geffyl, ac yn gorfod croesi afon Llyfni; bryd hynny doedd 'na ddim pont yn ei chroesi.

Un noson, a hithau'n stormus, ceisiodd y llanc neidio'r afon ar gefn ei geffyl, ond llithrodd y march a bu i'r ddau foddi. Wedi torri'i chalon, talodd Catrin Bwcle am adeiladu pont fwa fechan dros afon Llyfni, yn yr union fan lle disgynnodd ei dyweddi i'r dŵr.

Hyd heddiw, mae 'na garreg ar Bont y Cim, ac arni'r geiriau:

> Catrin Bwcle
> hath give
> £20 to make
> this bridge
> 1612

Mae'r llecyn penodol lle saif y bont fechan syml yma wedi f'ysbrydoli fi sawl gwaith mewn amryw ffyrdd i sgrifennu rhywbeth neu'i gilydd yn ei chylch. Ond, yn rhyfedd iawn, pan oeddwn i'n blentyn, byddai 'na ias yn mynd i lawr fy asgwrn cefn i pan fyddan ni'n chwarae yn y rhan honno o'r pentre, a theimlwn ryw oerni anghynnes yno.

Dychmygu petha roeddwn i, ma'n siŵr, ond roedd rhieni pawb wedi ein rhybuddio ni i beidio mynd yn agos i Bont y Cim i chwarae, oni bai fod 'na griw mawr ohonon ni yno hefo'n gilydd. Mae'r bont mewn lle unig, anghysbell a 'di-na'd-man', fel 'sa Nain yn ddeud. Ond dwi'n meddwl mai be daniodd fy nychymyg i fwya am awyrgylch y llecyn oedd nid yn gymaint y stori am y ddau gariad, ond y stori ddeudodd Tomi Parry, sef un o flaenoriaid Capel Brynaerau, wrth griw ohonon ni un tro wrth i ni i gyd gerdded adref o'r ysgol Sul. Deud nath o ei fod o wedi gweld ysbryd Catrin Bwcle yn sefyll ar y bont, yn syllu i'r dŵr, fel tasa hi'n dal i chwilio yn y llecyn coediog hwnnw am ei chariad o Elernion!

Yn ddiweddar, cefais sioc o ddarganfod y paragraff isod ar wal mewn arddangosfa drafnidiaeth yng Nghanolfan Uwch Gwyrfai, Clynnog Fawr:

> Mae cofnod ym mhapurau Llys y Sesiwn Chwarter bod Katherine Bukley, gweddw o blwy Edern, wedi rhoi £20 i Ynadon Heddwch Sir Gaernarfon ym 1611 i godi pont dros afon Llyfni. Gweddw ydoedd i Griffith ap John Griffiths, Cefnamwlch, ym mhlwy' Edern, a drigai ar y pryd ym Mhorth Dinllaen – fferm a oedd yn rhan o stad Cefnamwlch. Un o Fiwmares oedd Catrin Bwcle yn wreiddiol, ac felly'n gyfarwydd â pheryglon y briffordd i Lŷn o gyfeiriad y gogledd.

Dyna'r gwir plaen am Bont y Cim felly. Mae'n rhyfeddol pa mor bell mae straeon yn crwydro oddi wrth eu tarddiad!

Fy Nhad a'i Natur Niwlog

Dyn â'i feddwl yn bell ac yn crwydro i bobman oedd Nhad, ac mae'n rhaid i mi gyfaddef mod i wedi chwerthin am ben ei natur niwlog sawl gwaith. Byddwn yn piffian chwerthin oherwydd y troeon trwstan y byddai'n arfer eu cael am fod ei feddwl o'n bell, bell i ffwrdd wrth iddo fo gyfansoddi erthygl, darlith, neu bregeth. A phan fyddai o'n meddwl o ddifri am rywbeth, byddai bob amser yn canu allan o diwn wrtho'i hun fel hyn:

'Didl-didl-didl-didl-didl-didl-didl!'

Un tro, er enghraifft, roedd o ar ganol cyfansoddi rhyw ddarn o ryddiaith yn ei ben wrth gerdded rownd yr ardd, gan hanner arsylwi ar fyd natur wrth fynd oddi amgylch. Roedd o'n mwngial canu fel arfer ond, yn sydyn, mi roddodd waedd annaearol a rhegi dros y lle, ac mi glywodd Mam a finna'i dwrw fo o hirbell.

Gan redeg nerth ein traed tuag ato o wahanol gyfeiriada, mi gyrhaeddon ni'n dwy yr un lle ar yr un adeg. Gwaelod yr ardd oedd fan'no ac yno, yn y llyn, 'dat ei fogail mewn dŵr lleidiog, budur, yn sefyll ar un goes fel rhyw hen belican blin a dryslyd, roedd fy nhad, yn bytheirio a melltithio, achos erbyn hynny ro'dd o wedi cracio'i ffêr ac yn methu dŵad allan, cradur. Rhwng tosturi a chwerthin – am ein bod ni'n dwy'n gwbod yn iawn nad oedd o wedi bod yn canolbwyntio ar ble roedd o'n mynd a'i fod o wedi camu'n syth dros y dibyn ac i'r dŵr – mi lwyddon ni i'w gael o i'r lan rywsut, a Mam yn ei rybuddio y basa hi'n llawer saffach iddo, o hynny mlaen, eistedd wrth ei ddesg yn ei lyfrgell y tro nesa y byddai'n meiddio meddwl am sgwennu!

*   *   *

Dro arall, pan oeddwn i tua phump oed, yn yr oes honno pan nad oedd gan neb gyfrifiadur, ebost, gliniadur, iPad, Wii na Kindle – na hyd yn oed ffôn symudol, aeth fy nhad i Swyddfa'r Herald yng Nghaernarfon i ddanfon erthygl o'i eiddo i'r wasg gan fynd â fi efo fo 'am reid' yn ei gar Americanaidd – y Nash Rambler. Byddwn wastad yn teimlo fel pysen mewn cae yn hwnnw.

Wedi iddo barcio'i gar, aeth Nhad allan ohono i wneud ei neges, gan fy siarsio finnau i beidio â symud, achos fydda fo ddim yn hir.

Chwarae teg iddo, mi gadwodd at ei air, a chymrodd o fawr o dro cyn dod yn ei ôl at safle'r car, neidio i mewn iddo dan ganu 'didl-didl-didl-didl-didl' a'i feddwl o'n bell fel arfer, a gyrru ymaith.

Er mai dim ond plentyn bach oeddwn i, dechreuais sylwi ar ôl rhyw chwarter awr ein bod ni'n dal yng Nghaernarfon, a dim golwg ein bod ni'n gyrru am adra o gwbwl. Dim ond gyrru o amgylch y dre yn ddi-baid roeddan ni. Ac ar ôl rhyw hanner awr, roedd Nhad yn dal i ganu 'didl-didl-didl-didl-didl-didl', ond erbyn hynny, roedd o wedi dechra ebychu yma ac acw yng nghanol ei ddidl-didls:

'Didl-didl-didl-didl – wel dacia las ulw! Didl-didl-didl-didl-didl – o'r uwd! Didl-didl-did- . . . lle gythgiam ma'r bali peth?'

Roedd hi'n amlwg i mi bellach fod fy nhad yn chwilio'n ddyfal am rwbath, felly dyma fentro gofyn:

'Be ti'n neud, Dad?'

'Chwilio . . . didl-didl-didl-di-'

'Chwilio am be?'

'Didl-di- am y car, 'mach i. Weli di o yn rwla? Didl-didl-didl-didl-didl.'

'Ond . . . 'dan ni'n o fo, Dad!'

'Hisht! Paid â gweiddi fel'na – fuo jest i fi fynd ar ben pafin!'

'O, Da-ad! W't ti'n dreifio fo!'

'Y? Be? O, ia, yndw. Dacia. O, 'tsia befo, awn ni am adra
'ta, ia? Didl-didl-didl-didl-didl-didl . . .'

Doeddwn i'n synnu dim bod fy nhad yn ymddwyn fel'na pan
oeddwn i'n blentyn, achos roeddwn i'n derbyn mai un fel'na
oedd o. Boncyrs!

Ond dwi'n dal fy ngwynt wrth feddwl am straeon fel hyn
amdano fo bellach. Achos wrth heneiddio, ac yn enwedig
wrth baratoi gwaith sgwennu, dysgu leins neu gynllunio
sesiwn stori i blant neu ddarlith i oedolion, dwi'n darganfod
fy mod inna hefyd yn diodda o ddiffyg canolbwyntio ar
fywyd bob dydd, ac yn cael sawl tro trwstan o'r herwydd. Fy
natur niwlog i fy hun dwi'n ei feio am hynna. Mae o yn y
genynna, mae'n rhaid!

Fy Nhad a'i Arbrofion

Weithiau, byddai Gwilym O. yn cynnal arbrofion arna i! A
doedd dim ots gen i, achos ro'n i wedi hen arfer derbyn
Nhad fel roedd o. Byddai'n egluro popeth oedd o'n wneud
beth bynnag.

Yn aml, fel y soniais o'r blaen, byddai'n cael chwilen yn
ei ben, ac yn meddwl mod i'n rhy ddistaw, mewnblyg a
theimladwy – a llawer rhy ddwys er fy lles fy hun. A dwi'm yn
ama'i farn o gwbwl. Dwi'n credu mai un felly oeddwn i, o ran
greddf, cyn i Nhad benderfynu ei fod o am fy ngneud i'n
'tyff'!

Un o'i sgiâms o pan oeddwn i tua tair oed oedd dwyn fy
sandalau coch newydd – y rhai oedd gen i feddwl mawr
ohonyn nhw – a'u cuddio nhw tu ôl i'w gefn. Wedyn, y gêm
oedd fy nghael i fynnu eu cipio oddi arno, doed a ddelo. A
pho fwya byddwn i'n ymladd, yn ei ffustio a'i ddyrnu a'i

gicio, mwya'n y byd y byddai'n fy nghanmol. A dwi'n cofio unwaith i mi lwyddo i gael fy sandalau o'i afael, a 'laru cymaint ar ei bryfocio nes taflis i'r ddwy fesul un yn ôl ato, a dianc i'r gegin at Mam!

Dro arall, mi redais at Mam gan achwyn:

'M-a-m! Dwi'm isio bod yn ddafad! Dwi'm isio bod yn ddafad!'

A'r rheswm am hynny oedd bod Nhad wedi fy siarsio'n llym iawn pan oeddwn i'n rhy ifanc i ddeall ei gymhelliad:

'Beth bynnag 'nei di, paid â bod yn ddafad!'

Yr hyn roedd yn ei olygu oedd ei bod hi'n bwysig fy mod i'n bod yn unigolyn hefo'i meddwl rhydd ei hun, a ddim yn gwegian dan unrhyw bwysau gan ffrindiau a chyfoedion. Ro'dd Mam hyd yn oed yn gweld fy ymateb yn ddoniol ac, yn ôl ei harfer, esboniodd i mi'n syml ac effeithiol be o'dd ystyr un o osodiadau cymhleth fy nhad!

Ar adegau eraill byddai Nhad yn un andros o ddiddorol i fod yn ei gwmni. Byddai'n cerdded yn araf hefo fi rownd yr ardd, gan ddangos blodyn, er enghraiifft, a dysgu i mi sut i arsylwi arno. Roedd y ddau ohonon ni'n gallu arlunio, ac roedd hyn yn cyfoethogi'r grefft, ac roeddwn i wrth fy modd hefo byd natur, ac yn ymgolli cymaint yn y byd hwnnw nes byddwn i'n gallu ymdoddi'n un ag o. Gyda llaw, mi fydda i'n dal i neud hynny: stwffio i mewn i berth i arsylwi ar wenyn a thrychfilod. Mae o'n brofiad cyfareddol.

Wrth fy ngweld i'n ymlacio felly, byddai Nhad yn fy holi fi'n daer sut y byddwn i'n gallu ymgolli cymaint, fel y gallai drosglwyddo'r wybodaeth i bobol oedd yn llawn tyndra corfforol a meddyliol. Fy unig eglurhad oedd, ac yw, fod y blodau a'r creaduriaid, a byd natur yn gyffredinol, yn ymddangos yn dlws ryfeddol i mi, ac wrth i mi werthfawrogi a syllu ar eu ffurf a'u siapiau, roedd, ac mae, fy nhyndra i fy hun yn diflannu – mor syml â hynna.

Pan oeddwn yn fy arddegau, mi ofynnodd fy nhad a faswn i'n fodlon rhoi tro ar ddefnyddio *stress detector*. Ac mi gytunais. Rhoddodd yntau fi'n sownd mewn rhyw weiars ac ati – roedd y ddyfais yn un eitha cyntefig bryd hynny – ac ar y dechrau, roedd y teclyn yn gwneud rhyw sŵn annioddefol. Wedi'r cwbwl, doeddwn i ddim allan yn fy mherth yn sylwi ar fyd natur, ac roedd y profiad o fod yn y tŷ yn sownd mewn weiars yn un anghyfarwydd i mi. Ond ymhen chydig, mi ddechreuais i syllu i mewn i'r tân glo yn y grât, a chanolbwyntio ar ei fflamau, a'r patrymau roedd y rheiny'n eu creu. A thawelodd gwichian y peiriant darganfod tyndra yn llwyr – dim ond wrth i mi werthfawrogi ac ymgolli yn harddwch rhywbeth oedd yn edrych yn dlws.

Felly, yn ei ffordd ecsentrig, unigryw ei hun, mi ddysgodd Nhad i mi sut i fod yn tyff; sut i ddyfalbarhau a chwestiynu popeth; peidio bod yn gibddall; i werthfawrogi didwylledd, caredigrwydd a harddwch mewn pobol ac amgylchedd, a'i dalu'n ôl lle bo modd; a bod mor onest a theg â phosib wrth bawb sy'n bod yn onest ac yn deg hefo fi. Dwn i ddim ydw i'n llwyddo, ond dwi'n dal i neud fy ngora i anelu at roi'r canllawiau yna ges i gan fy rhieni ar waith.

'Mam! Ma' Dad yn Niwsans!'

Ar adegau, fyddai Nhad ddim yn dadol o gwbwl, ond yn hytrach byddai'n ymddwyn fel rhyw hen frawd mawr pryfoclyd. Bryd hynny, byddwn yn achwyn:

'Ma-a-am, ma' Dad yn niwsans eto!'

A byddai Mam yn stompio ato ac yn dweud:

'Jillo, leave this kid alone! Honestly, for an intelligent man, I sometimes think you have no common sense at all!'

Yn fwy aml na heb, byddai Nhad yn gweld hyn yn ddoniol, oherwydd byddai wedi fy mhryfocio'n fwriadol am ei fod yn poeni fy mod yn rhy deimladwy a dwys. Gan nad oedd gen i frawd na chwaer i ddysgu ymladd a dal fy nhir â nhw, byddai'n tynnu arna i er mwyn fy nysgu i sefyll dros fy hawliau, fel y crybwyllais o'r blaen.

Gyda llaw, enw anwes fy mam ar fy nhad oedd 'Jillo', ac roedd tarddiad yr enw yn yr Unol Daleithiau, lle bu fy rhieni'n byw am rai blynyddoedd. Bu iddynt ymfudo yno ar ôl diwedd yr Ail Ryfel Byd am fod fy nhad â'i fryd ar ehangu ei wybodaeth am ei ddewis faes academaidd, Seicoleg, a oedd yn bwnc newydd a chwyldroadol bryd hynny. Yno, ym Mhrifysgol Lewis & Clark, yn Portland, Oregon, lle bu'r ddau yn gweithio – y naill yn ddarlithydd a seicolegydd clinigol a'r llall yn nyrs y coleg – roedd gan fy rhieni ffrind a chyd-weithiwr o'r enw Dr Volney Faw, a oedd yn rhiant i ferch fach o'r enw Penny, nad oedd yn gallu ynganu enw cynta fy nhad. Galwai ef yn 'Jillmyn' yn hytrach na Gwilym.

Byddai Mam yn siarad Saesneg yn aml iawn hefo mi yn ystod fy mlynyddoedd cynnar. Un rheswm am hynny oedd ei bod hi am i mi fod yn ddwyieithog rhag ofn iddi hi a Nhad fynd 'nôl i Mericia i weithio. Rheswm arall oedd ei bod hi ei hun, erbyn i mi gael fy ngeni, wedi byw cymaint tu allan i Gymru ag yr oedd hi yng Nghymru, ac roedd hi'n eitha Seisnig mewn sawl ffordd. Efallai fod y ffaith mai dim ond dwy ar bymtheg oed oedd hi pan adawodd hi Gymru yn rhywbeth i'w wneud â hynny. Roedd fy nhad un mlynedd ar ddeg yn hŷn na Mam.

Ond fyddai fy nhad byth bythoedd yn siarad Saesneg â mi, a byddai'n cywiro fy iaith lafar yn barhaus, a Mam yn cywiro fy Saesneg. Ar adegau, byddai Nhad yn siarad Saesneg hefo Mam, os byddai hithau wedi cychwyn y sgwrs yn yr iaith fain. Ond mewn Cymraeg glân gloyw y byddai Nhad yn cychwyn ei sgwrs hefo ni'n dwy, ac roedd ei Saesneg ef yn llai Seisnig nag un Mam. Yn hytrach, siaradai'r iaith fain fel Americanwr am ei fod wedi gorfod dysgu siarad felly ar gyfer y myfyrwyr hynny oedd yn methu deall ei acen Gymreig, gref pan aeth draw i ddarlithio yn Oregon am y tro cyntaf.

Does ryfedd mod i'n credu i mi gael rhieni hollol boncyrs; roedden nhw'n wahanol iawn i rieni fy ffrindiau yn yr ysgol gynradd oedd, yn ddieithriad bron, yn dod o aelwydydd uniaith Gymraeg.

Doedd fy rhieni ddim yn 'boncyrs' go iawn!

Doedd fy rhieni ddim yn boncyrs go iawn, wrth reswm, ond drwy fy llygaid i'n blentyn, oedd wedi cael fy mowldio yn y pentre gwledig, hynafol Gymreig hwnnw, roeddwn yn gweld anghysondeb diddorol yn y ffordd roedd y gymdeithas o nghwmpas i'n delio hefo'r byd a'i betha, o'i chymharu â'r ffordd roedd fy rhieni'n gwneud hynny. Hynny yw, doedd cyfartaledd uchel o bobol Pontllyfni erioed wedi byw yn unman ond yng nghwmwd Clynnog Fawr. Er bod fy rhieni wedi cael eu magu yn yr un modd mewn ardal debyg iawn ym Mhistyll a Mynydd Nefyn, roedden nhw hefyd wedi bod yn byw yn Swydd Gaer (Mam yn unig), Manceinion, Stoke-on-Trent, ac Oregon, ac roedd eu bryd yn dal ar fynd 'nôl i'r Unol Daleithiau ryw ddiwrnod. A deud y gwir, roedd 'Y Byd' fel 'tai o wedi dod i mewn i'n tŷ ni ar adegau, achos roedd gan fy rhieni ffrindiau o bob cwr ohono, o bob tras a chrefydd, ac mi fyddai rheiny'n aros hefo ni ar adegau. Ond 'fennodd y gwahaniaeth rhwng fy aelwyd a'r pentre ddim arna i. Dim ond cyfoethogi fy ffordd o edrych ar bobol a chymdeithas wnaeth y cwbwl, drwy neud i mi ddeall a derbyn yn gynnar iawn fod gan bob unigolyn ffordd wahanol i'w gilydd o weld y byd a'i betha. Dysgais – gobeithio! – fod yn gytbwys, a gweld rhinweddau'r gwahanol agweddau, ac yn bennaf oll wrth aeddfedu, dysgais sut i osgoi anghytgord drwy edrych ar ochr ddoniol sefyllfaoedd allai fod wedi troi'n wrthdaro heb yr agwedd wrthrychol a'r hiwmor goddefgar hwnnw. Ar gais fy rhieni, rydw i wastad wedi gneud fy ngora i 'drin pawb 'run fath'.

Roedd fy nau riant yr un mor frwdfrydig â'i gilydd am i mi gymysgu hefo plant y pentre, ac anaml y byddwn i ar fy mhen fy hun. Byddai rhyw ffrind neu'i gilydd hefo mi yn gyson. Ac fel dwi wedi pwysleisio eisoes, roeddwn i'n blentyn breintiedig tu hwnt: yn cael fy nerbyn a ngharu gan bawb. Mi ges i drysor o fagwraeth ar yr aelwyd adre, yn gymdeithasol ac yn addysgiadol yn yr ysgol a'r capel a'r pentre, ac ym mreichia'r bobol a'r ardal – pobol dwy ardal, tasa hi'n dod i hynny, sef Pontllyfni a'r Pistyll, ac roedd gan fy rhieni barch aruthrol tuag at bawb oherwydd hynny. Be'n fwy allai plentyn bychan, neu rywun yn ei arddegau, ddymuno'i gael? Dim mwy.

O ran pryd a gwedd, roedd fy rhieni'n bobol ddigon cyffredin yr olwg adre ar yr aelwyd, ar wahân i'r ffaith fod gan fy nhad andros o locsys clust trwchus a blewog! Rhai byrion oedd Mam a Nhad o ran taldra. Mi fydden nhw'n arfer gwisgo'n ddigon ffwrdd-â-hi a diffwdan ar yr aelwyd: byddai Mam wastad mewn sgert a siwmper, a phob amser wedi torchi ei llewys, ac yn aml gwisgai ffedog liwgar yn hytrach na brat. Roedd ganddi finlliw ar ei gwefusau bob amser, hyd yn oed wrth chwynnu neu bobi, a byddai'n tyngu ei bod 'yn teimlo'n noethlymun heb fy lipstic'! Roedd hi'n un fywiog a phrysur, yn llawn hiwmor, ac yn un arbennig o dda am adrodd stori. Mi fyddai fy ffrind Carys yn amal yn deud wrtha i: 'Gofyn i dy fam ddeud stori wrthan ni.' Ac mi fydda hi'n gneud – wrth y tân gan amlaf, gefn gaeaf, pan fyddai'r tywydd mawr tu allan yn chwipio'r tŷ (roeddan ni'n rhy brysur allan yn chwarae yn yr haf i wrando ar ddim!).

Roedd fy nhad wedyn yn wrthgyferbyniad llwyr: yn ddyn academaidd ac eto'n agos at y pridd; yn araf a phwyllog, a'i feddwl o mhell i ffwrdd yng nghanol dirgelion y meddwl dynol a chwestiynau mawr bywyd. Ond dadebrai 'tai o'n clywad Mam yn adrodd un o'i straeon, a 'dwyn' rhai ohonyn nhw i'w rhoi yn ei erthyglau! Roedd o'n llydan ei sgwyddau, yn foliog, bochgoch, byrgoes, ac yn frychni haul drosto; a byddai ei lygaid gleision yn pefrio tu ôl i'w sbectol beiffocal. Mewn trowsus *corduroy* a'i odreon wedi'u troi'n *turn-ups* – 'torchau' ddysgis i yng ngholofn 'Gwir ystyr y gair' yng nghylchgrawn *Y Glec* ydy'r hen air Cymraeg am *turn-ups* – y byddai gan amlaf, a gwisgai un o'i hen siacedi a'i dau benelin wedi cael eu cryfhau hefo darn siâp pêl rygbi o ledr meddal, yn ôl traddodiad yr oes. Ond pan fyddai'n danbaid o boeth, byddai'n mynd i'r atig ac yn tynnu ei grysau o Hawaii allan o gês coch a gwyn hefo llun llong yr *Empress of Scotland* arno. Lluniau pinafalau a bananas oedd ar y crysau amryliw hynny, ac roedd ganddo bâr o drowsus nofio a wisgai yn lle siorts yn y gwres: roedd hwnnw mor lliwgar a llachar fel bod gofyn i bwy bynnag oedd yn edrych arno wisgo sbectol haul! Ac yn yr oes honno, roedd gwisgo peth felly'n anarferol iawn, yn hollol ecsentrig a rhyfedd erbyn meddwl, achos hefo'r crys pinafal a'r siorts bondigrybwyll, byddai Nhad yn gwisgo sanau gwlân llwydion at ei bengliniau a hen bâr o sgidiau creiau brown. Ac i goroni'r cwbwl, byddai ganddo het ddal adar a'i *shades*.

Pan oedd gofyn i fy rhieni ymddangos yn gyhoeddus, byddai eu 'dillad gorau' yn cael gweld golau dydd, yn ôl arfer yr oes. Ac am wn i, yn ôl y ffasiwn mewn ardal wledig yng ngogledd Cymru ym mhumdegau'r ugeinfed ganrif, roedd y ddau yn edrych yn dra gwahanol, yn eu dillad Americanaidd. Gwisgai fy nhad *desert suit* o liw golau iawn, crysau claerwyn, esgidiau wedi'u sgleinio a thei liwgar lydan, flodeuog. Neu byddai'n gwisgo'i siwt lwyd tywyll hefo 'fflec' gwyn yn rhedeg drwy'r brethyn, crysau du a thei glaerwen. Roedd o'n meddwl y byd o'i gasgliad o deis patrymog, ac mi fyddwn wrth fy modd yn eu gwisgo'n dawel fach tu ôl i'w gefn hefo blows a choler arni pan oeddwn i'n blentyn – heb i neb fy ngweld, gan beintio mwstásh du o dan fy nhrwyn hefo masgara o flwch colur fy mam, rhoi'r het dal adar ar fy mhen, gwisgo'r *shades* a sodro un o sigârs fy nhad yn fy ngheg. Wedyn byddwn yn chwerthin am hir ar fy adlewyrchiad yn y drych!

Ro'n i'n arfer meddwl bod fy mam yn edrych yn drawiadol iawn pan fyddai wedi ymbincio a gwisgo'i dillad gorau. Roedd ei gwallt yn ddu naturiol ei liw, a'i llygaid yn anarferol dywyll, yn llwyd-ddu yn hytrach na brown cyffredin. Byddai'n osgoi eistedd yn yr haul yn rhy hir, rhag ofn i'w chroen droi'n rhy dywyll! Yn aml, ar achlysuron ffurfiol, gwisgai siwt drwsiadus, sgidiau sodlau main, a pherlau – ond doedd ganddi fawr o ddillad yn ei wardrob mewn gwirionedd. Doedd fy rhieni ddim yn gyfoethog o bell ffordd, ond roedden nhw'n gwbod sut i neud yn fawr o be oedd ganddyn nhw.

O fewn eu cymuned, roedden nhw'n dawel gymwynasgar, ond rhywfaint 'ar wahân' oddi wrth y gymdogaeth, ond eto, efallai mai f'argraff i oedd hynny'n blentyn, am eu bod nhw'n fy nharo fi'n wahanol a'n cartref ni'n sefyll yn ei dir ei hun, bellter o ganol y pentre, a choed a chloddiau uchel yn ei amgylchynu – yn ein gosod ar wahân rywsut.

Roedd cefndir gyrfaol fy rhieni yn peri iddyn nhw fod yn bobol breifat iawn. Fydden nhw ddim yn meiddio hel clecs, hyd y gwn i. Ac yn bendant, roeddwn i'n cael fy nysgu ganddyn nhw i beidio â sarhau unrhyw un. Wedi'r cwbwl, ges i fy magu'n ferch i weinidog ordeiniedig drodd i fod yn seicolegydd clinigol – ac i nyrs drwyddedig oedd wedi arfer goruchwylio nyrsys eraill yn ei gofal, galwedigaethau oedd yn gofyn am i gyfrinachau cleientiaid a chleifion gael eu parchu.

Roedd y ddau yn barod eu cymwynas. Pe bai 'na rywun yn sâl, er enghraifft, câi Mam alwad ffôn i fynd i ymweld â'r claf – er nad oedd yn Nyrs Ardal swyddogol – a rhoi rhyw fath o ddeiagnosis cyn galw doctor. Yn aml, fyddai dim rhaid gwneud hynny am ei bod hi wedi delio â'r broblem ei hun, a dim ond ffonio'r meddyg i drafod y sefyllfa fyddai hi'n ei wneud, fel y medrai ddilyn ei ganllawiau ar sut i drin y claf. Fyddai dim rhaid i'r doctor ruthro allan i drin mân achosion wedyn, a châi ymweld â'r rheiny wrth ei bwysau. Ac o'm rhan i fy hun, roeddwn i'n arbennig o lwcus o gael Mam oedd yn nyrs mor ddeheuig, achos roeddwn yn dioddef o gaethdra drwg drwy gydol fy mhlentyndod, a doedd y cyffuriau oedd ar gael bryd hynny ddim hanner mor effeithiol ag y maen nhw heddiw. Rhoddodd Mam y gorau i weithio wedi i mi gael fy ngeni am mod i'n wantan fy iechyd.

Yn yr un modd, roedd Nhad yr un mor gymwynasgar o fewn y gymdogaeth. Doedd yn ddim ganddo neidio o'i wely gefn nos ar ôl derbyn galwad ffôn gan rywun oedd yn eithriadol o isel ei ysbryd, a rhuthro yn ei gar i'w helpu.

Roedd ei faes academaidd a'i ddewis arbenigedd yn astrus a thrwm, rhy drwm i mi eu trafod yn y bluen ysgafn hon o gyfrol! A ph'run bynnag, Cymraeg a Drama oedd fy newis feysydd i: dydw i ddim digon cymwys i drafod gwaith Gwilym O. Roberts. Roedd diwinyddiaeth a seicoleg, ac athroniaeth i ryw raddau, wedi mynd yn un pwnc ganddo, ac roedd wedi astudio'r holl grefyddau'n drylwyr, i'w perfedd a'u pen draw. Dewisodd gadw'i ffydd Gristnogol i'r diwedd – felly hefyd fy mam, ond ar raddfa symlach – er i'w natur chwilfrydig wyddonol beri iddo fo droi ei ffydd a'i gredoau tu chwith sawl gwaith! Nid yn unig roedd ganddo ffrindiau o sawl ffydd, ond roedd ganddo rai oedd yn anffyddwyr hefyd, anffyddwyr dyngarol oedd yn parchu ei ffydd o, ac ynta'n ymddidori yn eu daliadau hwythau ac yn eu parchu, achos nid ar chwarae bach y byddai'r ffrindiau hynny wedi dod i'r casgliad mai anffyddwyr oedden nhw.

Yn ei erthyglau yn *Y Cymro* a'r *Herald*, ac yn rhai o'i lyfrau hefyd (mae copïau ohonynt yn y Llyfrgell Genedlaethol, diolch i rai – Robat Gruffudd, y Lolfa, yn un – am 'forol eu bod yno), byddai'n llwyddo i godi ymwybyddiaeth am yr hyn roedd yn ceisio'i gyfleu drwy ddefnyddio dogn helaeth o hiwmor, straeon ac anecdotau. Tabŵ a ffwlbri oedd ei gredoau i rai, ond roedd eraill yn fawr eu parch tuag ato fo a'i farn, ei ymchwil manwl a'i waith ymroddgar drwyddo draw.

Cafodd ei urddo i wisg wen Gorsedd y Beirdd ar ddiwedd ei oes, ac roedd hynny'n gysur mawr iddo.

Tasa ganddoch chi ddiddordeb, mae erthygl am Nhad i'w gweld yn y Bywgraffiadur Ar-lein: http:/yba.llgc.org.uk/cy/c8-ROBE-OWE-1909.html. Mae fy nyled a'm diolch yn fawr i Brynley Roberts, golygydd *Y Traethodydd* a'r *Bywgraffiadur Cymreig*, ac yn arbennig iawn i Llion Wigley am ei ymchwil trylwyr ar waith fy nhad, er sicrhau ei goffadwriaeth fel hyn. Byddai 'Gwilym O', fel byddai'n cael ei nabod, wedi bod wrth ei fodd yn cael ei anfarwoli ar lein – drwy gyfrwng technoleg fodern!

Mae'r gyfrol deyrnged iddo, *Amddifad Gri* (Y Lolfa) yn agoriad llygad hefyd. Mae hi allan o brint ond ar gael mewn llyfrgelloedd.

Pry Genwair Pistyll

Ma' pry genwair Pistyll yn gradur mowr tew,
does gynno fo'm llgada, na chlustia, na blew;
'sgynno fo'm sgidia, na sana, na gwaed –
a deud y gwir gonast: 'sgynno fo'm traed!

Dim ond ymlusgo ma' hwn hyd y llawr,
o fora tan nos, drwy'r nos tan y wawr;
mae'n troelli a throi, a gwthio drwy'r pridd
dan gerrig, dan lawntydd, drwy forder a ffridd.

Ac mae'r hen bry genwair yn fwydyn heb 'i ail –
yn aeryru y compost, a'i droi o yn dail,
er mwyn i'r garddwyr gael gwrtaith, mewn gair,
a'r ffermwyr gael silwair i dyfu eu gwair.

Mae'n plygu bob siâp wrth nyddu drwy'r tir:
weithiau mae'n gyrliog, dro arall mae'n hir!
Ma' pry genwair Pistyll yn cŵl ac yn ffynci . . .
Waaaaaaa!! Dyna biti . . . Ma' 'na dderyn 'di'i lyncu!

Deryn Du

Deryn du a'i din o'n fudur
  lyncodd enwair o'dd dan bladur;
haliodd hwn o fan'no'n handi
  i achub blaen y ceiliog dandi!

Mochyn

O'dd 'na fochyn yn 'rhen Gerniog
steddodd wrth y tân yn dalog,
steddodd yno am oes oeso'dd:
trodd o'n slo' yn 'fochyn rostiodd'!

Hen Hwch fy Nain a 'Ballu

Maen nhw'n deud i mi fod beirdd yn egluro'u cerddi cyn eu deud neu eu darllan nhw. Wel, dydw i ddim yn fardd, felly ella nad oes 'na'm gwahaniath os eglura i pam sgwennais i 'Pry Genwair Pistyll', 'Deryn Du', a 'Mochyn' – ar ôl i'r darllenydd eu darllan nhw. Ma' nhw mor syml, ella nad oes dim isio eglurhad p'run bynnag!

Er eu symlrwydd plentynnaidd, ma'r ddwy gynta yn ffrwyth fy arsylwi. Ella mod i wedi stwffio fy hun i mewn i berth i syllu ar y pry genwair a'r deryn du. Ond welis i'm pladur nunlla'n agos i'r deryn mewn gwirionedd; dim ond odli hefo 'budur' oedd o! A'r rheswm ddeudis i fod pen-ôl y deryn yn fudur oedd am fy mod i wedi'i weld o fwy nag unwaith – fo neu'i frawd, neu un o'i dylwyth – yn sefyll ar ganol y lawnt ac yn troi ei ben fel petai'n gwrando ar bry genwair o dan wyneb y tir. Wedyn, wrth weld ei gyfla, yn 'mosod yn sydyn ar y genwair, a dechra'i dynnu nerth ei big allan o'i guddfan, a'r mwydyn wedyn yn gwrthod dŵad allan, a'r deryn yn dal i dynnu, ac yn y diwedd – bingo! Mae'n llwyddo. Ond wrth fod hynny wedi digwydd mor sydyn ar ôl y tynnu caled, mae'r deryn du wedyn yn ddisgyn am yn ôl ar ei din ar ôl ei ymdrech lew. Dyna pam ddychmygais i ei fod o'n fudur.

Dwi'n meddwl mod i wedi adrodd stori 'Pry Genwair Pistyll' wrth blant ysgolion Pentre-uchaf a Morfa Nefyn ar Ddiwrnod y Llyfr, 2009. Pan fydda i'n mynd i ysgolion mi fydda i'n ceisio annog y disgyblion i arsylwi ar y byd a'i bethau fel fi. A'r tro hwnnw yn yr ysgolion hynny, mi benderfynais ddeud hanas Nhad pan oedd o'n hogyn yn byw ym Mynydd Nefyn hefo'i rieni a'i chwaer, a Gomar y ci blewog, blêr, anobeithiol. Wedyn, adroddais stori wir am griw ohonan ni'n blant yn cael ein stwffio fel sardîns mewn tun i mewn i gar mawr Americanaidd fy nhad, a fynta'n mynd â ni am reid. Yn sydyn, mi waeddodd 'Haleliwia!' ar dop ei lais a brecio, nes stopiodd y car yn stond, a phawb yn disgyn blith draphlith yn un twmpath ar benna'i gilydd, ac yn holi'n chwilfrydig:

'Be sy'n digwydd? Be sy 'na?'

A Nhad yn gofyn, 'Welwch chi mo'no fo?'

Wedyn o'dd pawb am y gora yn gwthio a phwnio'i gilydd o'r ffordd, yn 'stachu i graffu'n fwy manwl.

'Be ddiawl 'dan ni i fod i' weld?' holodd Ieuan Garej.

'Ia, be 'dan ni i fod i' weld?' o'dd bonllef pawb – yn dal i graffu. A neb yn gweld affliw o ddim byd arbennig yn unlla!

'Dacw fo, dacw fo – yn fan'cw!' medda Nhad, yn pwyntio ac yn esgus ei fod o wedi cynhyrfu. 'Haleliwia!' medda fo wedyn, yn dal i bwyntio a thynnu coes.

'BE YDY O, Gwilym O?' gwaeddodd pawb.

'Hwnna, yndê!' medda fo'n bryfoclyd.

'Be?' sgrechiodd y plant i gyd yn rhwystredig.

'Wel,' medda Nhad boncyrs inna. 'Wyddoch chi ddim? Pry genwair yn croesi'r lôn sy 'na, siŵr iawn!'

Doedd ei fam o – Meri-Lisi Roberts, fy nain – fawr gwell, ma'n rhaid. Gwraig ffarm a gwniadwraig ddeheuig oedd hi pan oedd y teulu'n byw yn Fferm Cerniog Ganol ym Mynydd Nefyn. Mi fagodd hwch lywaeth a ddatblygodd i fod mor ddof fel ei bod hi'n andros o hy; mi fydda hi'n dŵad i'r tŷ ac yn ista'n barchus ar y llawr pridd o flaen y tanllwyth tân coed wrth droed y simdda fawr. Byddai Nain a Nhaid yn meddwl y byd ohoni, achos roedd hi 'run mor ddof a deallus â chi anwes, a doedd gan neb galon i'w lladd na'i byta hi. Roeddan nhw'n gorfod ei llusgo hi oddi wrth fflamau'r tân yn amal, rhag ofn iddi droi'n facwn! A dyna lle ces i'r syniad am y pennill 'Mochyn'.

Stori wrth basio

Mi roedd gan fy nhaid ar ochor fy nhad, William Owen Roberts, andros o drwyn anferth o fawr, yn ôl y sôn. Welis i rioed mo'no fo – mo Nhaid, na'i drwyn o chwaith. Ond pan oedd Nain yn feichiog efo fy nhad, mi ddechreuodd weddïo'n amlach nag arfer. Roedd yn arferiad gan bawb weddïo bryd hynny, achos roedd y rhan fwyaf o bobol Mynydd Nefyn yn y cyfnod hwnnw'n Gristnogion pybyr. A doedd Meri-Lisi ddim yn eithriad. Bron na fyddai rhai'n dweud ei bod hi'n eithafol. Ond mi aeth ei gweddïau'n llawer mwy cyson cyn genedigaeth fy nhad. A phan holodd Catrin Ann, ei chwaer, pam roedd gofyn bod mor eithriadol o ymbilgar ar Dduw, mi ddeudodd Nain ei bod hi'n poeni'n arw am y babi:

'Be, ofn bydd 'na ryw 'fadwch arno fo w't ti?' holodd Catrin Ann.

'Naci', medda Meri-Lisi. 'Ofn dwi ceith o drwyn mor fawr â 'Liam Ŵan, ei dad!'

Wedyn, pan gafodd fy nhad ei eni, aeth gweddïau fy nain yn fwy cyson ac ymbilgar fyth. Erbyn hynny, erfyn am faddeuant roedd hi. Achos er bod fy nhad yn fabi holliach, roedd ganddo fo drwyn mor fychan a smwt fel nad oedd o'n gallu anadlu'n iawn drwyddo fo wrth gael ei fwydo!

Tro ar Fyd

(aralleiriad o rywbeth glywais i ydy hon: fedra i'm cofio yn lle!
Rhyw brofiad a gefais yn ystod oedran cynradd – profiad cyffredin i
bawb â golwg byr)

Erstalwm, roedd fy myd yn fwll –
    pob peth yn llwm ac unlliw
fel dŵr y llaid ar waelod pwll,
    di-liw fel dyfroedd dilyw.

Erstalwm, baglwn dros fy nhroed
    a gweld dim byd o nghwmpas;
heb weld wyneb, na gweld coed –
    a rhythwn, i ddim pwrpas.

Ond heddiw, mi ddaeth tro ar 'myd –
    a'i hud sy'n glir ryfeddol!
Amryliw yw pob cornel fach,
    'chos heddiw, mi ges sbectol!

Wnaeth Mam ddim sylweddoli mod i'n fyr fy ngolwg nes
mod i'n o hen. Mi gyfaddefodd wrtha i pan gyrhaeddis i'r
coleg ei bod hi wedi bod yn teimlo'n andros o euog a
phryderus iawn am hyn. Unwaith, roedd hi wedi rhyw led
amau am eiliad fod rhywbeth o'i le ar fy llygaid pan oeddwn
i tua phedair oed, pan welodd hi fi'n rhythu ar fricsen goch
mewn cae ac yn pwyntio ati a dweud: 'Yli iâr goch, Mam!'
    Ond diystyrodd y peth, gan feddwl mai nychymyg i
oedd ar garlam fel arfer, achos roedd hithau ar y pryd, dwi'n
tybio, yn dal i gynllwynio i fy nhroi fi'n *raspberry ripple*, a fasa
gwisgo hen sbectol hyll ddim yn gweddu i angyles fach binc

a gwyn ei dychymyg! Gyda llaw, roedd hi ei hun yn fyr ei golwg hefyd, ac er bod ganddi sbectol fyddai hi byth yn ei gwisgo, mond i edrych ar y teledu.

Ro'n i tua naw oed, os cofia i, pan ges i a Carys, fy ffrind bore oes, ein dal yn cuddio tu mewn i wardrob ddillad gorau Mam. Y diwrnod hwnnw y darganfyddodd hi mod i'n hollol fyr fy ngolwg.

Daeth Mam i chwilio am y ddwy ohonom, gan amau ein bod ni'n gwneud drygau am ein bod ni'n eithriadol o ddistaw. Aeth o gwmpas y tŷ yn wyllt bost, yn galw:

'Genod? Genod, lle dach chi?'

Ond mi ddaru ni wrthod ei hateb – nid am ein bod ni ofn cael ffrae, achos, fel y crybwyllais eisoes, anaml y byddai fy rhieni'n ffraeo a dwrdio. Gweld y sefyllfa'n ddigri roedden ni, ac mi benderfynon ni chwarae 'cuddiad' efo Mam, yn ddiarwybod iddi! Ac wrth i ni ddal i swatio yng ngwaelod y wardrob a'n dyrnau yn ein cegau, yn gwneud ein gorau glas i fygu ein chwerthin, clywsom sodlau Mam yn dynesu, a hithau, druan, yn dal i alw arnon ni.

Daeth i mewn i'r stafell, a sylwi bod ein dillad wedi'u lluchio blith draphlith hyd y lle. Dychrynodd yn arw, mae'n debyg, ac aeth pang o banig drwyddi wrth feddwl ein bod ni'll dwy wedi llwyddo i sleifio allan i nofio yn y môr heb roi gwybod iddi.

Yn sydyn, clywodd sŵn ein chwerthin, a oedd bellach yn afreolus, tu mewn i'r wardrob. Agorodd y drws, ac mi rowliodd Carys a minna allan yn un twmpath blêr, swnllyd wrth ei thraed. Roedd Mam mor falch o weld ein bod yn ddiogel, a chafodd gymaint o ryddhad o sylweddoli nad oedden ni wedi sleifio i'r traeth fel na chafon ni mo'n dwrdio o gwbwl. Felly ymunodd yn ein miri. Ac er ein bod ni'll dwy wedi bod yn chwarae 'ledis' yn ddistaw bach drwy'r pnawn drwy wisgo dillad gorau Mam, a rhoi ei cholur a'i lipstic yn drwch fel mwgwd ar ein hwyneba, mi gafon ni faddeuant llwyr.

Wedi inni'll tair roi'r gora i'n chwerthin, awgrymodd Mam y dylem ei helpu i dacluso'r llanast oedd yn y stafell wely. Wrth roi popeth yn ôl yn ei le, sylwais fod ei sbectol ar y bwrdd gwisgo. Un goch, ffasiynol oedd hi, ac ar fympwy mi rhois i hi ar fy nhrwyn, a digwydd edrych drwy'r ffenest. Mi ro'n i wedi nghyfareddu!

'Ew!' meddwn wrth y ddwy arall, 'dwi'n medru gweld y cymyla!'

Roedd Mam yn gegrwth. Dechreuodd fy holi, a gofyn be arall allwn i ei weld. Erbyn i mi restru popeth, a theimlo'n eitha syfrdan fy mod i'n gallu gweld cymaint o betha drwy sbectol ryfeddol fy mam, roedd hi mor amlwg â golau dydd mod i wedi bod yn hollol fyr fy ngolwg ers blynyddoedd!

Fu Mam fawr o dro wedyn yn trefnu prawf llygaid i mi, a chyn pen dim roedd gen i sbectol. Ond er fy mod yn medru gweld yn well drwyddi, roeddwn wedi arfer hebddi, felly anaml y gwisgwn hi. Yn fwy aml na heb, arferwn ei chuddio ym mherfeddion fy mag ysgol!

Dim pellach na 'nhrwyn

Weithia, mae'r ffaith eich bod chi'n gweld dim pellach na'ch trwyn yn gallu bod o fantais. Dwi'n cofio dylunio rhwbath yn yr ysgol erstalwm pan oeddwn i'n gweithio ar fy nghwrs Lefel A Celf a Chrefft ac yn dylunio gwrthrych oedd o fy mlaen mewn arddull fanwl iawn – rhyw fowlennaid o ffrwytha cymysg. Wrth iddo sylwi arna i'n stryffaglu'n anfoddog uwchben fy ngwaith, gofynnodd Mr John Davies, fy athro Celf, beth oedd yn bod arna i.

'Dwi 'di 'laru ar yr holl betha 'ma yn y bowlan,' medda fi. 'Ga' i jest neud llun un afal?'

'Tynna dy sbectol,' medda Mr Davies.

'Pam?' gofynnais.

'I chdi gael gweld llai,' medda fo.

Mae'n rhaid fy mod i wedi edrych yn hurt ar Mr Davies, gan feddwl ei fod o'n tynnu fy nghoes i. Fydda fo'n gneud hynny'n reit amal, ac mi oeddwn i'n meddwl y byd ohono o'r herwydd – ac yn ei edmygu am ei fod yn arlunydd dawnus ei hun. Ond y tro hwnnw, roedd o'n daer am i mi dynnu fy sbectol, a dyma fi'n gneud. Welwn i fawr o ddim byd ond siapia a lliwia'n toddi i'w gilydd, a nhwtha'n hollol glir i bawb oedd yn gweld yn iawn.

'Yli, dwi isio i chdi newid dy arddull,' meddai f'athro. 'Sdim isio i chdi beintio'n fanwl tro 'ma. Jest canolbwyntia ar y gwahanol siapia, a rho argraff o be ti'n weld, a rhyw syniad llachar o be ydy'r lliwia.'

Wedyn ges i wers am Cézanne a Henri Matisse, a sut yr oedd yr athrylith hwnnw'n edrych ar y byd mewn ffordd wahaol i bawb arall. Os rhywbeth, mi wellodd ei beintiadau wrth iddo fo ddatblygu arddull oedd yn wahanol, a gwthio ffiniau celf drwy fod yn unigryw.

Tua'r un cyfnod â'r adeg pan ges i'r wers gelf honno, roeddwn i hefyd yn actio mewn dramâu yn yr ysgol; a sylwais fod yn well gen i actio heb fy sbectol, achos mewn gwirionedd doeddwn i ddim angen gweld y gynulleidfa – dim ond eu clywed nhw. Gan fy mod i wastad yn perfformio comedi, sylweddolais ei bod hi'n haws amseru leins doniol wrth wrando ar ymateb a chwerthin y gynulleidfa. Roedd gweld wynebau cyfarwydd yn fy nrysu fi braidd, ac yn rhwystr i mi ganolbwyntio. Roedd hi'n llawer iawn haws gen i weld 'carped' o wynebau o fy mlaen, a hwnnw'n garped hudolus, hapus, oedd yn chwerthin o'i hochor hi!

Be ddysgais i mewn gwirionedd o'r ddau brofiad oedd bod modd troi anfantais yn fantais. Ro'n i wedi melltithio sawl gwaith fod rhaid i mi wisgo sbectol, ond ar ôl y profiada uchod, sylweddolais fod gen i ddewis: medru gweld yn glir neu weld popeth allan o ffocws. Doedd gan bobol oedd yn gweld yn glir mo'r dewis. A ma' dau ddewis bob amser yn well na un, decini.

'Nes i hefyd sylweddoli bod y gwrthrych roedd rhywun yn ei beintio yn edrych yn wahanol o safbwynt pob unigolyn. Mae'n dibynnu pa lygaid, neu lygaid pwy, sy'n edrych arno, ac mae dehongliad pawb o be ma' nhw'n weld yn hollol unigryw.

Canlyn y Gwynt

Ar ganol gêm hoci yn 'rysgol,
mi redodd 'na genod anhygo'l
   o ffast, yr un ffor',
   ar wib yn ddi-dor;
es inna ffor' arall – heb sbectol!

Heb sbectol yn rhedag i nunlla
fel c'ningan yn rhedag i dwll, ia!
   Cyrhaeddais lwyn drain,
   mor ffast â chi main
a gadal dau dîm 'n dal i chwara.

Welis i'm pêl yn y llwyni,
na chwaith ar ben y clogwyni;
   do'dd 'na'm un yno:
   er chwilio yn fan'no –
mond papur yn 'gwynt dan fy nhrwyn i!

Yn rhyfedd iawn, chydig cyn i mi gael sbectol bu'n rhaid i Carys gael un hefyd. Un fach addfwyn, annwyl fu Carys erioed, ac os byddai Misus Wilias Garej, ei mam, yn mynnu y dylai ei merch wisgo'i sbectol, yna byddai fy ffrind mynwesol yn ufuddhau ac yn gwneud hynny.

Gan mod innau'n fwy aml na pheidio wedi anghofio f'un i, byddwn weithiau yn 'rhannu' sbectol Carys, yn enwedig os oedd hi wedi tynnu fy sylw at rywbeth diddorol.

Un diwrnod, yn ystod ein cyfnod yn yr ysgol gynradd, mi wnaeth hynny. Roedden ni'n dwy ar y traeth, ac yn trafod Pwnc o Ddirfawr Bwys, sef hogia, a sut roedd creaduriaid felly'n wahanol iawn i ni am fod ganddyn nhw sosej. Daethom i'r casgliad eu bod nhw hefyd, yn amlach na pheidio, yn blincin niwsans. Ac wrth i ni ymgomio felly, sylwodd Carys ar rywbeth od ac annisgwyl iawn ychydig bellter i ffwrdd. A be o'dd hwnnw ond blaenor parchus, noethlymun ar ganol newid ei ddillad i fynd i ymdrochi!

Roedd yr achlysur hwnnw, wrth reswm, yn achlysur rhannu sbectol!

Hydrefu

Ar fore cynta mis Hydref erstalwm, mi fyddwn i'n codi o ngwely'n eiddgar ac yn edrych ar galendr y gegin, i gadarnhau'r dyddiad. Bob tro, yn ddi-ffael, mi fydda 'na don o gynnwrf yn mynd drwydda i, a hynny oherwydd y gwyddwn i sicrwydd fod y mis hwnnw yn mynd i fod yn firi hwyliog o gwmnïaeth pawb o blant y pentre: pawb ohonon ni yn un felysgybolfa fraith.

Un flwyddyn ro'dd hi'n hydrefu'n braf ar ddechrau'r mis hwnnw, a doedd 'na neb wedi sôn gair am y paratoada. A choeliwch fi, pan oeddwn i tua wyth oed, roedd hynny'n fy mhoeni fi'n fwy na dim. Achos ym mhentra bychan di-nod Pontllyfni pan oeddan ni'n blant, roedd Hydref yn fis o fwrlwm gweithgaredd, miri a chwerthin, a'r hogia mawr ar flaen y gad yn trefnu 'noson Gei Ffôcs' am wthnosa mlaen llaw. Mi fyddan nhw'n rhoi ordors i bawb gan gynnwys 'y genod bach' hefyd. Ni o'dd y rheiny: fi, Carys, a Gwyneth, a weithia mi fydda Annwen hefo ni.

Doeddan ni ddim yn siŵr iawn p'run ai mawr 'ta bach oedd Annwen, achos er ei bod hi'n fain ac yn dal, ro'dd hi'n rhy ifanc i fod yn fawr go iawn, 'run fath â Gwenda, chwaer Carys, neu Ann a Barbara, chwiorydd mawr Gwyneth. Ond roedd hi tua dwy flynedd yn hŷn na ni'll tair, a dim ond hogia oedd yn cydoesi â hi, druan. Dydy hynna ddim yn beth braf ar y gora. Ac yn bendant, mae o'n gallu bod yn chwithdod mewn pentra mor fach.

Ddechrau'r Hydref arbennig hwnnw ro'n i'n dal i bryderu, achos ro'dd hi tua'r trydydd o'r mis a neb wedi yngan gair am drefnu dim. Roeddwn i wedi poeni drwy'r dydd, ond heb fedru bod ddigon powld i wynebu deud wrth neb. Erbyn ganol pnawn mi benderfynais fynd i lawr Lôn y Wig i dŷ Carys yn syth ar ôl 'rysgol i drafod y sefyllfa hefo hi. A dyma'r ddwy ohonon ni'n cornelu Ieuan, ac yn gwyntyllu'r sefyllfa. Mi gefnogodd Carys fi i'r carn, yn ôl ei harfer, gan siarsio'i brawd i ddechra styrio neu fasa ganddon ni ddim noson Gei Ffôcs o gwbwl y flwyddyn honno.

Dau funud gymrodd Ieuan Garej i feddwl am hyn, achos doedd o ddim wedi sylweddoli ei bod hi'n fis Hydref hyd yn oed cyn i ni'n dwy ei atgoffa fo. Mewn chwinciad chwannen, mi gymrodd yr awena, a chyn i ni droi, ro'dd o ar gefn ei feic ac yn gweiddi dros ei ysgwydd:

'Ce-ch-wch i bỳs stop! Fyddan ni efo chi 'munud!' (Fedra fo yn ei fyw â deud 'r'.) Wedyn, mi ddiflannodd fel mellten i gyfeiriad canol y pentra i ddeud ei neges.

Edrychodd Carys a finna ar ein gilydd mewn cyd-
ddealltwriaeth perffaith, a gwenu'n gytûn, cyn malwodu'n
ffordd draw i'r bỳs stop wrth y bont (nid Pont y Cim, ond yr
un swyddogol sy'n croesi'r ffordd fawr). Erbyn i ni gyrraedd
fan'no, roedd 'na griw go nobl wedi dechra ymgynnull ar y
fainc ac o'i chwmpas; roedd cenadwri Ieuan wedi ymledu fel
tân gwyllt, a phawb wedi ymateb ar eu hunion. Dechreuodd
yr hogia mawr roi ordors yn syth, a sicrhau bod gan bawb ei
'joban' am yr wythnos. Hefo adeiladu trycia y byddai'r holl
rialtwch yn dechra bob amser, sawl tryc, neu go-cart, a bod
yn fanwl gywir. Ar y tryciau yma y byddai'r holl gario a'r hel
yn dechra.

Byddai sawl criw'n adeiladu tryc. Hefo Ieuan, brawd
Carys, roeddan ni'n dwy fel arfer am ein bod ni'n byw ym
mhen glan-y-môr o'r pentra lle roedd y Garej, sef cartre
Gwenda, Ieuan a Carys. Mi fyddai Gwyneth ac Annwen yn
y pen arall i'r pentra yn helpu Eric, brawd Annwen, a Glyn
Tŷ Pella i neud eu tryc nhw am eu bod nhw'n byw yn Nhai
Lleuar. Mi fydda 'na dryc arall wedyn yn cael ei adeiladu
rywle yn y canol wrth ymyl yr afon – yn nhŷ Gwyn Tŷ Capel
Bont, ac er bod Glyn Armon yn byw yn Nhai Lleuar, dwi'n
meddwl y bydda fo'n mynd draw i helpu Gwyn i neud ei
dryc o, achos roedd y ddau'n eistedd wrth yr un ddesg yn
Ysgol Brynaerau.

Gwaith rhedag a chario fyddai'r 'genod bach' yn ei neud
fel arfer: mynd i chwilio am hen goets babi er mwyn cael ei
holwynion; holi un o'r ffarmwrs am linyn bêls; dal sbanar i
ryw 'hogyn mawr'; estyn hoelion a wasiars; nôl rhyw neges
neu'i gilydd, ac ati, nes bydda'r tryc yn barod. Wedyn, mi
fyddai ein gwaith yn newid rhyw gymaint, a llenwi'r tryc
oedd ein nod ni wedyn er mwyn i Ieuan ei wthio neu ei
dynnu yr holl ffordd dros y bont a lawr yr allt i'r cae
coelcerth. Byddai'n rhaid i ni weithio'n galed fel lladd
nadroedd i hel broc môr neu, droeon eraill, fynd o dŷ i dŷ yn

holi: 'Plis, sgynnoch chi rybish neu rwbath at Gei Ffôcs?' Ac mi roedd pawb yn amyneddgar a chlên iawn hefo ni, ac oedolion Pontllyfni yn ymuno yn yr hwyl, ac yn gofyn i ni bob hyn a hyn, wrth weld ein prysurdeb:

'Gafoch chi ginio heddiw, 'ta be?' Os basan ni'n deud 'naddo', mi fasan nhw'n rhoi rhyw gildwrn i ni, i fynd i nôl rwbath i'w fyta o'r siop, neu gwell fyth, yn rhoi darn o deisen i ni, neu frechdan jam, neu grystyn wedi'i daenu'n dew efo menyn.

Wedi'r holl rialtwch a'r gwaith diflino, mi fyddai Tachwedd yn sleifio cyrraedd dan ein trwyna heb i ni hyd yn oed sylweddoli. Erbyn hynny, ro'dd 'na goelcerth anferth wedi tyfu yng nghae Tŷ Capel Bont, y cae oedd yn eiddo i Fferm Hen Dŷ, ond a ochrai hefo talcen y Tŷ Capel. Doedd 'na fawr ddim i'r 'genod bach' neud erbyn hynny, ar wahân i ofyn am bres i brynu tân gwyllt a *sparklers*.

Pan oeddan ni'n pedair yn gorweddian yng ngweiriach hir, tamplyd y cae, sibrydodd Annwen gyfrinach wrthon ni. Ro'dd yr hogia'n dal yn brysur yn gneud y goelcerth fawr yn fwy fyth, ac yn dyfeisio sut i wneud delw o'r 'Gei' fyddai'n coroni'r cwbwl. Medda hi wrthon ni'n awgrymog:

'Dwi'n gwbod rwbath dach chi ddim.'

'Be?' medda ninna, a chwilfrydedd yn pefrio yn ein llgada.

'A–ha!' medda Annwen, a thapio'i thrwyn i ddynodi nad oeddan ni i fod i fusnesu.

'Hy!' wfftiodd Gwyneth oedd, yn ei barn ddiniwed hi ei hun, yn gwbod bob dim o'dd 'na i'w wbod am y *sex* hwnnw oedd yn dal yn ddirgelwch i bawb arall, am fod ganddi ddau frawd a dwy chwaer oedd 'lot fawr yn hŷn' na hi. 'Hy!' meddai, 'mynd i ddeud 'tha ni bo' chdi'n gwbod o lle ma' babis yn dŵad w't ti. Ti'n tŵ lêt, yli. 'Chos dwi'n gwbod yn barod!'

'A ni!' medda Carys a finna, ''chos ma' Gwyneth 'di deud 'tha ni.'

Rowliodd Annwen ei llgada'n ddifynadd, a deud:

'Dio'm byd i' neud efo *sex*, siŵr!'

Edrychon ni'n tair arni'n siomedig. Achos chydig iawn roeddan ni'n ei wbod am y pwnc hwnnw mewn gwirionedd, achos doeddan ni ddim yn cael addysg ryw yn yr oes honno 'run fath â phlant dyddia yma. Roeddan ni wedi gobeithio y basa Annwen wedi medru'n goleuo ni ymhellach. Ond gan nad dyna oedd ganddi dan sylw, do'dd 'na ddim byd fedran ni 'i neud, felly, ond ebychu'n bwdlyd:

'O.'

Ma'n rhaid bod Annwen wedi synhwyro'i bod hi wedi'n pechu ni rywsut, achos mi rannodd ei chyfrinach hefo ni ymhen rhyw funud neu ddau. Fel digwyddodd petha, ro'dd be oedd ganddi i'w ddeud yn llawar mwy diddorol na siarad am y *sex* hwnnw wedi'r cwbwl.

'Ma' gin yr 'ogia *den*,' meddai, dan ei gwynt, bron.

'*Den*?' meddan ni'n tair.

'Hi-sh-sht!' meddai, a chochi yn ei phanic, rhag ofn i'r hogia – yn enwedig Eric, ei brawd hŷn – ei gweld, a sylweddoli be o'dd hi'n ddeud.

'Lle mae o?' holodd Gwyneth.

'Dwi'm i fod i ddeud. Sicret 'di o,' meddai.

'Sut ti'n gwbod 'ta?' o'dd fy nghwestiwn i iddi. Ond nath hi'm atab.

Edrychodd Annwen arnon ni o un i un.

''Na' i ddangos o i chi,' sibrydodd. 'Dach chi'n gaddo na newch chi'm deud?' holodd yn daer. A dyma ni'll tair yn nodio ac amneidio'n penna'n frwdfrydig.

'Cris croes tân poeth?' mynnodd Annwen.

'Cris croes tân poeth!' meddan ni wedyn.

Cododd Annwen o'r gwair hir a chymryd cipolwg draw at yr hogia diwyd. Pan oedd hi'n siŵr nad oeddan nhw'n edrach i'n cyfeiriad ni, sisialodd ei gorchymyn dan ei gwynt:

'Dowch! Ffor'ma!'

Ddeudodd 'run ohonon ni air o'n penna, dim ond neidio ar ein traed yn ddistaw fel llygod, a dilyn Annwen drwy'r caea i fyny'r afon i gyfeiriad Pont y Cim, a'n c'lonna yn ein gyddfa.

'Lle 'dan ni'n mynd?' mentrais holi, achos erbyn hyn roedd Carys a finna wedi dechra nogio.

'Bont Cim,' meddai Annwen.

Stopiodd Carys a finna'n stond. ''Dan ni'm yn dŵad!' meddan ni'n dwy.

'Nag'dan,' ategodd Carys.

'Ma' Mam 'di deud 'dan ni'm i fod i fynd i Bont Cim!' cefnogais inna.

'Babis!' cyhuddodd Gwyneth.

'Ma' 'na ysbryd yna!' meddan ni'll dwy ar un gwynt eto. 'Ma' Tomi Parry 'di deud!'

Roeddan ni'n gwbod yn iawn pwy o'dd yr ysbryd. Catrin Bwcle o'dd hi. Ac roedd Tomi Parry wedi taeru'n ddifrifol ei fod o wedi'i gweld hi yno sawl gwaith, yn gysgod llwyd mewn dillad hynafol. Ac os oedd un o flaenoriaid Capel Brynaera'n taeru ei fod o wedi gweld ysbryd Catrin Bwcle ar Bont y Cim, pwy oeddan ni'n dwy i ama'i air o?

'Cerwch adra 'ta,' o'dd yr unig beth ddeudodd Annwen, gan wbod yn iawn y bydda ganddon ni ormod o ofn mynd adra hebddi hi a Gwyneth.

''Dan ni yna rŵan eniwê,' meddai eto, a phwyntio. 'Fan'cw ma'r den. Yn y coed 'na'n fan'na. Dowch!'

Edrychodd Carys a finna ar ein gilydd, gan fud gydnabod bod ganddon ni ofn yn y lle unig ac anghysbell yma, yn bell iawn o olwg ein cartrefi. Erbyn hyn, ro'ddan ni o fewn golwg y bont fechan hynafol, ond ddaru ni ddim meiddio edrach arni! Doedd ganddon ni ddim dewis ond dilyn y ddwy arall oedd yn llamu'n frwdfrydig o'n blaenau i gyfeiriad y llwyni tywyll oedd yn cysgodi dirgelion den cyfrin yr hogia. Mi afaelon ni'n dwy yn dynn yn nwylo'n gilydd, a hannar disgwl i ysbryd Catrin Bwcle neidio allan o ganol y brwgaij!

Yn sydyn, heb i ni fod wedi gweld sut yn union, roedd y ddwy arall wedi diflannu! Yn ara deg bach, mi ymgripion ni'n nes ac yn nes. Yn sydyn, daeth twrw o ganol y perthi:

'W-W-W-YYY!'

Wrth reswm, mi sgrechion ni nes o'dd ein gyddfa ni'n sych, ond ddaru ni ddim dychryn llawar, achos mi glywson ni Gwyneth ac Annwen yn rowlio chwerthin dros y lle yn rwla yng nghrombil y perthi a'r drain oedd yn dal eu gafael yn dynn yn eu deiliach er gwaetha mis Tachwedd.

'Lle dach chi?' meddan ni.

'Fa'ma!'

Ac erbyn hyn, ro'ddan ni'n teimlo mor chwilfrydig fel ein bod ni wedi anghofio pob ofn, a chwerthin iach y ddwy arall yn dryllio awyrgylch oeraidd ac anghyfarwydd y lle. Daeth Carys a finna o hyd i ryw fath o lwybr drwy'r brwgaij, lle roedd y tyfiant wedi cael ei droedio'n go amal. A rhwng ein bod ni'n dilyn hwnnw ac yn dal i wrando ar dwrw a miri'r ddwy arall, mi fedron ni o'r diwadd ddŵad o hyd i'r den! A dyna lle roedd Gwyneth ac Annwen wedi'u gwasgu eu hunain i mewn i'r dail yn y pen pella, yn cuddiad rhag i ni eu gweld nhw, er mwyn cael ein dychryn ni. Ond mi fethon, achos roeddan nhw'n chwerthin gormod o beth coblyn i neud synau ysbrydion. Dim ond rhyw 'WWW-y-y-y ha-ha-ha, hi-hi-hi – wa-ha-ha-ha!' roeddan nhw'n medru'i ddeud, a chwerthin nes oeddan nhw'n sâl, chwerthin cymaint nes i ninna'n dwy ymuno, a chwerthin nes oeddan ni'n wan – fi'n enwedig, achos fuo bron i mi fygu a chael pwl o gaethdra.

Felly, dyma ni i gyd yn gneud ein gora i sobri, rhag ofn i fy mygdod waethygu, a chanolbwyntio a dechra sylwi. o ddifri ar y den. Roeddan ni'n rhyfeddu wrth weld pa mor ddeheuig ro'dd yr hogia mawr wedi bod, yn creu rhyw fath o ogof glyd tu mewn i'r perthi, ymhell o olwg y byd a'i betha.

Roeddan nhw wedi cario rhyw geriach yno hefyd – hen focsys pren i ista arnyn nhw, a sacha dan draed, a hen glustoga. Ac wedi i ni ddarganfod tun baco a darn o hen bapur i rowlio sigarét, ac wrthi'n chwilota am fatsys, dyma floedd wrywaidd o'r tu allan:

'Be ddiawl dach chi'n neud yn fan'na?'

O diar. Dyna ni wedi ca'l ein dal!

Ro'dd yr hogia mawr wedi sylwi bod y pedair ohonon ni wedi diflannu o Cae Capal Bont. Cyd-ddigwyddiad o'dd hi eu bod nhw wedi gorffen eu tasga ac wedi penderfynu 'i throi hi am eu den. Wrth iddyn nhw nesu, ro'dd yr hogia wedi clywad sŵn chwerthin cyfarwydd, aflafar a gwirion, yn dŵad o ganol y brwgaij a'r dail. Yn syth bìn, sylweddolon nhw bod 'y genod bach niwsans' wedi darganfod eu cyfrinach nhw!

Ro'dd Eric wedi gwylltio cymaint efo'i chwaer nes o'ddan ni'n ofni'i fod o am roi bonclust iddi, achos o'dd o'n gwbod yn iawn ma' hi o'dd 'wedi agor 'i hen geg'. Ond jest fel roeddan ni'n meddwl ein bod ni am weld ffeit, clywodd pawb sgrech annaearol, nes fferrodd pob un ohonon ni yn ei unfan!

Daeth mwy o sgrechfeydd o gyfeiriad yr afon. Ac ar hynny, stryffaglodd pawb allan o'r den a'r brwgaij, achos ro'dd sŵn panig bellach yn y llais oedd yn sgrechian am help. Mi feddyliais inna yn fy nychryn a'm diniweidrwydd ella ma' cariad ysbryd Catrin Bwcle o'dd yna, heb foddi byth ac yn dal i fod yn sownd yn nyfroedd afon Llyfni ers yr holl ganrifoedd!

Anghofiodd pawb am ddarganfyddiad y 'genod bach niwsans' ac mi redon ni i gyd i gyfeiriad y sŵn. Pan gyrhaeddon ni'r afon, pwy welon ni, mewn trafferthion, ond Gwyn Tŷ Capal yng nghanol y dŵr!

Heb oedi dim, na meddwl am unrhyw beryg, neidiodd yr hogia mawr ar eu penna i afon Llyfni i achub Gwyn. Ac mi lwyddon, diolch byth, i ddŵad â fo i'r lan yn weddol ddiffwdan.

Do'dd o fawr gwaeth, ond am fod yr hogia i gyd yn socian, mi benderfynon ni i gyd fynd adra. Ro'dd pob dim yn barod ar gyfer Tachwedd y pumed beth bynnag, ac wrth i bawb ohonon ni gydgerdded am adra yn un dyrfa fawr gytûn, adroddodd Gwyn hanes sut disgynnodd o i'r afon.

Yn lle dilyn gweddill yr hogia i gyfeiriad y den, ro'dd o'n dal yn methu peidio meddwl am hel coed tân ar gyfer y noson, ac wrth edrych i fyny ar y coed tal oedd o'n cwmpas ym mhob man, gwelodd frigyn penigamp fasa'n edrych yn dda ym mreichia'r 'Gei' oedd yn coroni'r mynydd o goelcerth. Felly, dringodd y goeden i nôl y brigyn. Wedi'i gyrraedd, steddodd Gwyn arno fo a defnyddio llif fechan i'w naddu o i ffwr', ond gan ei fod o ei hun yn ista a'i gefn at ochor allan y goeden, pan ddaeth y brigyn yn rhydd a disgyn i'r dŵr, mi ddisgynnodd Gwyn hefo fo!

O glywed hyn, mi chwerthon ni i gyd – a fynta'n ymuno yn y miri. Dyna be o'dd diwadd da i'r dydd: boliad a hannar o chwerthin. Ac yn ddistaw bach, heb yngan gair wrth neb, mi gofiais i'n sydyn mai fi a Carys oedd wedi atgoffa Ieuan fod rhaid dechrau'r holl baratoada. Hebddan ni'n dwy, yn fy meddwl bach diniwed i, fasa 'na'm coelcerth na thân gwyllt na dim wedi bod yng nghae Tŷ Capel Bont o gwbwl y flwyddyn honno. A gwenais yn hunanfoddhaus yr holl ffordd adra.

Wrth gwrs, mi fasa 'na goelcerth a noson Gei Ffôcs wedi bod yn y pentra hyd yn oed tasa Carys a minna wedi llwyr anghofio atgoffa Ieuan. Mi fasa 'na rywun arall wedi cofio yn ein lle, siŵr o fod, a nhw wedyn fydda wedi dechra trefnu'r gweithgaredda.

Bellach, bob blwyddyn, pan fydd Medi'n tynnu at ei derfyn, a rhyw roced neu fangar gynnar yn cael eu tanio yng Nghaernarfon 'cw yn gadael wiff o'u harogl ar eu hola, mi fydda i'n dal i gofio'r gwmnïaeth fwyn a'r dyddia da fydda 'na ym Mhontllyfni bob amser – yn enwedig pan fyddai'n hydrefu.

Sgrifennais yr uchod er cof annwyl iawn am Gwyn

Ffrindiau eraill…

Dwi'n chwys doman rŵan wrth feddwl y gallai criw Pontllyfni ddarllen hwn! Nid mod i wedi deud clwydda, ond am mod i'n gresynu nad ydw i'n sôn am bawb o fy ffrindia ynddi. Achos doedd y stori ddim yn cynnwys pawb o fy ffrindia o bell ffordd.

Gan fod Ysgol Gynradd Brynaerau yn ysgol ardal, roedd ein cyfeillion ar wasgar ar hyd ac ar draws cwmwd Clynnog Fawr a Chapel Uchaf, a phellach. Fel arfer, roedd pob pentra'n cynnal noson goelcerth, ac os byddai'r pentrefi'n rhy bell, byddai plant ffermydd unigol yn cynnal eu gweithgareddau eu hunain adra ar eu tir nhw.

Roedd 'na resi o blant eraill yn y pentra heblaw'r rhai dwi wedi sôn amdanyn nhw: rhai yn hŷn na fi, a'r lleill yn 'fengach. Roedd pawb ohonyn nhw'n dŵad i noson y 'Gei', a llawer ohonyn nhwytha wedi helpu i greu'r noson. Ond faswn i byth yn dod i ben efo'r joban o gynnwys pawb yn y stori. Felly gobeithio y ca' i faddeuant am hynny!

Falle mod i hefyd wedi cywasgu fy atgofion at ei gilydd; er enghraifft, mewn gwirionedd, dwi'n meddwl bod Gwyn wedi syrthio i'r afon un flwyddyn, a rhyw flwyddyn arall wedyn cafodd Annwen, Gwyneth, Carys a minna hyd i'r den. A dwi'm yn meddwl bod Gwyneth wedi'n galw ni'n 'fabis' mewn gwirionedd, ond gan Gwyneth cafodd Carys a minna wbod sut ro'dd gneud babis, achos mi ddeudodd

Mam wrtha i ei bod hi a Misus Wilias, mam Carys, wedi bod yn trafod pryd basan nhw'u dwy'n egluro hyn wrthan ni, ond erbyn iddyn nhw stryffaglu i neud hynny, ro'dd y ddwy ohonon ni, yn annibynnol i'n gilydd wedi deud: 'Dwi'n gwbod sut i neud babis 'chos ma' Gwyneth 'di deud 'tha fi!'

Ma' Ieuan yn dal i ddeud 'ch' yn lle 'r' o hyd. A dwi'm yn meddwl ca' i ffrae ganddo fo am ddeud hynny, achos dwi 'di deud petha gwaeth amdano fo a fi ar Radio Cymru cyn heddiw, a doedd o nag Ann, ei wraig, ddim mymryn dicach, er bod pobol wedi tynnu eu coesau nhw!

Cyffro Carafán

Do'n *i* ddim isio aros
    mewn bocs o garafán,
a Mam a Dad a'n chwaer i
    mewn adlen sy'n ê-wan.

A finna'n styc yn fa'ma
    ar silff o wely bach,
a'r lleill i gyd yn cysgu
    mewn gwlâu, ac nid mewn sach!

Mae'r nos yn dod â'i thwyllwch
    a chysgu'n braf ma'r lleill –
a minna'n troi a throsi
    heb ddim byd ar y gweill.

Ond . . . hisht! Be ydy'r sŵn 'na
    tu allan, ar ben to?
Sŵn crafu! Pwy sydd yna –
    'di'n wrach 'ta bwci bo?

"Ta oes 'na leidr arfog
   am 'mosod arnaf i?
Ar ben y to y mae o –
   O! Dwi isio gneud pi-pi!

Dwi'n cripian draw i'r adlen
   a sibrwd, 'Dad!' a 'Mam!'
Dwi isio i chi ddeffro,
   dwi'n teimlo braidd yn wan!

'Ty'd yma, Pwt. Be sy 'na?'
   o'i gwsg, gofynnodd Dad.
'M-ma' rhywun ar ben to!' me' fi:
   'rhyw nytar braidd yn sad!'

Mi gododd Dad, 'fo pastwn
   i ddal y dyn ar to,
ond dim ond c'loman o'dd 'na –
   dim nytar gwyllt ar ffo!

A bellach, mi dwi'n lecio
   ca'l cysgu'n garafán;
ma' Mam a'n chwaer a finna
   mewn adlen sy'n ê-wan!

'Chos rŵan, ma' Dad yn hepian
   ar silff o wely bach;
'dan ninna i gyd yn chwyrnu
   mewn gwlâu – ac nid mewn sach!

Un arall o'm ffrindia o Ysgol Brynaerau oedd Gwenfron, oedd yn byw ym mhentra Tai'n Lôn, Clynnog Fawr. Mae gen i atgofion melys am fynd ati i chwarae pan oeddan ni'n ifanc iawn.

Un tro, roeddan ni'n dwy wedi cael be fasa plant heddiw'n ei alw'n *sleepover* yn y garafán oedd yng ngardd gefn ei chartref. Deffrais gefn nos wedi dychryn yn ofnadwy am fod 'na sŵn rhywbeth neu rywun yn cerdded ar ben y to. Roedd y ddwy ohonon ni'n methu deall be oedd yna, ac mi fu raid i rieni Gwenfron ddeffro ganol nos am fy mod i wedi cynhyrfu cymaint!

Hynny ysbrydolodd fi i sgrifennu'r gerdd fach 'Cyffro Carafán': cofio amdanon ni'n cynhyrfu mewn gwely oedd yn anghyfarwydd iawn – i mi, beth bynnag! Dwi ddim yn meddwl bod Gwenfron wedi ypsetio hannar cymaint oherwydd roedd y gwely a'r garafán yn hollol gyfarwydd iddi hi!

Yr Ysgol Uwchradd

O dro i dro, bydd rhywun yn gofyn i mi sgrifennu pwt ar gyfer gwahanol achlysuron, a bydd hynny'n agor llifddorau'r cof. Sbel yn ôl erbyn hyn, ac ar gais hogyn ysgol, Gwilym Siôn Pritchard, un o ddisgyblion fy hen ysgol uwchradd yn Nyffryn Nantlle, Pen-y-groes, sgwennais y darn cyntaf isod ar gyfer prosiect dosbarth ynglŷn â chyn-ddisgyblion yr ysgol ac enwogion yr ardal. Ceisiadau digon tebyg oedd tarddiad y ddau ddarn canlynol hefyd, a gafodd eu cyhoeddi ym mhapur yr ysgol, *Yr Eryr*.

Fy Nghefndir

Fe'm ganed ym mhentre Pistyll, Llŷn, ond deuthum i fyw i
Bontllyfni yng nghwmwd Clynnog Fawr pan oeddwn yn
chwe mis oed. Yn y pentre hwnnw, mewn byngalo, dafliad
carreg o'r môr, cefais fagwraeth heb ei hail.

Er mai unig blentyn oeddwn, anaml y byddwn ar fy
mhen fy hun, gan y byddai fy rhieni wastad yn fy annog i
ddod â ffrindiau adref o'r ysgol yn gwmpeini ac i chwarae
hefo mi drwy'r gwyliau. Prin oedd yr adegau hynny pan
fyddwn ar fy mhen fy hun yn gyfan gwbwl, ac eithrio pan
oeddwn yn fy ngwely!

Bu mynychu Ysgol Gynradd Brynaerau yn bleser ac yn
fraint: yn bennaf oll oherwydd ei Chymreictod, a hefyd
oherwydd ei maint. Dim ond tua deg ar hugain o
ddisgyblion a'i mynychai yn fy amser i, dan ofal dau athro,
felly câi pob un ohonom sylw haeddiannol yn ei dro. Roedd
hi'n berl o ysgol, gyda'i hawyrgylch gynnes, amhrisiadwy, a
grëwyd gan ei hathrawon, fel petai'n ein cofleidio, un ac oll,
yn deulu mawr cytûn.

Yn ddeg oed, euthum i Ysgol Gyfun Dyffryn Nantlle ym
Mhen-y-groes, Arfon. A dweud y gwir, bu'r profiad yn un
pur ysgytwol! Fe'm syfrdanwyd gan faint yr ysgol newydd.
Ynddi, roedd 'na fwy na deg ar hugain o blant mewn un
dosbarth yn unig! Teimlwn ar goll yn llwyr, a'r un pryd nad
oeddwn i'n neb – adyn dibwys yng nghanol moroedd o
blant. A chan nad oedd pentre bychan Pontllyfni ddim
wirioneddol yn rhan o'r dyffryn ei hun yn ddaearyddol,
doeddwn i'n nabod neb yn y dosbarth ond fy ffrind, diolch
amdani, o Ysgol Brynaerau, sef Gwenfron; ar y llaw arall,
roedd plant Pen-y-groes, Llanllyfni, Tal-y-sarn a Nantlle i
gyd yn nabod rhesi, gydag amryw ohonyn nhw mewn criw
yn barod.

Roedd hi'n flynyddoedd cyn i mi deimlo fy mod yn 'perthyn' yn yr ysgol fawr hon, a gwaeth fyth roedd pob pwnc, ac eithrio Cymraeg ac Ysgrythur, yn cael ei ddysgu drwy gyfrwng y Saesneg! Dyna oedd polisi iaith Sir Gaernarfon ar y pryd.

Yn raddol, deuthum i arfer â'r drefn wahanol, a phan oeddwn yn fy nhrydedd flwyddyn yn yr ysgol, darganfuwyd bod fy ngolwg wedi dirywio ers y profion llygaid blaenorol, a mod i'n fyrrach fy ngolwg, felly cefais sbectol newydd. Gorfodwyd fi i'w gwisgo, er mod i'n casáu gwneud hynny am fod y gwydrau henffasiwn mor drwchus – ac o gwmpas yr un cyfnod, cefais 'fresus' weiren am fy nannedd, i'w sythu. Rhwng hynny a'r plorod ymddangosodd ar fy wyneb, collais fy hunanhyder yn enbyd. Yr unig gysur oedd mod i'n gallu gweld y bwrdd du ac, o'r herwydd, yn deall y gwersi'n well. Ond, yn anffodus, roeddwn i wedi mynd i arferiad drwg, am mod i wedi gwrthod gwisgo fy sbectol am flynyddoedd cyn hynny, o freuddwydio am wahanol bethau, yn enwedig hogia, yn ystod fy nghyfnod yn yr Uwchradd, a pheidio â chanolbwyntio!

Blodeuodd fy hunanhyder yn sylweddol yn 1969, oherwydd erbyn hynny roeddwn i yn y pumed dosbarth ac wedi cael rhan – drwy ddamwain – yn nrama'r ysgol, a fu'n llwyddiant mawr. Doeddwn i erioed wedi meddwl y byddwn i'n mwynhau fy hun gymaint ar lwyfan, ond o'r eiliad y deallais y gallwn ddal sylw llond neuadd o bobol a'u difyrru, sylweddolais mai o flaen cynulleidfa roeddwn i hapusaf. Dwi'n credu bod fy ffrind Cefin Roberts (Ysgol Glanaethwy bellach) a minna wedi dod i'r un casgliad yr un pryd yn yr un lle, achos dwi'n cofio cydgerdded hefo fo oddi ar y llwyfan ar ôl gorffen wythnos o berfformio a'r ddau ohonon ni'n cytuno.

'Yn y byd yma dwi isio bod,' medda fo.

'A finna 'fyd,' medda finna.

Ac i fyd y ddrama yr aethon ni'n dau. I Ysgol Dyffryn Nantlle a'i hathrawon ymroddgar y mae'r clod am roi'r cyfle i ni, a llawer o rai eraill, ddatblygu a darganfod galwedigaethau sydd wrth ein boddau, mewn sawl maes.

Yn ystod fy nghyfnod yn yr ysgol gyfun bu i gyd-dynnu yn un tîm o fewn cynyrchiadau llwyfan fy helpu i glosio mwy at ffrindiau newydd, ond dwi am bwysleisio nad oedd bywyd cyn hynny yn bendant yn ddiflas drwy'r adeg chwaith, a chefais sawl achlysur i rannu plwc o chwerthin.

Un o'r achlysuron hwyliog hynny oedd y tro hwnnw pan oedd dirprwy brifathro'r ysgol, Mr Ifor Hughes, yn rhoi gwers Gwyddoniaeth Gyffredinol i ni. Y pwnc dan sylw oedd 'The Metamorphosis of the Frog'. Os ydy o'n weddus i mi ddweud, roedd gan Mr Ifor Hughes nam ar ei leferydd, a phob tro y byddai'n ynganu'r llythyren 'r', byddai'n dweud 'f' – felly'r pwnc dan sylw yn ystod y wers, yn ôl Mr Hughes, oedd 'Fy Meta-mof-phosis of fy Ff-fog'!

Gwnaeth ymdrech deg i lefaru'r geiriau unwaith, a sgrifennodd nhw ar y bwrdd du, er mwyn i ni eu gweld nhw. Yna, cymerodd anadl ddofn i'w dweud nhw eilwaith, yn uwch y tro hwn, ac yn y fan, gan faint ei ymdrech i siarad yn eglur er gwaetha'i nam, chwythodd ei ddannedd gosod allan o'i geg, i ganol y dosbarth! Dwi ddim yn credu mod i wedi medru peidio chwerthin drwy gydol y wers! Roedd y dosbarth i gyd yn eu dyblau, a chwarae teg iddo, doedd 'na neb yn chwerthin mwy na Mr Ifor Hughes ei hun. A deud y gwir, byddaf yn dal i bwffian chwerthin hyd y dydd heddiw wrth feddwl amdano, a'i ddannedd yn saethu allan o'i geg o!

Cefais dro trwstan fy hunan pan oeddwn yn y chweched dosbarth, a minnau – i fod – yn Prefect parchus. Fy nyletswyddau am y dydd oedd gofalu bod pawb yn mynd allan i chwarae yn ystod oriau egwyl, ac yna sicrhau bod y plant iau i gyd yn eu dosbarthiadau mewn pryd ar gyfer y gwersi a ddilynai'r egwyl.

Roeddwn newydd gerdded y coridorau ar ôl egwyl amser cinio, yn sicrhau bod pawb yn eu dosbarthiadau, a neb yn smocio yn y tai bach, pan sylwais fod rhywun heb gau un o'r tapiau wrth sinc un o'r *cloakrooms*, a'i fod yn gollwng diferion yn rheolaidd – drip, drip, drip. Ceisiais gau'r tap, ond methais. Ceisiais ei droi'r ffordd arall, er mwyn ei agor a'i ryddhau, a'i gau wedyn – ond daeth y tap i ffwrdd yn fy llaw! Llifeiriodd y dŵr i'r sinc fel rhaeadr, a rywsut, blociodd y sinc a llenwi'n arswydus o sydyn, a'r dŵr yn llifo drosodd ar y llawr! Yn fy mhanic, sgrechiais dros bob man:

'Help! O, plis, h-e-e-e-e-elp!'

Rhedais i fyny ac i lawr y coridorau nes bod rhesi o athrawon yn rhuthro i'm cyfeiriad ar unwaith, yn methu deall beth oedd yr argyfwng – a minnau'n mynd i fwy o banic wrth ddychmygu'r coridorau'n troi'n afonydd! Yn y cyfamser, roedd y stafell gotiau wedi dechrau troi'n llyn!

Ar hyn, rhuthrodd y prifathro, R. H. Pritchard-Jones, allan o'i stafell, a'i ŵn yn fflapian o'i ôl fel adenydd rhyw ystlum fampir gwyllt. Ffoniodd rhywun am blymar, a chyn pen dim, wedi i hwnnw gyrraedd yr ysgol, roedd yr argyfwng wedi'i ddatrys. Cefais wŷs i fynd i stafell y prifathro, a chael andros o ffrae am achosi llanast a thwrw; ac er nad oeddwn yn chwerthin y diwrnod hwnnw, bûm yn gweld y peth yn ddoniol am hydoedd wedyn!

Ymhen rhai dyddiau gofynnwyd i mi fynd i stafell y prifathro unwaith eto. Wrth gerdded i lawr y coridor i'r cyfeiriad hwnnw, roeddwn i'n pendroni pam roedd o eisiau fy ngweld i, oherwydd, rhesymais wrthyf fy hun, os oeddwn i wedi gwneud rhywbeth o'i le y tro hwn, doedd gen i ddim clem be oedd o!

Curais ar y drws, es i mewn, a darganfod bod y prifathro'n gwenu, er mawr ryddhad i mi. Roedd o wedi cael ar ddeall o rywle nad fy mai i oedd yr anffawd hefo'r tap wedi'r cwbwl, ac mai dim ond ceisio'i gau o wnes i, a bod y tap dŵr wedi torri cyn i mi afael ynddo fo. Ymddiheurodd y prifathro am roi cymaint o stŵr i mi, a diolchodd i mi am fy nhrafferth, er gwaetha'r ffaith mod i wedi gwneud twrw. A hyd y dydd heddiw, cofiaf am R. H. Pritchard-Jones hefo'r parch mwyaf am iddo fod yn brifathro digon teg a gonest i syrthio ar ei fai a chyd-chwerthin hefo disgybl am ben y tro trwstan.

Gyrfa Ddamweiniol!

Byddaf yn holi fy hun yn aml be'n union barodd i mi ddewis gyrfa ym myd actio. Wedi'r cyfan, wrth gysidro'r peth, mae o'n waith digon rhyfedd – cymryd arnoch eich bod yn rhywun arall, a chael eich talu am wneud hynny! Un peth sy'n sicr – onibai am Ysgol Dyffryn Nantlle, fyddwn i fyth wedi ystyried gyrfa ym myd y ddrama o gwbwl. Nid bod neb bryd hynny'n astudio Drama fel pwnc. Rhywbeth roedd rhywun yn ei wneud tu allan i oriau ysgol oedd actio, er mai'r athrawon oedd yn bennaf cyfrifol am y cynyrchiadau.

Un athrawes yn benodol oedd yn serennu yn hyn o beth, sef Miss Mat Pritchard, yr athrawes Hanes. Roedd ei hymroddiad personol i gynyrchiadau drama'r ysgol yn ystod y 1960au a'r 1970au yn amhrisiadwy. Ac roeddem yn hynod o lwcus a breintiedig iddi lwyddo i berswadio'r dramodydd Dr John Gwilym Jones o'r Groeslon i addasu dramâu ar ein cyfer – ac i goroni pethau, iddo gyfarwyddo'r dramâu hynny ei hunan.

Ond drwy ddamwain y llwyddais i ymuno â'r cynyrchiadau drama blynyddol 'ma, a hynny'n bennaf am fod fy meddwl wedi crwydro yn ystod gwasanaeth boreol un diwrnod yn yr ysgol. Cofiaf fy mod wedi cymryd ffansi at ryw hogyn oedd fymryn yn hŷn na mi, a hwnnw'n actor penigamp. Yn ystod fy mlynyddoedd cynnar yn Ysgol Dyffryn Nantlle, cefais fy swyno gan ei berfformiadau. Felly pan gyhoeddodd y prifathro, Mr R. H. Pritchard-Jones, yn ystod y gwasanaeth boreol hwnnw fod drama'r ysgol am gael ei chastio mewn cyfarfod yn syth ar ôl i wersi'r diwrnod ddod i ben, penderfynais fynychu'r cyfarfod – nid er mwyn cael rhan yn y ddrama, ond er mwyn closio at un o'r darpar actorion!

Pan gyrhaeddais y cyfarfod castio, mawr oedd fy siom o ddeall nad oedd gwrthrych fy serch yno o gwbwl. A gwaeth fyth – gofynnwyd i mi ddarllen rhan fy hunan! Erbyn diwedd y cyfarfod roeddwn wedi cael cynnig rhan, sef Tweeny'r forwyn yn addasiad Cymraeg yr ysgol o *The Admirable Crichton* gan J. M. Barrie. Freuddwydiais i rioed y byddai hyn yn digwydd i mi, a doeddwn i ddim yn siŵr a oeddwn i isio'r rhan o gwbwl!

Gan fod gen i ormod o barchedig ofn tuag at Dr John Gwilym Jones i wrthod, bu raid i mi ymgodymu â'r gwaith actio. Cofiaf fy nhro cyntaf ar lwyfan fel petai'n ddoe, a minnau'n gorfod wynebu neuadd lawn yr ysgol, a chynnig cwpanaid o de i Ann Beynon, oedd yn chwarae rhan Lady Lazenby. Roeddwn yn laddar o chwys, a'm dau ben-glin yn curo'n erbyn ei gilydd. Roedd cwpan a soser Royal Worcester Miss Jones French yn crynu a thincian yn fy nwylo, ac roeddwn i ofn am fy mywyd y byddwn i'n eu gollwng yn fy mhanic! Ond, er mawr ryfeddod, wedi i mi yngan sawl 'lein', dechreuodd y gynulleidfa chwerthin a churo dwylo. Ymlaciais rywfaint, a dechrau mwynhau fy hun a mynd i hwyl. Ac erbyn diwedd yr wythnos, wedi i'r cynhyrchiad ddirwyn i ben yn llwyr, roeddwn i wedi mopio ar fyd y ddrama, a'm bryd ar fynd i actio!

Cymerais ran mewn dwy ddrama arall yn yr ysgol cyn gadael, sef *Canmlwydd*, pan chwaraeais ran Ffilomena – dynes flin felltigedig a feddwodd yn dwll, a throi'n andros o gês; a *Fy Machgen Gwyn I*, lle bu i mi bortreadu rhan Modryb Elin, oedd yn llawn asbri a hwyl. Roedd Mr Dewi R. Jones, cyn-brifathro Ysgol Dyffryn Nantlle, yn cydberfformio hefo mi yn hon, gyda llaw, ac rwy'n cofio gorfod gafael ynddo, a'i gusanu'n frwd, er mawr embaras i'r cradur ar y pryd!

Ond nid yr actio'n unig oedd yn fy nghyfareddu. Roedd dawn Mr John Davies, yr athro Celf, i greu a chynllunio'r setiau ar gyfer y dramâu hyn yn syfrdanol, ac rwy'n cofio gofyn iddo pam mai dim ond y bechgyn oedd yn cael ei gynorthwyo i ymgodymu â'r gwaith. Ei ateb oedd: 'Am bod y genod i gyd yn gwisgo *mini-skirts*, a felly fedran nhw'm plygu i beintio'r setia, sy'n ca'l eu peintio'n fflat ar lawr!' A chwarae teg iddo, rhoddodd gyfle i mi ymuno â'r hogia – ar yr amod mod i'n newid o fy sgert gwta i drowsus cyn gwneud hynny!

Wrth feddwl am y cyfnod hwn yn fy hanes yn wrthrychol, does ryfedd i mi wirioni ar fyd y ddrama, gan fod cymaint o hwyl i'w gael wrth ymarfer a pherfformio a chreu, a chymaint o ymdeimlad proffesiynol o gwmpas y cynyrchiadau, fel mod i wedi meddwi rywsut ar yr holl beth. Peth hudolus ydy gweld ffantasi yn troi'n realiti o flaen eich llygaid, a chitha'n rhan annatod o'r broses greadigol. Yn fy marn i, nodwedd arbennig cynyrchiadau Ysgol Dyffryn Nantlle yn y cyfnod hwnnw oedd fod yr athrawon – ac roedd niferoedd ohonyn nhw mor ymroddgar yn cyfrannu o'u gwirfodd tu ôl i'r llenni – a'r disgyblion yn cydweithio fel un i gynnal llwyddiant y dramâu.

Byddaf yn dal i ryfeddu wrth feddwl mor hawdd fyddai hi wedi bod i mi beidio cael gyrfa ym myd y ddrama. Fel y crybwyllais eisoes, heblaw am y cyfleoedd a'r anogaeth gefais i yn Ysgol Dyffryn Nantlle, fyddwn i ddim wedi cyfrannu dim o gwbwl i fyd y ddrama Gymraeg. Byddwn wedi dilyn gyrfa hollol wahanol.

Bob Dim Ond Actio

Mi wyddoch am yr ochr actio o ngyrfa – ond ddeuda i wrthoch chi be dwi wedi bod yn ei neud rhwng y jobsys hynny: mynd ar gyrsia o bob math, achos fydda i'm yn lecio bod mewn rhigol, yn gneud 'run peth o hyd. Ma' hi'n arferol i berfformwyr llawrydd fod yn ddi-waith: ma' rhywun yn derbyn hynny. Ond fydda i'n teimlo mod i'n llaesu dwylo os na fydda i'n cyflawni rhwbath. Felly dwi 'di bod ar sawl cwrs diddorol dros y blynyddoedd dwytha – rhwng jobsys.

Flynyddoedd yn ôl erbyn hyn, ar ôl i mi neud rhyw dipyn o waith cyflwyno ar Radio Cymru, es ar gwrs sgiliau cwnsela dros gyfnod o flwyddyn i Goleg Menai, Bangor, gan feddwl y bydda hynny yn help i mi wella fy ffordd o holi pobol wrth gyflwyno rhaglenni. Ro'dd o'n andros o gwrs diddorol, a rhai o'r nodweddion yn debyg i sgiliau cyflwyno – hynny yw, o'dd rhywun yn dysgu pa mor bwysig oedd gwrando a holi'n gynnil heb fod yn ymwthgar; dysgu bod gofyn cwestiynau 'agored' yn dwyn llawer mwy o ffrwyth na rhai 'caeedig' achos mi gewch chi lawer mwy o wybodaeth gan rywun os gofynnwch chi rwbath fel: 'Disgrifiwch yn union be ddigwyddodd i chi, a sut o'ddach chi'n teimlo am hynny' na phetaech chi'n gofyn cwestiwn caeedig fel: 'Dach chi'n hapus?' oherwydd dim ond 'ydw' neu 'nachdw' fasa'r ateb i gwestiwn fel'na fel arfer. Dydy hynny ddim llawer o iws i holwyr cyfryngol sy'n dibynnu ar bobol i siarad yn ddiddorol a helaeth am y pwnc dan sylw. Ond mae o os bydd rhywun yn cwnsela, achos holl bwpas hynny ydy helpu pobol i deimlo'n well. Yn ogystal ag ennill sgiliau trin a thrafod emosiynau, mi nath y cwrs i mi styried ella fod 'na elfen o 'ddefnyddio' pobol yn y joban o holi ar y cyfrynga. Wedi'r cwbwl, gwaith cyhoeddus ydy darlledu – a gwaith cyfrinachol, preifat ydy cwnsela, gan nad oes gan yr holwr yn y job honno hawl i ryddhau gwybodaeth bersonol am neb.

Wedyn, yn 1998, mi es i ar gwrs Cyfrifiadureg Sylfaenol, pan oedd y peiriannau hynny'n dŵad yn boblogaidd – eto i Goleg Menai. Rhyw gwrs 'Return to Learning' oedd o. Brensiach! Y peth cynta wnes i'n fan'no oedd eistedd ar gadair wrth gyfrifiadur; mi dorrodd honno dana i, ac mi es inna ar fy mhen-ôl ar lawr. Wedi i mi gael cadair arall, a chyfarwyddyd i danio'r sgrin clywais glec fawr, a bu farw'r teclyn yn y fan a'r lle! Ro'dd hwnnw'n gwrs defnyddiol iawn yn y diwadd, er gwaetha'r dechra dramatig – ac er na fydda i angen defnyddio be ddysgais i am betha fel Excel a *spreadsheets*, mae'r wybodaeth sylfaenol ges i am Word wedi bod yn amhrisiadwy, gan y bydda i'n ei defnyddio'n ddyddiol erbyn hyn.

Yn 2006 ges i fynd ar gwrs 'Gweithdy Straeon Bocs Sgidie' i Amlwch ar Ynys Môn, cwrs oedd yn cael ei gynnal gan y BBC. Ddaru mi fwynhau hwnnw'n fawr. Roedd gofyn i chi greu stori sydyn fechan, fach, a'i darllen ar droslais, wedyn rhoi lluniau a ffotograffau i gyd-fynd â'r stori i greu ffilm fer iawn.

Dwi wedi sgwennu pob mathau o straeon a sgriptiau – a chwpwl o lyfrau – i blant, ac yn mynd i ysgolion a llyfrgelloedd ers cyn co', i gynnal sesiynau stori, dosbarthiadau sbarduno sgwennu creadigol ac ati. Ac i ffurfioli hynny, yn 2008 mi es i ar gwrs 'Artistiaid mewn Ysgolion: dyfeisio a chynnal gweithdai' a drefnwyd gan Asiantaeth Gelfyddydol Ysgolion Gwynedd a Môn, a dwi wedi bod yn gneud mwy o waith ysbeidiol felly'n ddiweddar.

Ro'n i awydd gneud mwy o waith tebyg ar gyfer oedolion, ond heb gyflawni llawer o hynny. Felly, i dorri stori hir, hir yn fyr iawn, iawn, mi es i ar gyrsiau sgwennu at y pwrpas hwnnw – sawl un, deud y gwir – yn y Ganolfan Ysgrifennu Genedlaethol yn Nhŷ Newydd, Llanystumdwy; ar gyrsiau gan y BBC ac wedyn sgriptio dipyn o sebon hefo nhw; a chael mynd ar gwrs yn Ffilmiau'r Nant (sy'n Rondo Media bellach), a deialogi dipyn fel rhan o dîm *Rownd a Rownd*. Yn ddiweddarach es i ar gyrsiau Skillset, Cyfle S4C, a mwy o rai'r BBC ac ati.

Bellach, mae gen i fwy o waith sgwennu ar fy CV na gwaith actio o bell ffordd – yn Gymraeg a Saesneg. Dydy hynny ddim yn golygu mod i'n mwynhau un grefft yn fwy na'r llall: bod yn ddeilen yn y gwynt ydy gweithio'n llawrydd, a throi'r llaw honno at beth bynnag chwythith y gwynt hwnnw atoch chi. Mynd 'lle mynno'r gwynt' ac ma' hwnnw'n un andros o gyfnewidiol y dyddia yma! Mae'n galed weithia, dro arall mae'r her yn hwyl, ond fedar neb eich cyhuddo chi o fod mewn rhigol, achos rhaid i chi fod ar flaena'ch traed drwy'r adeg, wastad a'ch trwyn ar y maen, yn agored i bob cyfla ddaw.

Dirgelwch y Cyrtans

Dwi 'di cyrradd Dyffryn Nantlla
ar y llwyfan rŵan yn fa'ma;
siarad rwyf mewn cyngerdd sy
yn codi pres at gyrtans lu!

Ond be sy'n fa'ma? Cyrtans newydd
yma'n barod, heb air o gelwydd.
I be s'isio consart, felly?
Ma' pres y cyrtans wedi'i godi!

Erbyn meddwl, wa'th 'mi aros
ym mysg ffrindia: ma' hi'n ddiddos
bod yn ôl yn Nyffryn Nantlla:
'da' i ddim adra, 'rhosa i yma!

Yn 2011, gofynnodd Pwyllgor Rhieni Ysgol Dyffryn Nantlle
i mi berfformio mewn cyngerdd i godi arian i brynu llenni ar
gyfer llwyfan neuadd yr ysgol. Cytunais, ond erbyn i mi
gyrraedd roedd y cyrtans newydd, llaes yn crogi yn eu priod
le yn daclus yn fframio'r llwyfan! Dyna barodd i mi agor fy
anerchiad hefo'r gerdd uchod.

A do wir, cafwyd cyngerdd llawn asbri hefo John Dilwyn
Williams yn arwain, disgyblion a chyn-ddisgyblion yr ysgol
yn perfformio amrywiol ddarnau, a Pharti Lleu yn morio
canu o'r galon i godi'r to, bron. Codwyd dipyn go lew o arian
hefyd – nid i brynu cyrtans, ond ar gyfer rhywbeth arall. Ma'
angen codi pres ar gyfer rhywbeth neu'i gilydd drwy'r adeg
dyddia yma, decini!

Ddechrau Ionawr, 2012, cefais wybod ar ddamwain i ble
yn union yr aeth arian y cyngerdd: i brynu byrddau a
chadeiriau newydd ar gyfer yr Uned Ddarllen yn yr ysgol –
achos clodwiw iawn. Mwy clodwiw na'r cyrtans hyd yn oed!

Rhywbeth arall ofynnwyd i mi ei sgrifennu – a'i pherfformio
– oedd y stori ganlynol, ar achlysur gwobrwyo Angharad
Tomos am ei chyfraniad hyglod i lenyddiaeth plant, pan
enillodd hi Dlws Coffa Mary Vaughan Jones yn 2010.

Gan fod Angharad wedi dewis derbyn y wobr yn Ysgol
Gynradd Bro Lleu yn Nyffryn Nantlle yng nghwmni plant o
bob oed yn ogystal ag oedolion, roedd rhaid i mi baratoi
darn o waith fyddai, gobeithio, yn apelio at bawb. Gan mai fi
sy'n actio rhan Strempan yng nghyfresi teledu Rala Rwdins
a grëwyd gan Angharad, penderfynais y byddai'n addas i mi
sgrifennu stori o safbwynt Strempan ei hun.

A chyn i neb ofyn: 'Www! Be o'dd Angharad yn ei feddwl?' – mae hi a finna'n deall ein gilydd, ac mi fydd hi'n fy annog i neud be fynna i efo Strempan, achos weithia mi fydda i'n mynd at blant iau i gynnal 'Sesiynau Straeon Strempan' i hyrwyddo'r gyfres Darllen Mewn Dim sydd wedi'i chreu gan Angharad.

Felly, rhyw ddynwarediad o lyfrau Cyfres Gwlad y Rwla greais i ar gyfer yr achlysur, gan fy mod i a Strempan, fel un, yn un o ffans penna Angharad Tomos.

Salwch Strempan

Un diwrnod annifyr roedd Strempan yn sâl yn ei gwely. Roedd hi wedi tynnu'r cwilt dros ei phen ac wedi dweud wrth Cena Cnoi, y ci, am gau ei hen geg achos bod ganddi bigyn clust. Strempan druan! Roedd hi wedi bod yn ei gwely ers wythnos!

Ar ôl troi a throsi . . . a throi a throsi lawer gwaith, penderfynodd ei bod hi'n teimlo'n dipyn bach gwell, a'i bod hi angen cwmni. Felly gwaeddodd dros y tŷ:

'Cena Cnoi! Cena Cnoi! Ty'd yma'r funud 'ma, yr hen slebog gwirion!'

Ond ddaeth Cena Cnoi ddim. A deud y gwir, doedd o ddim yn y tŷ. Ro'dd o wedi pwdu am fod Strempan wedi deud wrtho fo am gau ei hen geg! Roedd o wedi gadael Castell Cnotiog a mynd i fyw i'r gors at y Llipryn Llwyd. Ro'dd o'n cael llawer mwy o hwyl yn fan'no, ac ma' hynna'n deud lot, achos 'sna'm llawar o neb yn ca'l hwyl efo'r Llipryn Llwyd – am ei fod o'n ormod o lipryn!

Beth bynnag, roedd Strempan yn dal yn ei gwely, ac yn dal eisiau cwmni, pan ddaeth 'na sŵn:

Cnoc! Cnoc! Cnoc!

'Brensiach Brynsiencyn!' meddai Strempan, wedi dychryn. 'Pwy sy 'na?'

'Y fi,' meddai llais.

'Pa fi ydy hwnnw?' holodd Strempan.

'Y fi, Castia . . . Parot,' meddai Castia. 'Dwi'n gneud castia ar sil y ffenast.'

A wir i chi, pan edrychodd Strempan ar y parot, dyna lle roedd o, yn gorwedd ar wastad ei gefn a'i draed yn yr awyr yn canu 'Mi welais Jac y Do' fel hyn:

Mi welais Jac y Do
Yn eistedd ar y po,
Ei gefn o'n grwm
A'i fol o'n grwn –
Ho-ho-ho-ho-ho-HO!

'Selsigau Syswallt!' meddai Strempan – wedi dychryn braidd, achos doedd Castia ddim yn canu petha coman fel'na fel arfar. 'Castia, w't ti'n sâl?' gofynnodd.

'Na'dw,' meddai Castia. 'Mond wedi clywad rwbath ydw i.'

'Clywad rwbath? Clywad be?' holodd Strempan.

'Clywad bod Angharad Tomos am ga'l tlws!'

'Y? Be?' holodd Strempan, achos doedd hi ddim wedi clywed yn iawn.

A dyma'r parot yn gweiddi dros y lle:

'Ma' Angharad Tomos am ga'l tlws! Ma' Angharad Tomos am ga'l tlws! Ma' Angharad Tomos am ga'l tlws!'

Ac ar hynny, dyma Castia yn neidio oddi ar wastad ei gefn – ar ei draed, a diflannu i'r awyr nerth ei adenydd, yn dal i weiddi nerth esgyrn ei ben: 'Ma' hi am ga'l tlws!' drosodd a throsodd, nes aeth o'n bell, bell i ffwrdd. Ac wedyn, o'r pellter, ychwanegodd y deryn drwg,

'A ma' Mair Tomos Ifans a Mari Gwilym a Gwawr

Maelor, a'r Cyngor Llyfra, a Chyngor Sir Gwynedd . . . ac
Ysgol Bro Lleu am fod hefo hi!'

Roedd Strempan yn gegrwth. Ro'dd hi wedi dychryn. Ac
roedd Castia'r Parot wedi diflannu ar ôl dweud y newyddion
syfrdanol wrthi.

'Wel wir!' meddyliodd. 'Angharad Tomos o bawb am
gyt lŵs! Pwy feddylia? Brensiach y bresych!' Cododd
Strempan o'i gwely a stryffaglu i'w dillad, er ei bod hi'n dal i
deimlo'n ddigon gwan a phenysgafn. 'Rhaid i mi fynd i
ddeud wrth pawb bod Angharad Tomos am gyt lŵs!'

Yr ogof gyntaf a gyrhaeddodd hi oedd Ogof Tan Domen. Tu
allan i'r ogof roedd Rala Rwdins a Rwdlan a Mursen y gath
yn golchi dillad, a Rala Rwdins ar ganol ei deud hi am
Angharad Tomos.

'Ma' Angharad Tomos,' medda Rala Rwdins, 'yn beryg
bywyd! Achos ma' hi'n sgwennu straeon amdanon ni, bobol
Gwlad y Rwla! Dyna i chi bowld!'

Ar hynny, galwodd Strempan arnyn nhw,

'Hei! Dach chi 'di clywad?'

'Clywad be?' holodd y tair.

'Ma' Angharad Tomos am gyt lŵs!'

Edrychodd Rala Rwdins, Rwdlan a Mursen yn hurt ar
Strempan.

''Dan ni'm yn dy goelio di!' meddai'r tair.

'Wel, mae hi, wir yr!' taerodd Stempan. 'Ma' hi am gyt
lŵs, a mynd ar fỳs Nedw i Gnarfon, i Cofi Roc! Ma' hi'n
cwarfod Mair Tomos Ifans yno!'

'Be?' bytheiriodd Rala Rwdins. 'Ma' Mair Tomos Ifans
yn waeth nag Angharad Tomos, achos ma' hi'n fwy powld
fyth! Ma' Mair Tomos Ifans yn mynd rownd y lle 'ma yn
canu ac yn smalio'i bod hi'n fi – Rala Rwdins!'

Erbyn hyn roedd Rwdlan yn gweiddi, achos ro'dd hi'n
meddwl y byd o Angharad Tomos.

'O, Rala Rwdins, peidiwch â rwdlan, wir! Rhaid i ni fynd i achub Angharad Tomos rŵan hyn, neu fydd Mair Tomos Ifans wedi'i harwain hi ar gyfeiliorn – a wedyn . . . o, grasusa, wedyn fydd hi wedi canu arni hi!'

Ddeudodd Mursen ddim byd ond 'Miaw'.

Mewn chwinc roedd Strempan wedi rhedeg oddi yno, i dorri ei newyddion i fwy o drigolion Gwlad y Rwla. Cyrhaeddodd Ogof Tu Hwnt, a gweiddi ar Ceridwen:

'Ceri-i-i-idwen! H-e-e-e-lp!'

Daeth Ceridwen i'r drws yn syth a golwg wedi dychryn arni, achos doedd hi rioed wedi clywad y ffasiwn banic yn llais Strempan o'r blaen!

'Rachlod Rachub!' meddai. 'Be sy'n bod, Strempan?'

'Angharad Tomos!' meddai Strempan. 'Ma' hi am gyt lŵs yn Cofi Roc efo Mair Tomos Ifans a Mari Gwilym a Gwawr Maelor – a ma' nhw am ganu dros y lle ac yfad llond eu bolia o bop coch efo swigod gwyrdd a gwyn ynddo fo, nes bod eu penna nhw'n troi!'

'Arswyd asiffeta!' meddai Ceridwen, ''sa well i ni fynd i'w hachub nhw!'

Ond cyn i Ceridwen symud modfedd roedd Strempan wedi rhedeg ar wib i weld y Dewin Doeth a'r Dewin Dwl yn Ogof Ty'n Twll. Waldiodd y drws a gweiddi dros y lle, 'H-e-e-e-elp! Argyfwng! Panic! H-e-e-e-e-lp!' nes daeth y ddau ddewin allan ati. Doedden nhw rioed wedi clywed y fath banic ac ofn a dychryn yn llais Strempan o'r blaen!

'Bobol y brynia, be sy, Strempan?' gofynnodd y Dewin Doeth. 'Oes 'na dân yn rhywle?'

'Dim eto!' atebodd Strempan.

'Pam, be sy?' holodd y Dewin Dwl, a'i lygaid yn fawr fel soseri.

'Angharad Tomos!' gwaeddodd Strempan. 'Ma' hi am gyt lŵs yn Cofi Roc Cnarfon ac am yfad peintia o bop coch efo Mair Tomos Ifans a Mari Gwilym a Gwawr Maelor . . . ac erbyn hyn, ma' pobol Cyngor Sir Gwynedd 'di cyrradd yno, a beryg bydd pawb yn cerddad yn igam-ogam rownd y castall, a'u penna nhw i gyd yn troi, a . . .!'

'Brensiach y byd!' meddai'r Dewin Doeth. 'Ty'd, Dewin Dwl, rhaid i ni ddal bỳs Nedw ar fyrder, i fynd i achub Angharad Tomos o afael y Fair Tomos Ifans a'r Fari Gwilym wirion 'na – heb sôn am y Wawr Faelor a phawb o'r Cyngor Sir! Lle ddeudsoch chi roeddan nhw i gyd, Strempan?'

Ond roedd hi'n rhy hwyr. Roedd Strempan wedi rhuthro at Llyn Llymru, lle roedd y Llipryn Llwyd yn chwarae coits hefo Cosyn y Llygoden a Cena Cnoi. Erbyn hynny roedd Castia'r Parot yn cadw cwmni iddyn nhw hefyd.

'BRYSIWCH!' Bloeddiodd Strempan arnyn nhw, 'dowch i ddal bỳs Nedw. Ma' pawb yn mynd i Gnarfon i achub Angharad Tomos – cyn i'r petha Cyngor Llyfra 'na ga'l gafal arni! BRYSIWCH! Ma' plant Ysgol Bro Lleu i gyd wedi yfad llond eu bolia o bop coch, ac ma' Angharad Tomos am gyt lŵs yn Galeri Caernarfon ar y rhaglen deledu *Wedi Saith* 'na! Does wbod be ddaw o Angharad Tomos druan! Rhaid i ni ei hachub hi RŴAN HYN!'

Edrychodd y Llipryn Llwyd yn syn ar Strempan. Doedd o ddim wedi cynhyrfu o gwbwl.

'Pam bod rhaid i ni achub Angharad Tomos rhag ca'l tlws?' holodd.

'Wel, rhag ofn iddi fynd yn wirion, siŵr!' meddai Strempan yn flin. 'A rhaid i ni achub plant Ysgol Bro Lleu hefyd. Ddylan nhw'm bod yn Gnarfon yn yfad pop coch yr amsar yma o'r nos!'

'Dydy Plant Ysgol Bro Lleu ddim yn G'narfon heno,' meddai Llipryn. 'Ma' nhw yn Ysgol Bro Lleu, Pen-y-groes, yn aros i chdi gau dy geg, Strempan. Ma' nhw'n gwbod bod Angharad Tomos wedi ennill Tlws Mary Vaughan Jones am sgwennu a dylunio a chael plant i Ddarllan Mewn Dim – a gneud cymaint i blant Cymru dros y blynyddoedd.'

Edrychodd Strempan yn syn. Ddeudodd hi ddim byd ond 'O'. Achos roedd hi'n teimlo'n wirion iawn.

Dach chi'n gweld, roedd Strempan wedi bod yn sâl, yn doedd? Roedd hi wedi bod yn ei gwely efo pigyn clust a doedd hi ddim wedi clywad yn iawn be ddeudodd Castia'r Parot wrthi, sef bod Angharad Tomos am gael tlws. Roedd Strempan yn meddwl bod Castia wedi deud bod Angharad am 'cut loose'! Ac i rai pobol, mae 'cut loose' yn golygu rhywbeth hollol wahanol i gael tlws: mae o'n golygu mynd rownd Dre yn yfad pop coch, nes bod 'na swigod gwyrdd a gwyn yn dod o'ch ceg chi, ac wedyn ma'ch pen chi'n troi, ac wedyn . . . o, wel, dio'm ots be wedyn!

Gwelodd Strempan ei bod wedi gwneud Camgymeriad Mawr, ac fel ergyd o wn, gwaeddodd dros Wlad y Rwla – a Phen'groes:

'Hei, Pawb! Ma' Angharad Tomos am gael tlws!

Rhedodd Rala Rwdins a phawb yng Ngwlad y Rwla at Strempan, a gweiddi 'Hwrê! Hwrê! Angharad Tomos!'

A doedd 'na neb yn fwy llawen a balch na Strempan, o bawb! Roedd hi mor hapus na wnaeth Angharad cut loose yn Cofi Roc ac yfed pop coch wedi'r cwbwl!

'Llongyfarchiada, Angharad!' bloeddiodd Strempan.

'LLONGYFARCHIADA, ANGHARAD TOMOS!' bloeddiodd pawb.

I gloi'r rhan gynta o *Melysgybolfa*, dyma ddetholiad o rigymau bach a ddeilliodd o'm Sesiynau Stori 'Babi mewn Bygi' a'm Sesiynau Stori 'Oedolyn a Phlentyn'. Ymddiheuriadau nad oes 'na rai ar gyfer pob ardal yng Nghymru ond mae'n ddigon hawdd eu creu nhw eich hunan. Dyna wnes i fy hun ar ôl i Nia Glyn, wyres Carys, fy ffrind, oedd yn ddwy oed ar y pryd, ddysgu'r rhigwm am Lanberis i mi ar gyfer yr Amgueddfa Lechi yno, flynyddoedd yn ôl bellach.

Cosi!

Rownd a rownd Llanberis
a lawr at ben y llyn;
dringo i ben yr Wyddfa,
a chosi yn fan hyn!

Rownd Llanrwst ac allan
dros y bont a'i dŵr;
cerdded draw am Drefriw
a chosi'n fan'no, siŵr!

Rownd a rownd Porthaethwy
a cherdded at y dŵr;
dringo i ben Tŵr Marcwis
a chosi yn ddi-stŵr!

Rownd a rownd i Bentraeth
a cherdded lawr i'r cae;
dringo at y garej
a chosi heb gael ffrae!

Rownd a rownd Dolgellau,
lawr at afon Wnion;
dringo Cader Idris
a chosi'n fan'no'n wirion!

Rownd a rownd Cnarfon
a phicio i lawr i'r Cei;
cerdded i ben Twtil
a chosi'n fan'no'n slei!

Rownd a rownd y goedwig,
a lawr i Landygái;
dringo i Gastell Penrhyn
a chosi yn ddi-fai!

Rownd a rownd Llangefni
a cherdded at y 'Bull';
camu mewn i'r llyfrgell
a chosi'n fan'no'n ddwl!

Rownd i lyfrgell Benllech
a lawr i weld y môr;
cerdded 'nôl i'r llyfrgell
a chosi yn ddi-dor!

Rownd a rownd Llandudno
a lawr tuag at y môr;
dringo Penygogarth,
a chosi yn ddi-dor!

Round and round Llandudno
and down towards the sea;
climb up Penygogarth
and tickle: one, two, three!

Rhan 2

STRAEON HWYLIOG A CHERDDI'R STOMP

Mi fydd ail ran y llyfr hwn yn gybolfa felys i rai, ac yn gowdal gwamal i eraill, bob parch i bawb, achos 'dydy pawb ddim yn gwirioni 'run fath! O'r traddodiad llafar (dramatig!) mae'r rhan hon yn deillio gan mai darnau i'w rhannu, a weithiau eu trafod, yn y dull hwnnw ydyn nhw.

Felly os nad ydy' Rhan 2 at eich dant, 'dwi'n annog y darllenwyr rhei'ny i droi ar eu hunion at Ran 3 !

Ynglŷn â 'Blwmars!' felly: stori fydda i'n ei darllen ar lafar ydy hi. Un fedra i ei haddasu ar gyfer plant iau gan hepgor rhyw ensyniadau amheus! Ond stori i ddisgyblion uwchradd ydy hon mewn gwirionedd. Byddaf yn ei defnyddio fel sbardun mewn gweithdai ar gyfer sgrifennu creadigol a datblygu iaith. Wedi i mi ei hadrodd iddynt, byddaf yn annog y bobl ifanc i ddarganfod geiriau Saesneg a'r geiriau slang yn y darn, a meddwl am eiriau Cymraeg gwell i'w rhoi yn eu lle.

Blwmars!

Dach chi'n gwbod be? Ma' nain Gethin Stubbs wedi dechra gwisgo blwmar! Ac mae o'n poeni amdani. Dim *bikinis* na *tangas* na *high legs* ma' hi'n wisgo rŵan, ond blwmar anferth, henffasiwn, sy'n dod i fyny at ei botwm bol ac i lawr at ei phenglinia – wel, bron iawn. Dwi'n gwbod ei bod hi'n hen – mae hi'n 59 – ond o'n i'n meddwl mai rhywun 96 fasa'n gwisgo blwmar tew pinc fel'na, hefo lastig yng ngwaelod eu coesa nhw!

Ma' pawb yn meddwl bod y peth yn ddigri. Ond mae Gethin Stubbs yn meddwl bod yr holl beth yn *fishy*.

Wythnos dwytha, gofynnodd Gethin i'w nain pam ei bod hi'n gwisgo peth fel'na. Wel, mi ffrwcsiodd nain Gethin, ac wedyn ddaru hi grio a deud bod ganddi hi hiraeth ofnadwy am ei nain hi'i hun.

'Be, hira'th am nain chdi w't ti, Nain?' nath Gethin ofyn. 'Nain Bonc, 'lly?'

'Ia, sdi,' snwffiodd ei nain o. 'Ma' hi'n rhyfadd yn yr hen fyd 'ma hebddi, 'tydy?'

'We-el, yndi a nachdi,' medda Gethin.

'Yndi a nachdi?' medda hitha. 'Be ti'n feddwl, dwa'?'

'Wel, ma' hi'n rhyfadd heb Nain Bonc achos o'dd hi'n institiwsion. Ond dio'm llawar o otsh, nachdi, achos o'dd hi jest yn gant oed.'

'Gethin!' protestiodd ei nain o. 'Gynna i hira'th am Nain Bonc, dim otsh faint o'dd ei hoed hi!'

'Wel, do'dd hi'm yn *entertaining* iawn, nagoedd, 'chos o'dd hi'n gneud dim byd drw' dydd ond ista'n gongol yn torri gwynt a rhechu!'

'Gethin!' rhuodd ei nain. 'Cau hi!'

'Sorri,' meddai Gethin.

Ac aeth hi'n ddistaw iawn yn eu tŷ nhw am sbelan.

Ymhen tipyn, cofiodd Gethin Stubbs na chafodd o ateb call i'w gwestiwn, sef pam fod ei nain o wedi dechra gwisgo blwmar. Doedd o ddim wedi coelio'r ateb gafodd o ganddi – hynny ydy, bod ei nain o'n hiraethu am ei nain hi.

'Na-ain?' medda fo.

'Be 'ŵan?' holodd hitha'n ddiamynedd, wrth ffrio sosejys i swper.

'Ti'n gwbod blwmar Nain Bonc, 'de?'

'O, Gethin, 'nei di stopio malu awyr am y blwmar 'ma drw'r adag?'

'Iawn, iawn, o-cê, o-cê – ond dwi'm yn coelio chdi, yli.'

Cododd nain Gethin Stubbs ei golygon o ganol y sosejys yn y badell, ac edrych yn flin iawn arno fo.

'Be, ti'n meddwl mod i'n deud clwydda, 'lly?' meddai'n biwis.

'Ym – y – wel, yndw a nachdw,' atebodd Gethin yn

ffrwcslyd, achos o'dd gynno fo dipyn bach o ofn ei nain, pan fydda petha'n mynd yn ddrwg rhyngddyn nhw.

'Deud yn iawn, hogyn!' meddai hithau.

Aeth y stafell yn ddistaw iawn eto – a dim sŵn o gwbwl yno, dim ond tipian cric-cric y cloc-batri rhad ar y silff ben tân, a sisial y sosejys.

'O, ffagotsan!' meddai Gethin dan ei wynt.

'Paid â rhegi!' meddai ei nain, a dal i ffidlan efo un sosej. O'dd nain Gethin Stubbs yn casáu rhegi.

''Nes i ddim!' atebodd yntau, a golwg ci wedi cael cic arno fo. Rhoddodd un ochenaid fawr, a 'mhen dipyn dyma fo'n deud: 'Yli, Nain, pam na ddeudi di'r gwir am y blwmar 'na?'

Mi ddaru nain Gethin edrych arno fo am hir iawn, cyn diffodd y stof, rhannu'r sosejys i gyd rhwng dau blât, a chario'r rheiny at y bwrdd, lle steddodd hi hefo'i ŵyr.

'Hwda,' meddai, a gwthio'r plât dan ei drwyn o. 'Cym'a frechdan.'

'Diolch,' medda fynta. 'Pasia'r sos coch.'

A dyna lle buodd y ddau'n cnoi a llowcio nes eu bod nhw wedi gorffen pob brechdan a sosej, ac wedi yfed pob diferyn o de oedd yn y tebot. Gofynnodd nain Gethin o'r diwedd:

'Wsti'r blwmar 'na, Gethin?'

Edrychodd Gethin i fyw ei llygaid.

'Ia?' gofynnodd yn llawn chwilfrydedd, a'i ddau lygad yn fawr a gloyw fel dau wy-wedi-ffrio newydd ddod o'r badell. 'Be amdanyn nhw?'

'Ma' 'na chwech.'

'Y?'

'Ma' gynna i chwech blwmar dwi wedi'u hetifeddu ar ôl Nain Bonc.'

'Dwi'n gwbod hynna, 'dydw,' meddai Gethin yn sychlyd.

'Ia, wel, mi ddudodd 'rhen wreigan wrtha i am ofalu amdanyn nhw, fatha 'san nhw'n aur.'

'Be, deud 'tha chdi am edrach ar ôl ei blwmars hi ar ôl iddi hi farw, ti'n feddwl?'

'Dyna ddeudis i.'

'Ew.'

'Ia. Dyna o'dd ei geiria ola hi.'

'O! Pam?'

'Achos farwodd hi'n strêt-awê wedyn.'

'Y? O, naci, Nain, callia! Dwi'n trio gofyn pam o'dd hi isio i chdi ofalu am . . .?'

'Wel iesgob, be wn i, hogyn? Dwi jest yn gneud be ddeudodd Nain Bonc wrtha i, ac yn edrach ar ôl ei blwmars hi ora fedra i!'

Edrychodd Gethin Stubbs ar ei nain fel 'sa hi newydd lanio o blaned arall, a wedyn dyma fo'n gofyn:

'Dyna pam ti'n eu gwisgo nhw felly?'

'Y – ia . . . ia, 'na chdi. A dwi'n gwisgo pob un o'r chwech yn ei dro,' meddai ei nain, wrth grafu blob o saim oddi ar ei siwmper.

'O . . . iawn 'ta,' meddai Gethin. Ond doedd o ddim yn coelio'r un gair!

Ar ôl iddo fo helpu i glirio'r llestri a'u golchi nhw, aeth Gethin Stubbs i fyny i eistedd ar y crwndwll. Ar y crwndwll fydda Gethin yn gneud ei waith meddwl mwya.

Fuodd o yno am hir iawn, yn pendroni am be ddeudodd ei nain wrtho. Roedd o'n gwneud rhywfaint o sens ei bod hi'n gwisgo blwmar ei nain hi'i hun am fod ganddi hiraeth. O'dd o'n rhyw fath o ffordd o deimlo'n agos ati rywsut. Achos tasa nain Gethin ei hun yn marw, ro'dd yn rhaid iddo fo gyfadda y basa fo'n torri ei galon. Ond fasa fo BYTH yn gwisgo'i blwmar hi er mwyn cael teimlo'n agos ati – no wê! Ond wedyn, 'sa hynna'n wahanol, a fynta'n hogyn, ma'n siŵr. Ond, doedd o'm yn gneud synnwyr o gwbwl ei bod hi'n mynnu gwisgo un o'r blwmars am ei bod hi 'di gaddo gofalu am y chwech fatha 'san nhw'n aur. Wedi'r cwbwl, blwmar ydy blwmar, ac aur ydy aur. Mae'r ddau beth yn hollol wahanol.

Ar ôl gorffen ar y crwndwll, aeth Gethin Stubbs 'nôl i lawr y grisiau, a fan'no buodd o am weddill y gyda'r nos, yn edrych ar y teli bob yn ail a phigo'i drwyn a chnoi ei ewinedd, tra oedd ei nain o'n chwyrnu yn ei chadair o flaen y tân nwy.

Un nos Sadwrn oer, dywyll, damplyd yn y gaeaf, pan oedd ei nain wedi mynd allan i chwarae bingo, sylwodd Gethin fod 'na ddillad glân yn hongian ar y lein yn yr ardd. Dim ond newydd ddechrau bwrw glâw smwc oedd hi, felly mi aeth o allan, i ddod â phopeth i mewn.

Dyma fo'n tynnu'r crysa a'r sana, a'i *hoodie* fo'i hun, a'i *kit* pêl-droed i lawr, a'u rhoi nhw yn y fasged ddillad blastig. Ond safodd mewn penbleth wedyn, yn meddwl be ddylai o ei wneud nesa, achos roedd 'na bump o flwmars ei nain yn dal ar y lein. (Roedd y chweched, wrth gwrs, amdani.) Rŵan roedd Gethin Stubbs wedi cael *warning* nad oedd o i fod i dwtsiad pen ei fys yn y blwmars, ond roedd hi'n glawio a'r rheiny wedi sychu unwaith yn barod. Felly, ro'dd o'n meddwl nad oedd 'na ddim byd o'i le mewn eu tynnu nhw oddi ar y lein.

Roedd o newydd dynnu'r peg cyntaf i ffwrdd pan glywodd andros o sgrech, sgrech yn swnio fel 'sa hi'n dod o bellter – o ben draw'r stryd!

'Geth-i-i-i-n, paid â twtsiad yn rheina!'

Gollyngodd Gethin y peg fel tasa fo'n chwilboeth, ond wrth iddo fo ffwndro i'w roi o yn ei ôl, dyma fo'n sylwi ar rywbeth na welodd o erioed o'r blaen, sef poced ym mhenôl un o'r blwmars! Ac wedyn, dyma fo'n sylwi ar y pedwar arall – roedd 'na boced ym mhen-ôl pob un ohonyn nhw!

Edrychodd yn slei o'i gwmpas, a syllu i fyny'r stryd. Roedd ei nain yn cerdded tuag ato, yn herciog ac yn ara deg, fel iâr ar y glaw, a bag go drwm ar ei braich.

Cyn iddi gyrraedd y tŷ, rhoddodd Gethin ei law'n llechwraidd yn un o'r pocedi, jest rhag ofn – ond doedd o ddim yn siŵr iawn rhag ofn be. Mi ffendiodd o'n ddigon buan, achos mi deimlodd o rywbeth tu mewn iddi!

'Fflapjacs!' meddai Gethin Stubbs dan ei wynt. Doedd o ddim i fod i regi a dweud geiriau budur, felly roedd o wedi dewis geiriau eraill oedd yn swnio'n debyg i eiriau rhegi yn eu lle. A deud y gwir, roedd o'n meddwl bod hynna'n fwy o hwyl na rhegi.

'Ma' 'na rwbath i mewn yn y bocad 'ma!'

Roedd ei law o i mewn yn y boced, a'i nain yn dod yn nes ac yn nes!

'Be ti'n neud yn fanna?' gwaeddodd ei nain.

'Y – ym – y!' meddai Gethin, wedi ffrwcsio'n lân.

'Paid â mela hefo mlwmars i!' gwaeddodd eto dros y stryd, nes i ryw ddau gariad oedd yn swsian ynghanol clawdd prifet stopio, a rhythu arnyn nhw. Teimlai Gethin druan yn annifyr iawn, nes bod ei wyneb o'n fflamgoch a diferyn o chwys oer yn rowlio i lawr ei gefn.

'Ffishcecs!' meddyliodd Gethin. 'Ma' Nain yn boncyrs, yn gweiddi petha fel 'na dros y lle!'

'Gethin, be ti'n neud?' holodd hithau eto wrth nesu tuag ato.

'O – ym. Mond meddwl dŵad â nhw i mewn cyn iddi fwrw,' mwmiodd yntau, gan dynnu'r peth bychan dirgel allan o'r boced heb i'w nain ei weld, a'i stwffio i'w boced ei hun yn llechwraidd.

'O. Ia, wel, ym . . . diolch i ti am feddwl,' meddai ei nain braidd yn euog. Roedd hi'n difaru ei bod hi wedi gweiddi arno, a fynta wedi bod mor feddylgar yn nôl y dillad iddi. 'Dwi'n gweld bo' chdi wedi hel y rhan fwya, beth bynnag.'

'Do, Nain,' meddai Gethin.

'Dos di i'r tŷ rŵan 'ta,' meddai hi, 'a mi ddo' inna â'r rhain i mewn. Ma' hi am stido bwrw unrhyw funud rŵan.'

A dyna wnaeth Gethin Stubbs. Aeth i mewn i'r tŷ a rhuthro i fyny'r grisiau. Roedd o bron â byrstio eisiau gwybod be roedd ei nain wedi bod yn ei guddio ym mhoced ei blwmar!

Aeth Gethin i mewn i'w stafell wely a chau'r drws, a'i gloi'n ofalus ar ei ôl.

'Ma'n rhaid bod o'n beth pwysig!' meddyliodd, a'i galon yn curo fel gordd wrth iddo chwilota am y dirgelwch hwnnw oedd yn ei boced. 'Ma' pocad mewn blwmar yn lle da iawn i gadw *secrets*!' Hefo blaenau ei fysedd, teimlodd lwmp o bapur. Eisteddodd yn ara deg ar ei wely, a'i law yn crynu wrth iddo afael yn ofalus iawn ynddo fo.

'O, ffagots!' meddyliodd Gethin Stubbs. Ella ma' dim ond hen bapur *rubbish* ydy o wedi'r cwbwl!' Yn araf iawn, tynnodd Gethin y belen bapur allan o'i boced. Pelen fechan oedd hi, a rhag ofn iddo fo'i rhwygo, dyma fo'n ei hagor hi mor ofalus nes basach chi'n taeru ei bod hi wedi cael ei gwneud o adenydd sidanaidd glöyn byw.

Yn sydyn, dyma fo'n cymryd ei wynt ato wrth sylweddoli be yn union oedd rhwng ei fys a'i fawd.

'Wa-a-a-w!' meddai, yn llawn cyffro. 'Ffishcecs mawr a bach!' Erbyn hyn, roedd ei lygaid o'n serennu fel soseri.

'Pres ydy'r papur 'ma!'

Agorodd y papur yn llawn, a'i fflatio'n ofalus. Roedd o'n hollol *gobsmacked*, achos doedd o rioed wedi gweld un cweit 'run fath â hwn o'r blaen.

'Papur ffiffti cwid ydy o! Dyna pam fod Nain yn gwisgo'r blwmars 'na! Ma' hi'n cuddiad pres yn y pocedi!'

Erbyn hyn roedd Gethin Stubbs wedi dychryn, ac roedd 'na hen deimlad oer, annifyr yn cripian drosto. Roedd o wedi dechrau amau bod ei nain o'n gwneud pethau drwg. Achos roedd y papur hanner canpunt wedi cael ei guddio o'i olwg yn y blwmar ac, fel arfer, fyddai ei nain byth yn cuddio dim byd oddi wrth Gethin.

'Dyna pam o'dd Nain ddim isio i fi fusnesu hefo'i blwmars hi pan o'ddan nhw ar y lein!' meddyliodd. Ac wedyn, dyma fo'n cael syniad.

'Ffishcecs a ffagots!' meddai. 'Dyna be ma' Nain wedi bod yn ei neud tu ôl i nghefn i! Ma' hi wedi bod yn lôndro pres!' Ac er bod Gethin yn gwybod yn iawn fod hynny'n beth drwg, doedd o ddim yn siŵr be'n union oedd o'n feddwl. A chafodd o ddim cyfle i ddeall mwy am y peth, achos mi waeddodd ei nain arno fo i ddod i lawr ati hi i gael swper.

Trybowndiodd Gethin Stubbs i lawr y grisiau ar wib, a mynd i eistedd wrth fwrdd bach y gegin, lle roedd ei nain o wedi gosod 'fish-a-chips' a pys slwj ar blatia poeth.

'Lle ti 'di bod?' arthiodd ei nain.

'Llofft,' meddai Gethin, heb fedru edrych arni.

'O,' meddai hithau'n amheus, 'yn gneud be felly?'

'Meddwl,' meddai yntau drwy lond ceg o slwj.

'Paid â siarad efo llond dy geg!' ordrodd ei nain.

'Wel, Nain!' poerodd Gethin. 'Paid ti â holi, 'ta – os ti'm isio i fi siarad!'

Aeth y gegin yn dawel iawn wedyn, a dim byd i'w glywed yno ond sŵn crafu'r cyllyll a'r ffyrc ar y platiau, a cric-cric yr hen gloc batri ar y silff ben tân yn dal i rygnu drwy'r eiliadau.

Yn sydyn, cafodd Gethin Stubbs syniad! Roedd o wedi cynhyrfu cymaint nes gollyngodd o ei gyllell a'i fforc yn glewt ar ei blât gwag.

'Ffishcecs ffynci!' gwaeddodd dros y tŷ.

Dychrynodd ei nain.

'By . . . by . . . b-be s'arnat ti'r peth gwirion?' holodd yn ddryslyd.

'Blwmar! Y blwmars 'na!' gwaeddodd yntau.

'Hisht! Paid â gweiddi fel'na!' medda'i nain, 'neu fydd Wil Clustia drws nesa'n meddwl bod chdi'n rhyfadd!'

Edrychodd Gethin i fyw llygaid ei nain, a dweud yn bwyllog, dawel:

'G'randa, Nain. Ma' 'na rwbath rhyfadd amdan dy flwmars di.'

Syllodd ei nain arno fo am hir. Wedyn dyma hi'n mentro gofyn yn reit nerfus:

'Ma' 'na rwbath yn rhyfadd amdanat titha heno hefyd – yn deud petha fel'na wrth dy nain! Ti'm 'di bod yn sniffio gliw na dim byd stiwpid, naddo?'

'Naddo siŵr,' meddai Gethin yn flin. 'Ti'n gwbod yn iawn na fydda i'm yn gneud petha fel'na.'

A fasa fo ddim chwaith. Achos er bod Gethin Stubbs yn edrych fel rhywun fasa'n gwneud petha fel'na – fasa fo ddim. Roedd o'n ormod o fêts hefo'i nain i'w thwyllo hi, ac roedd o'n gwbod yn iawn yn ei galon na fasa'i nain o byth yn dweud celwydd wrtho fynta.

Crafodd Gethin ei ben (roedd o'n edrych yn reit sâl erbyn hyn), a sylweddoli bod rhaid iddo fo wynebu ei nain, a chyfadda wrthi ei fod o wedi darganfod ffiffti cwid ym mhocad un o'i blwmars!

'Wel?' medda'i nain wrtho fo.

'Y?' oedd yr unig beth fedra Gethin ei ddweud.

'Ti am ddeud 'tha fi, 'ta?'

'D-deud be, Nain?'

'Be sy mor rhyfadd am 'y mlwmars i?'

Llyncodd Gethin Stubbs lond ceg o boeri sur. Cliriodd ei wddw, crafu ploryn, a mentro dweud:

'Yli, Nain, dwi 'di ffendio papur ffiffti cwid mewn pocad yn un o dy flwmars di.' A thynnodd y papur crebachlyd o'i boced ei hun a'i osod yn ofalus ar y bwrdd. Edrychodd ei nain yn syn ar y papur hanner canpunt, ac wedyn ar Gethin. A rhwbiodd Gethin ei dalcen sawl gwaith hefo'i law, oedd yn crynu braidd.

Yn annisgwyl iawn, dyma nain Gethin Stubbs yn chwerthin dros y lle, fel 'sa rhywun newydd ddweud andros o jôc dda wrthi. Edrychodd Gethin yn syn.

'Be 'di'r jôc?' holodd.

Sychodd ei nain ddeigryn llon o'i llygad.

'Dwi 'di chwilio'r wlad am y papur hannar canpunt 'na!' meddai. 'Enillis i o yn bingo bythefnos yn ôl, ac es i'n strêt i'r crwndwll yn Bingo Bach i'w guddiad o, yli.'

Gwenodd Gethin yn llydan arni.

'Wedyn pan ddois di adra, o'ddat ti'm yn cofio lle o'dd o.'

'Gwaeth, washi,' meddai ei nain, yn sobri drwyddi. 'O'n i'n meddwl mod i 'di'i golli fo.'

Edrychodd Gethin ar ei nain, ac edrychodd hithau arno fynta. Ac ar yr un eiliad, dyma'r ddau'n chwerthin dros y lle.

Amser gwely, wrth i'r ddau orffen yfed eu Horlicks, gofynnodd Gethin:

'Na-ain?'

'Y?' atebodd hithau'n gysglyd.

'W'sdi'r chwech blwmar 'na, 'de?'

'Taw, y trychfil!' meddai hi'n flin. 'Dwi'm isio clywad amdanyn nhw eto. Dwi 'di laru gwisgo petha mor boeth a henffasiwn. Dwi am eu rhoi nhw yn y bin ailgylchu yn Dre ben bora fory!'

Dychrynodd Gethin.

'Ffagots! Nain, fedri di'm gneud hynna siŵr!' meddai.

'Pam lai?' holodd hitha.

'Achos o'dd Nain Bonc wedi gofyn yn sbesial i chdi edrach ar eu hola nhw, yn doedd? Fatha 'sa nhw'n aur ddeudodd hi, a 'nes di addo iddi basa chdi'n . . .'

'O, ol-reit, ol-reit!' grwgnachodd ei nain, gan estyn y pum pâr glân a'u taflu nhw at Gethin. 'Dyma nhw i chdi! 'Drycha di ar eu hola nhw, 'ta!'

'O, o-cê, 'ta. Iawn.' Cytunodd yntau, gan deimlo'n wirion braidd. 'Iawn. Ym . . . dwi am fynd i ngwely 'ta,' meddai. 'Nos dawch, Nain.'

'Nos dawch, washi,' meddai ei nain, a rhoi dipyn o fwytha i'w law o.

Rhoddodd Gethin Stubbs y pum blwmar at ei gilydd mewn bwndel blêr dan ei fraich, cyn stompio i fyny'r grisiau i'w stafell wely, a chau'r drws yn glep.

Gorweddai Gethin yn ei wely, a'i lygaid ar agor led y pen. Doedd o ddim yn medru cysgu o gwbwl am ei fod o'n dal i feddwl am y blwmars. Ac roedd o'n meddwl am y rheiny drwy'r adeg am ei fod o'n methu'n glir â deall pam roedd Nain Bonc wedi deud bod rhaid edrych ar eu holau fel 'sa nhw'n aur.

'Hmmm,' meddyliodd, 'ma' 'na rwbath rhyfedd am hynna.'

Ochneidiodd a chodi o'i wely, achos doedd ganddo fo fawr o obaith cysgu a'i feddylia fo'n troi fel top. Rhoddodd y golau mlaen. Aeth at y cwpwrdd bach ym mhen pella'r stafell, a thynnu un blwmar allan. Be oedd mor sbesial amdano fo?

Edrychodd arno am hir. Ond doedd o ddim i'w weld yn ddim byd gwahanol i'r arfer. Bodiodd y defnydd. Yn sydyn, teimlodd Gethin rywbeth bach, bach caled yn hem un o'r coesau, a dyma fo'n nôl ei gyllell boced oddi ar y cwpwrdd gwely.

Yn ofalus iawn, rhoddodd flaen y gyllell yn yr hem, ac agor pwyth neu ddau o'r gwaith gwnïo . . . a rowliodd rhywbeth bychan gwyn ar lawr! Aeth ar ei liniau i chwilio amdano'n syth: yno, ar y carped blodeuog, o flaen ei lygaid, roedd perl bach berffaith. Roedd calon Gethin Stubbs wedi dechrau curo fel pig cnocell yn curo ar goeden: 'Drr-rr-rr-rr!'

'Waw!' meddyliodd. 'Ma' hyn fatha ffendio trysor!'

Cadwodd y perl yn ofalus iawn ar soser wrth ymyl ei wely. Yna, fesul un, llwyddodd i ddod o hyd i bedwar perl arall – pump i gyd – un ym mhob blwmar.

'O'n i'n gwbod bod 'na rwbath yn *fishy* am y blwmars 'na!' meddyliodd, a chadw'r perlau'n ofalus iawn ar y soser.

Oriau'n ddiweddarach, dechreuodd Gethin Stubbs deimlo'n flinedig, ac aeth i'w wely wrth i'r wawr ddechrau torri. Roedd o'n hapus fel y gog.

Roedd hi bron yn bnawn arno fo'n deffro y dydd Sadwrn hwnnw, ac er bod llenni'r llofft yn dal wedi cau, roedd yr haul yn gwneud ei orau glas i dywynnu drwyddyn nhw. Yn sydyn, cofiodd Gethin am y perlau. Oedden nhw'n werthfawr, tybed? Trodd at y soser fach wrth ei ymyl yn llawn cynnwrf . . . ond, o na! Dim ond soser wag oedd yna! Oedd o wedi breuddwydio'r gwbwl, 'ta be?

Fuodd o fawr o dro yn cael ateb, achos ymhen chwinc roedd ei nain wedi dod â phaned o de chwilboeth iddo fo.

'Nain!' gwaeddodd Gethin. 'Lle ma'r perla?'

'Perla? Pa berla?' holodd hithau.

Suddodd calon Gethin Stubbs druan. Ond wedyn, edrychodd ar ei nain. Roedd y wên chwareus ar ei hwyneb yn dweud y cyfan.

'Ffŵl Ebrill, washi!' meddai.

'Ffŵl Ebrill?' meddai Gethin yn ddryslyd. 'Mis Hydref ydy hi!'

'Ia,' chwerthodd ei nain, gan agor ei llaw a dangos chwe pherl bychan gwyn. Roedd hi wedi dallt be o'dd wedi digwydd ar ôl gweld y pum blwmar hefo'u hemiau wedi cael eu datod ac wedi dod o hyd i'r chweched perl yn y blwmar ro'dd hi'n ei wisgo'r diwrnod cynt.

'Ydyn nhw'n werth lot o bres, Nain?' holodd Gethin.

'Ydyn, ma'n siŵr, sdi,' meddai hithau. 'A dwi'n gaddo un peth i ti.'

'Be?'

'Mi 'drychwn ni ar eu hola nhw o hyn ymlaen – fel 'sa nhw'n aur!'

Gwenodd y ddau ar ei gilydd, nes i Gethin holi'n sydyn wrth edrych o gwmpas ei stafell: 'Wyt ti 'di taflu'r blwmars?'

'Dim ffiars!' meddai'i nain. 'Fedra i mo'u taflu nhw rŵan, na fedraf, ar ôl i Nain Bonc adael perla i ni. Fydd raid i ni gadw'r rheiny hefyd mewn lle saff nes cawn ni wbod faint yn union ydy eu gwerth nhw.'

'Be nawn ni efo'r blwmars, 'ta?'

'Eu pinio nhw'n un rhes binc ar hyd y silff ben tân – er cof annw'l iawn am Nain Bonc.'

Edrychodd Gethin Stubbs yn syn am funud. Wedyn, gwenodd fel giât.

'Ffishcecs a ffagots ffynci! Ew, cŵl! Dwi'n falch bod ni am gofio am Nain Bonc,' meddai, ''chos er bod hi'n torri gwynt a rhechu lot, ac er bod hi'n hen iawn, o'dd hi'n berson *brilliant!*'

Ysgrifennais y tri darn nesa i godi ymwybyddiaeth o glefyd y siwgwr ymysg pobl ifanc – rhywbeth sydd ar gynnydd y dyddiau hyn.

Stori Sombi

Wrthi'n gneud sgons yn gegin ro'dd Gwenda pan ddychrynodd i ffitia wrth i rywun waldio'i drws ffrynt hi'n ddidrugaradd.

'Dacia!' meddai, wrth drio sychu'r toes odd'ar ei bysadd efo'r peth cynta welodd hi – sef rhyw drôns i Rhodri o'dd yn digwydd bod yn eirio ar ben y teciall.

'Ol-reit, ol-reit! Dwi'n dŵad rŵan!' gwaeddodd. Wedyn, dyma hi'n edrach ar y trôns a thwt-twtio:

'O, fflamingos! Fydd raid 'mi olchi hwn eto 'ŵan: mae o'n gagla o bêstri drosto!' A rhoddodd fflich i'r trôns nes glaniodd o'n daclus ar y redietyr. Fyddai ganddo fo ddim gobaith o eirio yn fan'no beth bynnag, achos prin byddai Gwenda yn tanio'r gwres canolog dyddia yma am ei bod hi mor fain arni.

O'dd 'na rywun yn dal i waldio'r drws ffrynt, felly mi sgrialodd i lawr y lobi i'w agor o'n ffrwcslyd led y pen.

Wali a Dwayne, ffrindia penna Rhodri, oedd yn sefyll yn llywa'th yno. Dau hogyn y bydda Gwenda yn eu galw'n 'hwdis felltith' yn ddistaw bach iddi hi'i hun pan fydda hi'n poeni weithia – ofn eu bod nhw'n ddylanwad drwg ar ei hŵyr hi – er na chlywodd hi rioed eu bod nhw wedi gneud dim o'i le. Edrychodd heibio i'r hogia, i weld a oedd Rhodri yno hefo nhw, ond doedd 'na'm golwg ohono fo'n nunlla'n byd.

'Be sy, hogia?' mentrodd ofyn.

'Haia, Misus Wilias,' medda'r ddau. 'Ydy Sombi adra?' Sombi oedd llysenw Rhodri.

'Nag ydy siŵr,' medda hitha. 'Ma' hi'n fora Sadwr', 'tydy. Mae o efo chi!'

'Nachdi!' atebodd y ddau.

'Be? Lle mae o, 'ta?' medda Gwenda, a rhyw banic yn mynnu sleifio i'w llais hi.

''Mbo,' meddan nhw, gan godi'u sgwydda'n ddiniwad.

'Be dach chi'n feddwl, dach chi'm yn gwbod?' holodd Gwenda eto.

''Mbo!' medda'r ddau efo'i gilydd, fel deuawd mewn steddfod.

Rhythodd Gwenda arnyn nhw'n hurt am funud neu ddau, ac mi ro'dd ei meddwl hi'n troi fel olwyn ffair wrth iddi styriad pam nad o'dd Rhodri efo'r rhein. Bob dydd Sadwrn fel arfar, mi fydda fo'n cyfarfod Wali, sef Cadwaladr Neigwl Pritchard – neu 'Wali' am ei fod o'n gallu bod yn rêl llo – a

Dwayne i lawr Dre. Bob dydd Sadwrn, yn ddi-ffael. A'r bora Sadwrn yma, ro'dd o wedi ffarwelio efo Gwenda, ei nain, a deud ei fod o'n mynd yno 'run fath ag arfar. Ond do'dd yr hogia ddim wedi'i weld o hyd yn oed! Rhyfadd! Rhyfadd iawn, meddyliodd Gwenda, achos do'dd Rhodri byth yn deud clwydda wrthi – fel arfar.

Aeth saeth fach o banic drwy'i chalon. Be tasa'r hogyn yn gorwadd yn sâl yn rwla? Erbyn meddwl, ro'dd o wedi bod yn edrach yn llwydaidd yn ddiweddar, yn ddrwg ei hwyl, a wedi colli lot o bwysa. Yn bwyllog, dyma Gwenda'n dechra holi:

'Ddeudodd Rhodri wrthoch chi basa fo'n 'ych gweld chi'n Dre heddiw?'

'Do,' meddai Wali.

'O'dd o'm yna,' meddai Dwayne. 'A dio'm yn atab ffôn fo.'

'O!' medda Gwenda druan, yn poeni'n arw erbyn hyn. 'Mi ddeudodd wrtha fi ei fod o'n mynd i Dre i'ch cwarfod chi'ch dau. Be sy 'di digw'dd iddo fo, dwch?'

''Mbo,' o'dd yr unig atab gafodd hi gan y ddeuawd. A medda hi'n ddigalon, wrth ochneidio:

'Dw inna ddim yn gwbod chwaith!'

'Blydi hel!' ebychodd Dwayne yn boenus. Gwingodd Gwenda.

'Sorri,' medda Wali dros Dwayne, achos o'dd o'n gwbod bod nain Sombi ddim yn lecio rhegi.

Edrychodd y tri ar ei gilydd, ac wedyn, ar ôl i Gwenda gael ei gwynt ati, a hithau'n amau bod 'na fwy i'r stori, penderfynodd wa'dd y ddau i'w chegin.

''Sa well chi ddŵad i mewn,' meddai. 'Fedran ni sgwrsio'n well yn gegin.'

'Ocê,' meddan nhw, a'i dilyn hi drwadd fel dau oen bach yn dilyn dafad.

'Steddwch,' gorchmynnodd.

'Na, ma' hi'n ocê,' medda un.

''Dan ni isio mynd allan i chwilio am Sombi,' medda'r llall. Erbyn hyn, ro'dd Gwenda druan wedi ca'l pryd bach o fwyd drw' fyta'i gwinadd.

'Gwrand'wch, hogia,' medda hi, 'ydach chi'n gwbod os oes 'na rwbath mawr wedi bod yn poeni Rhod ... y ... Sombi dyddia yma?'

'Drychodd Wali a Dwayne ar ei gilydd, wedyn ar Gwenda.

'Oes,' meddan nhw.

Dychrynodd Gwenda yn waeth fyth, ac fel ergyd o wn, gofynnodd:

'Be s'arno fo?'

'Drychodd y ddeuawd arni hi am eiliada maith ac anghyfforddus iawn. Roedd eu hwyneba nhw'n mynd yn fwy chwyslyd wrth y funud wrth iddi hi syllu i fyw llgada'r ddau, a'u bocha'n cochi fel tomatos yn haul poeth yr ha'.

Cododd llais Gwenda yn llawer uwch y tro 'ma, ac roedd gwir ofn a phryder wedi cydiad ynddi hi.

'B-be s'arno fo, hogia?' gofynnodd, bron yn ei dagra'r tro hwn.

Ro'dd y ddau arall erbyn hyn wedi mynd i graffu'n benstiff ar eu traed. Rhoddodd Wali bwniad i Dwayne, a thrwy ei fwdwl o wallt golau a bowliai o'i wreiddiau i bob cyfeiriad, mwngialodd hwnnw:

'Ella bod fo ar drygs.'

Ddeudodd neb ddim byd am sbelan, ac ro'dd hyn yn drech na Gwenda. Yn ei dagrau, sibrydodd:

'O, na! O, na!'

Dychrynodd Wali o weld oedolyn yn torri'i chalon o'i flaen fel hyn, a gwnaeth ei ora i'w chysuro:

'Ond ella bod fo ddim *at all*, w'chi, Misus Wilias.'

'Pam ddudoch chi hynna 'ta?' cyfarthodd Gwenda yn gyhuddgar, wedi anghofio yn ei hofn a'i dychryn mai dim ond plant oedd y rhain wedi'r cwbwl.

'Wel, jest meddwl o'ddan ni,' mentrodd Wali. Ro'dd biti mawr ganddo fo dros nain Sombi erbyn hyn. Daeth Dwayne i'r adwy, yn deall yn iawn be oedd teimlada'i ffrind.

'Mond ers dipyn bach iawn o amsar 'dan ni 'di meddwl bod fo 'di mynd yn rhyfadd. So 'sa fo'm 'di bo'n cymyd y drygs ers yn hir iawn, na fasa?'

'Rhyfadd? Be, 'di o 'di bo'n actio'n rhyfadd efo chi?' holodd Gwenda.

'Do.'

'Sut fath o ryfadd?'

Ro'dd rhaid i Dwayne a Wali feddwl yn galad am hyn, a heb yngan gair, cytunodd y ddau y byddai'n well i Dwayne egluro,

'Dio'm *off with the fairies* a'n ffeind fatha ma' fo fel arfar. Ma' fo'n gweiddi a'n ffraeo ni bo' munud. A – a ma' fo ofn petha stiwpid sy 'misio fo fod ofn nhw.'

'Ma' fo'n rhyfadd,' ategodd Wali. 'Dim fo ydy fo dim mwy *at all*!'

Rhythodd Gwenda ar y ddau annw'l yma oedd yn amlwg wedi bod yn poeni am ei hŵyr hi. Ond cyn i 'run o'r tri yngan gair arall, dyma nhw'n clywad sŵn o'r llofft: sŵn fel 'sa rhywun neu rwbath wedi disgyn yn glewt ar y llawr uwch eu pennau. Rhuthrodd pawb i fyny'r grisiau blith draphlith, ac anelu'n reddfol at stafell wely Sombi.

Mi safon nhw 'fel trindod faen' – 'run fath yn union â'r bardd R. Williams Parry a'i ddau ffrind pan welson nhw lwynog stalwm – yn llonydd fel tair carrag wrth weld yr olygfa o'u blaena, ond trodd Dwayne a mynd allan o'r stafell heb i'r ddau arall sylwi.

Roedd hi'n amlwg bod Sombi druan wedi ailfeddwl ynglŷn â mynd i'r dre i gyfarfod y ddau arall achos roedd o'n teimlo'n sâl iawn, ac wedi mynd 'nôl i'w wely yn ei ddillad. Ro'dd o wedi bod yn rhy sâl i feddwl deud wrth ei nain, a rŵan, yn ei ddryswch a'i salwch, roedd o wedi troi a throsi ac wedi disgyn o'r gwely. Dyna oedd y sŵn glywodd y lleill funudau ynghynt.

Rhuthrodd Gwenda ato. Dilynodd Wali hi. Stryffaglodd y ddau i godi'r Sombi dryslyd a chwyslyd yn ôl ar ei wely.

'Dwi'n mynd i ffonio ambiwlans!' gwaeddodd Wali, gan godi derbynnydd y ffôn oedd ar fwrdd yn y stafell.

'Na, paid! Ma' hi'n ocê!' meddai Dwayne wrth ruthro 'nôl i mewn. 'Dwi newydd neud! 'Ffonish i Dad strêt awê gynta welish i Sombi. Ma' nhw ar eu ffor'.'

Cofiodd Wali mai parafeddyg oedd tad Dwayne, ac ar y gair, clywodd sŵn ambiwlans yn y pellter, yn nesáu ar ras.

'Dwi'n gwbod be sy matar efo Sombi,' meddai Dwayne yn betrusgar. 'Nath Dad ddeud 'tha i . . . ma' Sombi yn *diabetic*.'

Rhythodd Gwenda a Wali ar Dwayne.

'Sud ma' fo'n gwbod, heb weld fo na dim!?' holodd Wali.

Pwyntiodd Dwayne at y tomenni o boteli pop gwag yn y bin sbwriel ac o gwmpas y gwely.

'O'dd gynno fo *raging thirst* ers tua pythefnos, doedd. Ddudish i wrth Dad, do.'

'Fydd . . . fydd Sombi yn . . . yn iawn felly?' mentrodd Gwenda ofyn.

'Blydi reit. Fydd gynno fo'm dewis,' meddai Wali.

'Na, fydd gynno fo'm dewis bod yn 'im byd ond iawn, ocê!' ategodd Dwayne, "chos 'dan ni'n dau'n mynd i helpu fo.'

Rhoddodd Gwenda wên fach ddiolchgar ar yr hogia. Ro'dd ei rhyddhad yn amlwg. Teimlodd gywilydd am feddwl am yr hogia fel 'hwdis felltith'.

'Diolch,' meddai, o'r galon, a throi i agor y drws i ddynion yr ambiwlans.

Fi a'r Tri

Dwi'n dipyn o hen slwtan, ma' raid, a finna'n byw efo tri. Sobor, 'te, a finna bron yn drigian oed! Ond dwi hefo'r tri 'ŵan ers deng mlynadd ar hugian. Yn amlach na heb, ma' hyn yn medru bod yn eitha diddorol, a deud y lleia. Ond weithia . . . jest weithia 'de, ma'r tri yn medru bod yn gowdal a hannar, yn llond llaw, deud gwir.

Ma' Llwyd, yr un tawal, yn un annw'l tu hwnt, ond . . . wel, mi fedar fod yn ansicr iawn ohono'i hun. W'chi, fedar o fod yn isal iawn ei ysbryd. Un gwantan ydy o, dach chi'n gweld, felly dwi'n dallt yn iawn pan fydd o isio llonydd i ista'n dawal i ddŵad ato'i hun. Achos weithia, mi fydd o'n . . . wel, yn 'rafu'n arw rwsut –yn union fel tegan bach angan ei weindio. Pan fydd o felly, yn llipa fel rhyw gadach gwlanan, mi fydd o'n dueddol o fynd yn obsesiynol, a cha'l rhyw chwilan yn ei ben am y petha mwya od. 'Blaw mod i'n gwbod yn iawn ei fod o'n diodda, faswn i'n chwerthin! Crachod lludw, er enghraifft. Fydd o'n mynd yn hollol obsesiynol efo'r rheiny! Peth rhyfadd, 'te? Pwy glywodd am neb yn ca'l chwilan yn ei ben am grachod lludw? Mi godith Llwyd druan yn simsan o'i gadair a mynd allan heb ddeud lle mae o'n mynd, a fynta'n edrach yn wan 'tha cadach a'i wedd o mor welw ag uwd. Llwytyn bach fuodd o rioed, w'chi, bechod. Wedyn, fydda inna'n poeni amdano fo, ac yn mynd ar ei ôl o. Fydda i'n teimlo'n warchodol iawn ohono fo, ac mi fydd ynta'n gwylltio efo fi am ei fod o'n fy ngweld i'n ffysian! Ond dim ond mynd ar ei ôl o i edrach ydi o'n iawn fydda i. Dwi'n dallt yn union be sy. Dwi'n gwbod ei fod o'n gwylltio am ei fod o'n sâl. Achos erbyn hynny, fydd o mor ofnus ac obsesiynol, fydd 'na chwys yn trybowndian i lawr ei wynab o – ond fydd 'na'm stopio arno fo fynd allan i'r cwt i ladd crachod lludw.

Fydda i'n gneud fy ngora glas i'w demtio fo i ddŵad yn ôl i'r tŷ efo fi i ga'l panad a rhyw sgedan, ond pan mae o'n ca'l un o'i hyrddia, mae o'n mylu'n bot! Ew, ma' isio gras efo fo amsar hynny, achos fydd o'n hollol obsesiynol fod rhaid ca'l gwarad â'r crachod lludw . . . i gyd! Bob un wan jac! Dyna pam fydd o'n mynd i'r cwt, w'chi, achos yn fan'no mae o'n cadw'i frwsh, yr un arbennig hwnnw s'gynno fo – yr un efo'r handlan gref – achos efo handlan y brwsh bydd o'n waldio'r trychfilod hynny sy'n mynd ar ei nerfa fo gymaint!

Yn y diwadd, ar ôl lot o berswâd, mi fydd Llwyd yn sylweddoli y basa panad yn dda wedi'r cwbwl, ac yn cofio yn rwla ym mhen draw'i gof ei fod o angan honno a llond gwlad o'r bisgedi melys neis rheiny gafodd o'u cynnig yn gynharach. Ac wrth gymyd y banad fydda i wedi'i gneud iddo fo, mi edrychith arni fatha 'sa gynno fo'm clem be ydy hi. Yr adag honno, mi fydda i'n ei annog o:

'Ty'd, cym' fisged.'

Fel arfar, fydd o'n edrach arna fi fatha 'sa fo'm yn fy nabod i, fatha 'swn i newydd ddeud rwbath hollol lloerig wrtho fo, ac mi fydda i'n estyn bisged o'i phacad, ac yn ei chynnig hi. Fydd o'n edrach i fyw fy llygaid i fel 'sa fo'n meddwl mod i am ei wenwyno fo, ond yn ara deg bach, mi'i cymrith hi a'i byta hi. Ac un arall . . . ac un arall. Wedyn, fydda i'n gneud fy ngora i fynd â'r pacad oddi arno fo, 'cofn iddo fo fynd yn sâl. Ond fydd o'n mylu eto, ac yn dal ati i fyta – achos ar ôl iddo fo fyta'r fisged gynta, fydd o'n sylweddoli'u bod nhw'n gneud iddo fo deimlo'n well. Ond mi fydd o'n dal yn ddryslyd, a ddim yn medru rhesymu y bydd byta gormod yn ei neud o'n sâl. Cradur!

Fydda i'n gadal llonydd i Llwyd ddŵad ato'i hun wedyn. Ella'r a' i i'r llofft i ddarllan neu rwbath.

Dyna lle bydda i wedi ymlacio'n braf, ac yn sydyn mi fydd Arth yn byrstio i mewn i'r stafell. 'Arth' fydda i'n ei alw fo er ma' Arthur ydy ei enw iawn o. Mae hwn wastad yn flin fatha tincar, hen arth flin yn gweiddi petha afresymol hollol fel:

'Pwy sy 'di rhoid y sbwrial plastig i gyd yn y bin ailgylchu sbarion bwyd?'

Fydda inna'n edrach yn syn arno fo, ac yn atab:

'Dwn i'm. Pwy roth y plastig yn y bin ailgylchu bwyd?'

A fydd o'n fy nghyhuddo: 'Chdi! – Chdi nath! – Pwy arall 'sa'n gneud peth mor stiwpid?'

'Fydda i'n edrach arno fo fel 'sa fo'n ddieithryn, gan feddwl: 'Chdi dy hun, ella, washi.' Ond 'swn i'm yn meiddio deud hynny wrth Arth. Dim pan fydd o'n ei hwylia arthio! Fasa 'na'm pwrpas o gwbwl. Achos unwaith mae o ynddyn nhw, yn ei hwylia drwg ac afresymol 'lly, ddaw o'm ohonyn nhw, a dyna fo.

'Yli, Arth,' fydda i'n ddeud wrtho fo, mor dawal a rhesymol â phosib, 'yli, Arth, pam nad ei di ar dy feic? Ma' hi mor braf a –'

'Beic? Beic?' fydd o'n bytheirio. Nefoedd yr adar! 'Sa rhywun yn meddwl 'mod i wedi awgrymu dyla fo fynd i'r lleuad! Ond faswn i'm yn meiddio deud hynny – does 'na'm pwrpas pan mae o'n ddadleugar fel'na. A weithia, yn ei wylltineb, fydd o'n rhoi rhyw gic i fwr' coffi neu ryw ddodrefnyn arall, nes bod hwnnw'n trybowndian drosodd ar lawr.

'Fedra i'm mynd ar fy meic rŵan, siŵr, a finna ar ganol ailgylchu!' fydd o'n rhuo.

'Wel, paid 'ta,' fydda i'n ddeud, cyn codi, a mynd allan o'r stafell. Ond mi fydda i'n troi 'nôl ac yn mynd ato fo, achos mod i'n gwbod ei fod o'n diodda . . . 'chos wedi'r cwbwl, dydy pobol flin ddim yn bobol hapus, nagdyn. Fydda i'n gafa'l yn ei law o ac yn deud:

'Dim ots am y blincin ailgylchu, Arthur. Jest cer ar dy feic, a mwynha dy hun. Ti'n gwbod byddi di'n teimlo'n well wedyn.'

Mi 'drychith i fyw fy llygaid i, ac amneidio'i ben yn euog. 'Sorri. A' i i nôl 'y meic.'

Wrth iddo fo fynd, fydda i'n gwenu ac yn deud:

'Diolch, 'raur.' Achos mi fydda i mor falch ei fod o wedi gweld sens o'r diwadd. 'Diolch am neud yr ailgylchu. Sorri bo' fi 'di rhoid y plastig efo'r gwastraff bwyd.'

Fydd o'n mentro rhoi ryw wên bach i mi wedyn, achos 'dan ni'n dau'n gwbod ma' fi ydy'r un flêr yn y tŷ yma – dim fo. A ffwr' â fo.

Ga' i gyfla i neud be fynna i wedyn: gneud cacan ella, neu olchi llestri, neu sgwennu llythyr. Byddaf, mi fydda i'n dal i neud peth felly weithia. Fydda i'n mwynhau ca'l llythyr yn y post. Dwn i'm pam, a chanddon ninna'r holl wahanol ffyrdd o fedru cysylltu hefo'n gilydd heddiw. Fydda i'n mwynhau ca'l negas ebost, neu destun hefyd. Ma' unrhyw negas yn ddiddorol, decini, cyn bellad nad ydy hi'n brifo, ond ma' 'na rwbath yn bwysig i mi mewn ca'l negas neu gyfarchion neu hanas mewn llythyr. Dal fy ngafal mewn hen grefft ydw i, ma' siŵr, achos faswn i'm yn lecio meddwl y bydd y to ifanc ryw ddwrnod ddim yn gwbod be o'dd sgwennu peth felly!

Beth bynnag, dwi'n falch na fydd dim rhaid i mi neud yr ailgylchu yn lle Arthur. Mae o mor drefnus, ac yn mynnu ei neud o ei hun.

Mewn rhyw awran, daw'r trydydd i mewn ata i – yn barod am banad a sgwrs hwyliog am y byd a'i betha. Un fel'na ydy Huw. A rhyngoch chi a fi, hwn ydy fy ffefryn i – fy nghariad a fy ffrind penna i. Dwn i ddim lle baswn i hebddo fo, achos mae o'n fistar corn ar y Llwyd a'r Arth 'na. Mond fo fedar gadw trefn ar y ddau arall, ac mae o'n llwyddo bob tro: dyna pam dwi'n meddwl y byd o Huw. Ac os ydy o'n weddus i mi ddeud, fo ydy'r gora ohonyn nhw i gyd. A dwi'n ei garu a'i edmygu fo'n arw am ei fod o mor ddewr a deheuig yn cadw cow ar ddau arall sy'n medru bod mor anhydrin a chreulon. Fasan nhw'n medru difetha bywyd Huw, a'n perthynas ni'n dau – ond am fod Huw yn eu rheoli nhw mor dda, ddigwyddith hynna byth. Fasa hi'n wych tasan ni'n medru cael gwarad ohonyn nhw am byth, ond dyna ni. Dydy hynna ddim yn bosib . . . maen nhw yma i aros.

Achos, mewn gwirionedd, ma'r tri dwi'n byw efo nhw i gyd yn rhan o Huw, yn rhan o un dyn sy'n dioddef o glefyd y siwgwr. Llwyd Llipa ydy'r un sy'n *hypo*, yn ymddwyn yn bryderus ac obsesiynol am nad oes ganddo fo siwgwr yn ei gorff. Mi fydd o'n troi i fod yn Arthur Afresymol pan fydd o'n *hyper* a hefo gormod o siwgwr, ac yn gorfod mynd ar ei feic i'w 'losgi'. Ond, yn amlach na pheidio, Huw ydy Huw. Fy ffrind penna a nghymar oes i. Huw Arthur Llwyd. Fyddwn i byth yn ei newid o – er gwaetha'r ffaith ei fod o'n diodda o glefyd y siwgwr.

Felly, dydw i ddim yn slwtan mewn gwirionedd: mond byw efo tri-yn-un ydw i, fatha 'buy one, get two free'! Digon diddorol, a deud y gwir. Ddylach chi'i drio fo rywdro!

Byw hefo Tri

Mae Emrys, fy ngŵr, yn dioddef o'r math o glefyd siwgwr maen nhw'n ei alw'n Teip 1 ac, fel y soniais, mewn ymateb i'r cyflwr hwnnw y sgwennais i'r stori a'r fonolog uchod.

Pan gwrddais i ag Emrys am y tro cynta, wyddwn i ddim ei fod o'n dioddef o glefyd siwgwr, felly gallwch ddychmygu fy syndod y tro cynta i mi ei weld yn estyn syrinj o'i fag, tynnu ei drowsus i lawr, a rhoi pigiad iddo'i hun yn ei goes! Fy ymateb cynta i oedd: 'Ych! Ma' hwn ar ddrygs!' Ond buan iawn yr eglurodd Emrys ei fod o'n dioddef o glefyd siwgwr.

Wrth edrych yn ôl, roedd o'n gyndyn iawn o sôn am ei afiechyd, ac fe ddois i ddeall yn raddol fod ganddo fo ryw fath o swildod ynglŷn â'r peth. Roedd o wedi dioddef o'r afiechyd er pan oedd yn ddyflwydd oed, a thrwy ei blentyndod bu'n blentyn bach eiddil, heb fod cyn gryfed â'i gyfoedion. Roedd hyn yn atgas ganddo, ac mae wedi parhau'n embaras iddo er ei fod bellach yn ddyn yn ei oed a'i amser! Dydy hyn ddim yn beth anghyffredin ymysg pobol ifanc sy'n dioddef o'r clefyd hwn, yn enwedig llafnau, ond mae'r ffaith eu bod nhw'n gwrthod trafod y peth yn gallu bod yn faen tramgwydd, gan fod pobl sy'n dioddef o glefyd siwgwr yn gallu ymddwyn yn od ar adegau – pan fyddan nhw angen bwyd, er enghraifft. Bryd hynny, bydd eu lleferydd yn aneglur, fel tasan nhw'n feddw, ac maen nhw'n gallu bod yn ystyfnig iawn, gan wrthod bwyta er mai dyna beth mae eu cyrff ei angen! Ac wrth gwrs, pe bai person sy'n dioddef o'r clefyd hwn yn peidio â bwyta'n rheolaidd, fe fyddai hynny'n beth difrifol dros ben, gan y gallai fynd i goma *hypoglycaemic* – hynny yw, cael 'hypo'. Felly mae hi'n bwysig iawn bod y diabetic yn crybwyll y ffaith ei fod yn dioddef o'r afiechyd os yw mewn cwmni newydd, anghyfarwydd.

Mae person diabetig yn gallu ymddwyn yn groes i'w natur pe bai wedi bwyta gormod hefyd, yr hyn a elwir yn *hyperglycaemia* neu bod yn 'hyper': mae o'n gallu bod yn flin, yn gas, ac yn afresymol o ddadleugar! Bydd yn cwyno'i fod yn sychedig iawn ac angen pasio dŵr yn barhaus, a thu mewn i'w geg yn teimlo'n annaturiol o sych. Byddai mynd am dro cyflym i losgi egni'n llesol iddo ar adegau fel hyn.

Roedd Emrys wedi colli ei rieni pan gyfarfûm ag o, a chan ei fod yn gyndyn o sôn am ei afiechyd, bu'n rhaid i mi wneud tipyn o waith ymchwil, a darllen am glefyd y siwgwr. Sylwais fod Emrys yn derbyn cylchgrawn gan y British Diabetic Association, ac felly dyma ddechrau pori yn nhudalennau *Balance*.

Sylweddolais yn syth fod rhaid i Emrys fwyta'n iachach.

A bod yn hollol deg ag o, roedd o'n bwyta'n weddol iach beth bynnag; câi fara cyflawn a llysiau a ffrwythau ffres, ac roedd o'n un arbennig o dda am wneud ymarfer corff, sy'n hollbwysig wrth reoli a gwella'i gyflwr. Ond nid da lle gellir gwell! Dyma fynd ati i roi'r bwydydd 'afiach' eraill a fu'n ei gynnal am flynyddoedd yn y bin sbwriel! Ro'n i'n cywilyddio fy mod i'n wastraffus, ond teimlwn serch hynny fod hon yn weithred symbolaidd oedd yn argoeli gwell iechyd i Emrys, ac i minnau hefyd, yn ei sgil! Wedyn es i'n syth i'r dre i brynu cyflenwad newydd o fwydydd maethlon i'r pantri.

Prynais lefrith glas (*skimmed*) yn lle llefrith arferol a *spread* gostwng colesterol yn lle menyn; pysgod a chyw iâr yn lle gormodedd o gigoedd coch, ffa a llysiau yn lle cigoedd paced a thun; iogwrt heb fraster yn lle hufen; olew blodyn yr haul yn lle'r saim arferol; *fructose* yn lle siwgwr – neu gwell fyth, dim siwgwr o fath yn y byd, a blawd cyflawn yn lle blawd gwyn.

I goroni'r cyfan, penderfynais y byddwn i, o hyn allan, yn ymdrechu i ddefnyddio llai o halen yn ein bwydydd, a defnyddio mwy o berlysiau a sbeisys i gyfoethogi blas y bwydydd gwahanol y byddem yn eu bwyta. Dwi'n mwynhau garddio beth bynnag, felly pleser o'r mwya i mi oedd cael creu gardd berlysiau fechan o dan y ffenest yn yr ardd gefn; ac roedd hi'n wefreiddiol cael blasu'r bwydydd oedd yn cynnwys peth o'r cynnyrch ro'n i fy hun wedi'i dyfu!

Prynais lyfrau coginio arbennig ar gyfer paratoi bwyd i bobl sy'n dioddef o glefyd siwgwr, ond mae'n rhaid i mi gyfaddef mai dyfeisio'r rhan fwyaf o'r rysetiau wnes i, ac rwy'n dal i wneud hynny, gan addasu'r hen rai i gyd-fynd â'u cynnwys newydd.

Ar ôl cyfnod sylweddol ar y bwydydd cyflawn hyn, mi gytunodd Emrys ei fod yn teimlo'n iachach o'r hanner: gwellodd ansawdd ei groen; roedd o'n teimlo'n llai blinedig a'i lygaid yn ymddangos fel pe baen nhw'n fwy effro. O dipyn i beth dros y blynyddoedd, yn enwedig r̂wan ers iddo ymddeol, mae Emrys wedi ymddiddori mwy mewn coginio, ac mae'n gogydd reit dda bellach ac yn gofalu rhoi cynhwysion llesol yn y bwyd y bydd o'n ei baratoi i ni'll dau. Beryg ei fod o'n gogydd rhy dda, achos bydd gofyn i'r ddau ohonon ni fynd ar ddeiet cyn bo hir! A diolch byth am yr holl ddatblygiadau meddygol yn y maes yma (a phob maes arall mewn meddygaeth, debyg!) achos mae trin y clefyd hwn, ac eraill hefyd, yn ganmil haws y dyddiau hyn o'r herwydd.

Fflapjacs Llesol Anti Mari

Dyma fy addasiad o fflapjacs arferol ar gyfer Emrys a'i glefyd siwgwr! Os ydych yn dioddef o glefyd siwgwr, ac yn teimlo'ch bod chi braidd yn 'hypo' ac angen byta rhywbeth am fod eich meddylia chi braidd yn niwlog, bwytwch un o'r fflapjacs 'ma, ac mi wellwch yn o sydyn!

12 llwy fwrdd o olew olewydd ysgafn
3 llwy fwrdd o surop datys
2 llwy fwrdd o heiddfrag (*barley malt*)
½ pot bach o sinsir *glacé* wedi'i dorri'n fân (gallwch ei hepgor: mae'n rhy felys i rai)
½ llwy de o sbeisys cymysg
1 llwy de o bowdwr sinsir neu sinamon
11 owns ceirch mân (*milled oats*)

5 owns ceirch bras (*jumbo oats*)
2–3 owns o un o'r canlynol – neu owns yr un o dri gwahanol:
hadau; ffrwythau sych; cnau wedi'u malu (e.e. hadau
pwmpen/blodau'r haul/ cnau mân/ffrwythau sychion:
bricyll a chnau almwn yw fy ffefrynnau)
Mae rhinflas almwn, oren neu lemwn yn ychwanegu at y
blasau hefyd

1. Taniwch eich popty (tua 200˚ C / 400˚ F)
2. Estynnwch dun hirsgwar (12" × 8") heb fod yn rhy
   ddyfn, a'i iro efo olew
3. Mewn sosban, rhowch yr olew, y surop a'r heiddfrag,
   a'u c'nesu nhw'n ara, gan eu troi a'u cymysgu efo'i
   gilydd nes eu bod wedi dechrau ffrwtian
4. Diffoddwch y gwres dan y sosban ac ychwanegu'r
   ceirch mân, a'u cymysgu'n drylwyr
5. Gwnewch yr un peth efo'r ceirch bras
6. Ychwanegwch y sinsir *glacé*, a dal i droi
7. Ychwanegwch bopeth arall – y sbeisys a'r hadau – a dal
   i droi
8. Rhowch gynhwysion y sosban i gyd yn eich tun
9. Fflatiwch y cymysgedd efo fforc nes ei fod yr un trwch
   yn y conglau ag yn y canol. Defnyddiwch lwy fawr lân i
   bwyso'r cynhwysion i lawr yn iawn. Pwyswch a
   fflatiwch yn galed a gwastad!
10. Rhowch y tun a'i gynhwysion yn y popty chwilboeth
    am 15–20 munud nes bydd popeth wedi dechrau crasu
    a brownio – ond heb losgi! Tynnwch y tun allan, a'i
    adael i oeri am 15 munud
11. Gyda chyllell finiog, torrwch y cynhwysion yn ofalus yn
    ddarnau hirsgwar. Rhaid i'r fflapjacs fod yn hollol oer
    cyn y gallwch eu codi o'r tun

Nodyn: Os nad oes gennych glefyd siwgwr, gallwch doddi siocled du mewn sosban a gorchuddio, dyweder, hanner pob fflapjac yn yr hylif, a'u rhoi ar bapur pwrpasol wedyn i oeri.

Ifor yn colli gêm Twickenham
(Stomp 2 Chwefror 2008 – mewn acen Cofi)

O'dd Ifor ar ei ffor' i Twic'nham
    i weld Cymru yn erbyn y Sais
yng ngêm rygbi gynta'r tymor,
    ac o'dd *hands* fo *as cold as ice*!

'Cos o'dd tywydd yn bygwth eira
    o'dd 'na saith 'di mynd lawr ar milc-fflôt;
o'dd hi'n andros o biti gynddeiriog:
    'chos a'th fflôt nhw i din jygyrnôt!

Ga'th Ifor sgrytiad a hannar,
    a gollodd o 'i ddannadd i gyd;
a'th ei 'es-ess' o i gyd yn 'eth-ith'
    'chos bod fflôt ar uffar o sbid!

'Eth-th-gob!' me' Ifor, 'th-gynna i'm dannadd!'
    'Tsia befo,' me' lleill, 'gei di swp;
a beth bynnag, ti'm angan dannadd
    I sdagio ar Cymru'n ca'l sgŵp.'

Wel, landiodd y saith yn Twic'nam
   ac Ifor yn gweiddi, 'Hei, *you* thicth!'
'chos fo o'dd sefnth, yn sdyc yn y dyrfa,
   a'r tocynna i gyd gan Big Nics.

'Big Nicth, dwi ithio 'nhicad, y thlebog!'
   gwylltiodd Ifor, gan weiddi yn groch;
ond cyn 'ddo fo floeddio dim mwy, ia,
   o'dd 'na ddynas 'di gafal yn 'i foch!'

'Paid, thguthan!' me' Ifor, *'no methin'*
   with my tin, it'th not very neith!'
'Aaaaw, but it's laaaaavely, my swyeitei!' me' hitha,
   'much better than sugar and spice!'

'Y-y-ww, thiwgwr a thbeith?' me' Ifor,
   'Ieth-th-thgob, janth am thwth yn y man!'
A dilynodd y ddynes fawr, swmpus
   o'r stadiwm, i gefn rhyw hen fan.

'Thorri, del, thgynna i'm dannadd,'
   me' Ifor, lêtyr on, wrth ga'l sws.
'Aaw, ma' *gums* a *mustash* ti yn *loveley*,' me' hi,
   'like snogging wiv plunger a brwsh!'

Ma' 'na frân i bob brân yn rwla,
   heb ddannadd, ac yng nghefn rhyw fan
cafodd Ifor 'i frân – ar 'i wylia
   pan gollodd o gêm Twic-yn-ham!

Emrys, Caernarfon a Rygbi
(neu: Pam priodis i Gofi o'dd wedi mopio efo'i dre a'i gêm!)

Fuo' bron iawn i mi beidio â phriodi Emrys, fy ngŵr, am ei fod o'n mela gormod o lawar efo rygbi a phob dim o'dd yn ymwneud â'r gêm pan oeddan ni'n canlyn. Felly fyddwn i ddim yn gweld llawar arno fo. A ph'run bynnag, mi rybuddiodd ei chwaer o taswn i'n mentro priodi'i brawd hi, fasa'n rhaid i mi briodi Tre Caernarfon hefyd. Achos fasa 'na'm gobaith ei gael o i fynd i fyw i rwla arall . . . Emrys, Caernarfon, a lot o rygbi. Dipyn o gontract!

Bryd hynny, ro'dd yr hen Glwb Rygbi i lawr 'Lôn Gas', ac os o'n i isio bod hefo Emrys, fan'no o'dd y lle i fod. Ac ma'n rhaid i mi gyfadda, mi ro'n i'n teimlo fel pysgodyn allan o ddŵr yno reit ar y dechra. Y peth o'dd yn achosi'r broblem fwya i mi o'dd fy acen i. O'dd y ffor' o'n i'n siarad yn mynd ar nerfa'r Cofis yn y Clwb: do'n i ddim yn siarad 'fath â nhw', ac ro'n i'n rhy ddosbarth canol 'o beth uffar' ac yn 'un o'r hen betha arti-ffarti rheiny o'dd ar teli'.

Ma'r Cofis yn rhei garw am dynnu coes. Ond y ffor' maen nhw'n gneud hynny ydy drwy'ch 'insyltio' chi. Ond, credwch fi, yn fwy amal na pheidio, trio bod yn gyfeillgar ma' nhw! Ma' hyn yn medru bod yn anhawster mawr iddyn nhw, achos tra ma' nhw'n insyltio pawb ffwl sbid, ma' pawb arall yn meddwl eu bod nhw'n bod yn gas, ac yn eu cadw nhw hyd braich.

Ma' hi'n cymryd dipyn o amsar i rywun o'r tu allan ddŵad i'w deall nhw'n iawn, ond unwaith ma' Cofis yn eich derbyn chi, ma' rhywun yn dŵad i weld eu bod nhw wirioneddol yn halan y ddaear, ac yn werth y byd yn grwn go iawn. Achos mi 'nawn nhw eich cefnogi chi i'r carn, doed a ddelo.

Dwi'n cofio fel 'sa hi'n ddoe (er ei bod hi dros ddeng mlynadd ar hugain yn ôl erbyn hyn) bod yn yr hen Glwb Rygbi ar Lôn Gas rhyw nos Sadwrn pan o'dd Theatr Bara Caws yn perfformio un o'u sioea rifiw, a dyma 'na Gofi – un o ffrindia Emrys – yn dŵad ata' i, ac yn dechra tynnu arna i. Gan nad oeddwn i'n deall yr hiwmor 'insyltio' hwnnw, ro'n i jest yn atab yn gwrtais a pholéit, er ei fod o'n malu awyr mod i'n siarad Cymraeg do'dd neb yn ei ddallt a ballu. Dechreuis wylltio, a phan na fedrwn i ddiodda dim mwy, dyma fi'n gwylltio'n gacwn a dechra rhegi'r boi mewn araith goman ofnadwy, a chega, a'i atab o 'nôl a'i insyltio fo mewn un sbîtch hir nes o'dd yr awyr yn las! A myn diain i, dyma fo'n newid fel cwpan mewn dŵr! A'th o'n annw'l iawn mwya sydyn, a dechra rowlio chwerthin – fel taswn i wedi pasio rhyw brawf o'dd gan y Cofis ar gyfer pobol o'dd ddim yn Gofis go iawn. Ac o'r eiliad honno mlaen, ches i ddim mwy o draffath. O'n i'n teimlo mod i wedi ennill fy mhasbort i ddŵad i fyw i Dre!

Wedyn, i dorri stori hir yn fyr, ddois i i nabod hen griw Clwb Rygbi Caernarfon yn lot gwell a deall pam bod Emrys mor agos atyn nhw. Maen nhw'n griw hwyliog, gweithgar, cyfeillgar sy'n cyd-dynnu a chyd-weithio'n glòs – ac maen nhw'n hynod gefnogol i ngŵr ac i minna.

Collodd Emrys ei dad pan oedd o'n ddim ond un ar bymtheg oed, a'i fam ddeng mlynedd yn ddiweddarach. Roedd ganddo fo frawd a chwaer hŷn, ond doedden nhw ddim yn byw yn agos, felly roedd aelodau'r Clwb fel ail deulu iddo fo. Ac wrth reswm, roedd yr holl ymarfer a'r chwarae mor llesol i'w glefyd siwgwr nes sylweddolais i mai peth i'w ganmol oedd yr holl rygbi. Felly mi benderfynais i briodi Emrys, Caernarfon a'r rygbi. A dwi'n difaru dim.

Mae 'na wastad lawer o hwyl a chwerthin yn y Clwb, ac mae ailadrodd straeon troeon-trwstan ar lafar yn rhan annatod o wead pob criw, boed nhw'n ie'nctid, mini-rygbi, tîm y merched, criw'r tîm cynta neu'r ail – ac yn enwedig felly yr hen hogia mae Emrys ynghlwm â nhw erbyn hyn, sef Y GOGs (Y Geriatrics o Gymru). Cyn-chwaraewyr hŷn y Clwb ydyn nhw, sy'n parhau i gefnogi; maen nhw'n griw arbennig o ffraeth, ac mae gan sawl un ddawn dweud. Mi fydda i wrth fy modd yn gwrando arnyn nhw, neu ar Emrys yn hel atgofion ac yn ail-fyw eu dawn deud a'u ffraethineb.

Roedd rhai o griw'r Clwb wedi mynd i Rufain rai blynyddoedd yn ôl, i weld gêm Cymru yn erbyn yr Eidal, ac yn ôl pob sôn, mewn gwesty yn y ddinas ac ar ôl sawl gwydraid o Peroni, roedd Dafydd ac Alwyn yn trafod gwaith. Cynnig defnydd o'i gwt sbâr i Alwyn oedd Dafydd, ond doedd gan hwnnw ddim diddordeb. Felly, mi fuon nhw'n pendroni wedyn be i'w wneud efo'r cwt. Gan gadw mewn cof mai ym mhentre Nasareth, ger Pen-y-groes, Arfon, oedd y cwt, dyma'r ymgom fu rhwng y ddau:

Alwyn: Yli bwyd a diod da, lleol yn fa'ma. 'Sa ti'n medru gneud wbath cartra fel'na yn cwt.
Dafydd: Fatha be? Gwin cartra?
Alwyn: Ia. Neu gneud caws ella?
Dafydd: Be, gneud caws yn cwt?
Alwyn: Ia. A wedyn 'sa ti'n medru 'i werthu fo yn Dre, ia, a galw'r brand yn *cheeses of Nasareth*.
Dafydd: 'Asu!
Alwyn: Ia, 'na chdi! A wedyn 'sa chdi'n medru gneud lot o gawsys bach, bach, a galw'r rheiny'n *baby cheeses*!

Dau o hoelion wyth y Clwb ydy Keith Parry a Moi Evans. Mae'r ddau wedi cyfrannu'n hael i'r gweithgareddau rygbi yn selog ers blynyddoedd. Mae gan Keith ŵyr o'r enw Caio sy'n dilyn ôl troed ei daid – bob cam – ac mae'n aelod brwd o'r tîm mini-rygbi.

Pan fydd rhywun yn gofyn i Caio: 'Caio, pwy fildiodd

Castall C'narfon?' bydd yr hogyn yn atab fel bwlad: 'Taid ac Yncyl Moi.'

Bydd Emrys yn helpu hefo Tîm Rygbi'r Merched, a weithia, pan ddaw o adra, mi fydd yn drewi o ogla *scent*! Fydd 'na lawar yn edrych yn syn arna i pan fydda i'n deud hynny, ond dwi mor falch bod y genod yn gwerthfawrogi cefnogaeth Emrys, a'i fod ynta yn ei dro yn cael amball goflaid! Yn ôl Emrys, ma'r merched yn gallu bod 'run mor ffraeth â'r dynion. Clywodd sgwrs rhwng dwy ohonyn nhw:

Becky: Be ydy *surname* chdi, Cennin?
Cennin: Eifion.
Becky: Be, Cennin Eifion ydy enw ti ?!
Cennin: Ia.
Becky: Be 'di enw tad ti, *then* – Eifion Eifion?

A dyna fuodd Eifion Harding wedyn: ro'dd o'n 'Eifion Eifion' drwy'r dydd!

Roedd 'na gyfnod pan oedd tîm rygbi hogia Porthmadog yn meddwl bod criw rygbi Caernarfon yn rhyfadd, a deud y lleia. Un tro, roedd Caernarfon wedi mynd i Port, a phawb ar ganol chwarae, pan waeddodd Clive James, un o hogia Dre ni:

'Stopiwch y gêm! Stopiwch y gêm!'

Chwythodd y reff ei bib a rhuthro at Clive a gofyn oedd o wedi brifo. Doedd o ddim. Wedi colli *contact lens* oedd o, ac mi fuodd pawb yn chwilio a chwalu rownd y cae am y lens, a neb yn medru ei gweld yn unman. Yn sydyn, gwaeddodd Paul Taylor (tîm Caernarfon) dros y lle ei fod o wedi'i darganfod.

'Grêt!' atebodd Clive. 'Lle o'dd hi?'

'*It was in my botwm-bol, yeah,*' oedd yr ateb!

Yn ystod cyfarfyddiad nesaf y ddau dîm, ar ganol y chwarae, gwaeddodd Glyn Brown o G'narfon:

'Stopiwch y gêm! Stopiwch y gêm!'

Stopiwyd y gêm fel y tro cynt, a phawb yn holi be o'dd yn bod.

'Dwi 'di colli'n llygad!' medda Glyn. Ac ar ôl clywad hynny, wrth reswm, ro'dd pawb wedi dychryn yn arw.

Diolch i'r drefn, ddigwyddodd 'na'm byd mawr. Cafodd pawb wybod ma' dim ond un llygad oedd gan Glyn beth bynnag, a fuodd o fawr o dro yn dod o hyd i'w lygad tsieni. Rhedodd i'r clwb i'w golchi a'i sodro hi'n ei hôl, cyn ailafael yn y chwarae. Ma' raid bod hogia Port yn meddwl ar y slei bod isio gras efo hogia C'narfon. Roeddan nhw i gyd ofn taclo Glyn wedyn, rhag ofn i'w lygad tsieni fo sboncio allan eto, ac roeddan nhw'n siŵr o fod yn meddwl mewn difri calon be fyddai'n digwydd y tro wedyn, pan fydda tîm o Glwb Rygbi Caernarfon yn dŵad i chwarae Port!

Yn rhyfadd iawn, er bod Emrys yn Gofi Dre o Gaernarfon, a finna'n dŵad o'r Pistyll a phentre Pontllyfni, mae gan y ddau ohonon ni wreiddiau yn rwla arbennig sy'n gyffredin i ni'll dau – pentre Deiniolen, yng nghanol ardal y chwareli llechi. Yno cafodd Joseph William Jones, tad Emrys, ei eni a'i fagu; ac yno hefyd y ganwyd ac y magwyd fy nhaid, sef Richard Lewis, tad fy mam, cyn i'r teulu symud i'r Felinheli ar ôl marwolaeth Henry Lewis, fy hen daid. Rhyfedd 'te?

Pan a'th Emrys i ffwrdd ar drip rygbi

Un gaeaf oer, pan ro'th Emrys glep ar ddrws y ffrynt a'i throi hi am yr Alban neu'r Eidal (dwi'm yn cofio p'run) hefo'i ffrindia i weld Cymru'n chwarae flynyddoedd yn ôl erbyn hyn, mi benderfynais neud torth frith. Ar ganol pwyso'r ffrwytha sychion o'n i, pan sylweddolais mod i wedi anghofio'r cyrainj. Mi roedd y rheiny'n dal yn y pantri.

Fy hoff stafell yn tŷ ni ydy'r pantri bach henffasiwn. Mae o o'r golwg rywsut tu ôl i'r oergell, felly fasa 'na neb yn sylwi lle mae ei ddrws o. Pan fydd rhywun yn agor hwnnw ac yn mynd i mewn, ma'n rhaid iddyn nhw gamu i lawr un gris – am fod y lle wedi cael ei gynllunio i gadw bwyd yn oer a'r llawr teils fel tasa fo'n gorwedd ar wyneb y pridd rywsut. Ond fallai nad ydyn nhw mewn gwirionedd, achos does 'na ddim tamprwydd yno o gwbwl, dim ond bod y pantri'n fwriadol oerach na gweddill y tŷ – haf a gaeaf fel ei gilydd.

Beth bynnag, mi es i mewn i'r pantri i nôl y cyrainj gan dynnu'r drws ar fy ôl a'i gau, rhag i'r gegin oeri. Mi ges i hyd i'r cyrainj tu ôl i'r bin bara, a dyma fi'n troi wedyn i fynd yn f'ôl i mewn i'r gegin . . . ond fedrwn i ddim! Doedd 'na'm posib agor y drws! Doedd 'na ddim bwlyn arno fo ar y tu mewn, a mi ro'dd o wedi cau yn dynn. Heb handlen, fedrwn i ddim ei agor o gwbwl er i mi ei hwffio fo a'i dynnu a'i droi fo bob siâp a sut. Naetha'r blincin drws ddim byjio o gwbwl! Suddodd fy nghalon reit i lawr i fy sgidia . . . a sylweddolais mewn panic mod i'n garcharor mewn lle bychan cyfyng, oer, a ngobaith i am achubiaeth wedi mynd ar drip rygbi am dair noson!

Doedd hwn mo'r tro cynta o bell ffordd i mi fynd yn sownd mewn lle cyfyng. Dwi wedi cael sawl tro trwstan a chael fy hun yn gaeth mewn llawer man dros y blynyddoedd. Y rheswm am hynny, dwi'n meddwl, ydy am nad ydw i'n canolbwyntio. Dyna i chi'r anffawd honno ges i yn y lle chwech ar y trên i Gaerdydd, er enghraifft, pan oedd y drws awtomatig yn mynnu cau ac agor bob yn ail a finna ar y crwndwll yn methu'i gyrraedd; a'r dychryn hwnnw ges i mewn cornel fach o fuarth fferm lle ces i fy nal yn garcharor gan horwth o Irish Wolfhound pan o'n i'n mynydda; a'r tro trwstan arall hwnnw lle bu raid i mi guddio rhwng bonyn coeden enfawr a wal garreg rhag rhyw stalwyn anferth o'dd am fy nghnoi a fy llarpio fi i farwolaeth. Wel, dyna o'n i'n feddwl, beth bynnag, ond deallais mewn da bryd mai isio cnoi fy mrechdana bananas i oedd y cythral ceffyl, achos wedi iddo fo fyta' cynnwys fy nhun bwyd i gyd, mi gollodd ddiddordeb yndda i'n llwyr.

Ond y tro yma, yn fy ngharchar bychan, doedd gen i ddim gobaith caneri o gael fy rhyddhau o'r pantri rhynllyd, oer – am dri diwrnod cyfa!

Y peth cynta wnes i wrth feddwl am hyn oedd panicio. Yr ail beth wnes i oedd deud wrtha fi fy hun am beidio panicio: ro'dd hynny'n beth melltigedig o anodd, ond ddim yn amhosib, achos ro'dd gen i dipyn o brofiad yn y math yma o beth am mod i wedi arfer cael fy hun i dwll, neu dyllau, ar hyd y blynyddoedd, a hyd yn hyn, ro'n i wedi llwyddo i ryddhau fy hun bob tro. Fel'na ro'n i'n cysuro fy hun ar y pryd, beth bynnag!

Felly, mi gododd fy nghalon ryw fymryn wrth feddwl am fy sefyllfa o'r ochor ora, achos doedd petha ddim yn edrych mor ddu arna i wedyn. Wedi'r cwbwl, mi fydda Emrys yn siŵr o ddŵad adra mewn tridia, a doedd o ddim am fod i ffwr' am byth. Y cyfan oedd raid i mi neud oedd aros yn amyneddgar yn y bocs bach, yn sbio ar y waliau coch a gobeithio'r gora. Felly, dyma fi'n dechra styried o ddifri sut baswn i'n treulio f'amser yn yr hanes-boced o stafell. O leia, roedd gen i lond bag o gyrainj!

Ar ôl rhyw hanner awr, roedd fy nhraed i wedi dechra

cyffio, a mi 'drychis o nghwmpas i weld faswn i'n gallu eistedd yn rhwla. Doedd 'na ddim byd yn y pantri ond cwpwrdd sosbenni a dipyn go lew o silffoedd oedd yn dal tuniau bwyd a blawdiach. Mi roedd 'na fwy na dim ond cyrainj yno: ro'dd 'na amrywiaeth o ffrwytha wedi'u sychu, pasta, reis, grawnfwyd brecwast, bagia te a choffi a photeli dŵr swigod. Ac ar silff yr unig ffenest fach oedd yn goleuo'r lle, roedd 'na dunia bisgedi.

Cododd fy nghalon achos mod i wedi sylweddoli y gallwn i'n hawdd fyw ar hynny o fwyd oedd yno am fwy na thridia. Ac er nad oedd gen i deciall, o leia roedd 'na ddŵr potel ar un o'r silffoedd. Y bwgan mwya oedd yr oerni, achos ro'dd hi'n felltigedig o oer yno. Doedd hi ddim yn gynnes yr adeg honno o'r flwyddyn beth bynnag.

Mi es i ati wedyn i neud fy hun mor gyfforddus â phosib. Ges i afael ar sosban wneud jam yn y cwpwrdd, a'i throi hi ar ei phen i lawr, yn stôl. Do'n i ddim isio bwyd y funud honno, a ma'n rhaid i mi gyfadda bod fy nghalon i'n dechra suddo i fy sgidia unwaith eto er fy mod i'n ymladd yn erbyn y meddylia tywyll, ac yn dal i stryffaglu bob hyn a hyn i gysuro fy hun y bydda Emrys yn ei ôl mewn tri diwrnod. Ro'n i'n oeri wrth y funud, a doedd 'na ddim siw na miw i'w glywad yn un man.

Ar ôl eistedd yn llonydd a diflas am tua awr, yn gwrando rhag ofn i mi glywed sŵn y dyn drws nesa'n cyrraedd adra ar ei foto-beic, i mi gael cyfle i sgrechian a gweiddi am help, ddigwyddodd 'na ddim byd. Doedd fy nghymydog ddim am ddwâd adra am hydoedd, ma'n rhaid. Felly 'nes inna ddim trafferthu galw ar neb, achos doedd 'na neb yno i nglywed i.

Diflas ac annifyr oedd yr oria nesa. Ddigwyddodd 'na ddim byd, mond mod i wedi byta dwy fisged a dyrna'd o gyrainj. Wnes i ddim yfed dŵr ond o'dd raid i mi ei wneud – mewn powlen bwdin Dolig, a styriais ar ôl gollwng fy niferion ola na fasa gen i fyth stumog i bwdin o'dd wedi'i goginio yn honno wedyn!

Aeth ton o anobaith drosta i, wedyn, a theimlais yn felltigedig o flin. Neidiais ar fy nhraed a dechra waldio a ffustio a melltithio'r drws hwnnw nad oedd gen i obaith caneri o'i agor ... ac ar ôl i mi neud yr holl dwrw, mi steddais yn ôl ar fy 'stôl' yn ddigalon iawn.

Ond ymhen rhyw funud neu ddau, mi fferrais – nid o achos yr oerfel, ond am mod i wedi clywed rhywun yn cerdded i mewn i'r gegin, yr ochor arall i'r drws! A'r tro yma, er bod 'na rywun yno a allai'n hawdd fy rhyddhau, ro'dd gen i ormod o ofn i yngan gair. Dim ond Emrys a fi oedd yn byw yn y tŷ, a doedd 'na neb arall yn debygol o ddod i mewn! Daliais fy ngwynt, a'm dychymyg a f'ofn yn dyrnu mhen i! Pwy o'dd 'na? O'dd o'n siŵr o fod yn lleidr. Be tasa fo'n wallgo, ac am fy lladd? Gafaelais mewn homar o sosban fawr drom, yn barod i amddiffyn fy hun os byddai rhaid.

'Mâr? ... Mâr! Lle w't ti?' galwodd rhyw lais cyfarwydd.

'Emo!' bloeddiais dros y tŷ, a'r rhyddhad yn golchi drosta i'n donna i lawr fy asgwrn cefn.

'H-e-l-p, Emo,' sgrechiais, 'dwi'n styc yn y pantri!'

Ar y gair, agorodd y drws, a dyna lle roedd fy ngŵr, yn edrych yn sâl a difynedd. Roedd o wedi cael dos o ffliw, ac wedi penderfynu peidio mynd ar y trip rygbi wedi'r cwbwl. Ro'dd o wedi bod yn y tŷ ers rhai oria, ond chlywais i mo'no fo'n dŵad yn ôl i mewn, achos erbyn dallt, mi ro'n inna wedi bod yn hel rhyw hen annwyd yn fy nghlustia, ac felly ddim wedi'i glywed. Taswn i ond wedi sgrechian a gweiddi ynghynt, fyddai dim rhaid i mi fod wedi gorfod diodda bod yn garcharor yn y pantri cyhyd!

Yn ôl ei arfer, ddaru Emrys ddim synnu o gwbwl mod i wedi llwyddo i gael fy hun i ryw bicil fel hyn. Nath o ddim hyd yn oed holi pam mod i'n edrych fel taswn i ar fin ei waldio fo hefo sosban. Mae o'n hen gyfarwydd â nhroeon trwstan i. A'r tro hwnnw, os dio'n weddus i mi ddeud, mi roeddwn i'n falch gynddeiriog ei fod o wedi cael dos o ffliw, neu dwn i ddim sut baswn i wedi medru diodda hel annwyd yn y pantri oer 'na ar fy mhen fy hun am dridia cyfa!

Ac er gwybodaeth, do siŵr iawn, mi daflis i'r bowlen bwdin Dolig i'r bin!

Peswch mewn Pantri

Ella fod stelcian mewn pantriod yn rhedeg yn y teulu. Deffrodd fy mam yn ddirybudd ganol nos un tro. Roedd hi'n flin fel tincer, gan ei bod hi wedi bod yn swatio'n dynn ym mherfeddion cynnes cwsg funudau ynghynt, cyn i'r sŵn bwnglera ei dadebru. Aeth yn chwys oer drosti. Gallai daeru bod 'na rhywun neu rywbeth trwsgwl felltigedig yn ymbalfalu drwy ei thŷ yn y twyllwch ac yn baglu ar draws ei dodrefn. Clustfeiniodd, gan led godi ar ei heistedd yn y gwely i wrando.

Roedd hi'n eitha hawdd diffinio be'n union oedd y gwahanol synau yn y twyllwch yn ein tŷ ni stalwm gan mai byngalo oedd Cerniog. Felly roedd Mam yn ffyddiog y byddai'n datrys y dirgelwch a'r annifyrrwch a'i deffrodd mewn chwinciad chwannen. Am funud neu ddau, bu tawelwch llethol, a hithau'n dal i wrando. Yna cyflymodd curiad ei chalon pan adnabu sŵn gwich drws y stafell fyw yn cael ei agor, a rhywun yn cerdded drwyddo'n llechwraidd.

Doedd Mam ddim yn un i gael ei dychryn yn hawdd iawn. Penderfynodd rhaid bod 'na eglurhad syml am y digwyddiadau dirgel hyn. Felly, cododd o'i gwely mor dawel ag y gallai, a mynd i chwilio be oedd o'i le, a'i chwilfrydedd yn trechu pob ofn.

Gwyddai nad ei merch fach (sef fi) oedd yno, gan mod i wedi mynd i'r Pistyll i aros at Taid a Nanw fy modryb, ar y pryd. Felly daeth i'r casgliad mai Nhad oedd yn cymowta rownd y lle gefn nos fel hyn. 'Gwilym a'i giamocs sy'na eto!' wfftiodd – ac nid am y tro cynta'r wfftiodd hi chwaith. Byddai'n deud hynna'n o aml: nid am ei bod hi'n meddwl llai o Nhad – roedd hi'n meddwl y byd ohono – ond doedd o mo'r un hawdda'n y byd i fyw hefo fo am y byddai'n gwneud petha digon ecsentrig ac od ar adegau, a hynny ar adegau anymarferol pan fydda 'na syniad yn ei daro. Er enghraifft, gefn nos, pan fyddai wedi meddwl am arbrawf neu erthygl, neu'n gorfod rhuthro allan i helpu rhywun, byddai'n gneud twrw mawr wrth faglu ar draws creiau ei sgidia, neu'r ci. Ac o'r herwydd, cysgai fy rhieni mewn stafelloedd ar wahân.

Felly'r noson honno, aeth fy mam at ddrws stafell wely Nhad. Doedd dim rhaid iddi wrando'n astud iawn i'w glywed, achos roedd o'n amlwg yn effro gan fod golau i'w weld o dan ei ddrws, a cherddoriaeth dawel, soniarus Beethoven – y 'Moonlight Sonata' – yn cyrraedd ei chlyw o'r tu draw iddo. Felly thrafferthodd hi ddim i fynd i mewn, rhag ofn iddi darfu, am fod Nhad yn debygol o fod yn brysur ac ar ganol recordio a dyfeisio rhyw 'marfer neu'i gilydd ar gyfer seicdreiddio'n ddyfnach a mwy effeithiol i'r isymwybod er mwyn cyrraedd stad o 'dawelwch effro' drwy ddefnyddio'r gerddoriaeth arbennig honno ynghyd â hypnosis i wneud i rywun ymlacio. (Peth cyffredin bellach, mewn therapi cerdd ac ati, ond eitha arloesol ym mherfeddion cefn gwlad Cymru yng nghanol y 1960au.) Felly trodd fy mam ar ei sawdl, a chychwyn dychwelyd i'w gwely, ond clywodd sŵn peswch yn dod o'r pantri!

Wnaeth hi ddim styried mynd i stafell Nhad i ofyn am help, gan y byddai hynny wedi creu gormod o sŵn a chythrwfwl. Yn hytrach, ymbalfalodd am brocer yng ngolau egwan y marwor oedd yn parhau i daflu gwres o'r grât yn y stafell fyw. Ac yn ara deg iawn, mor dawel â phosib, a chan ddal y procer uwch ei phen rhag ofn i rywbeth neu rywun 'mosod arni o ddüwch y cysgodion, ymlwybrodd tua'r pantri.

Fferrodd pan glywodd y pesychiad eto, a daliodd rhyw synau mwngial ei sylw hefyd:

'Mmm . . . mmm!' meddai'r llais, ond ymlaen yr aeth hi, gan barhau i ddal y procar tân uwch ei phen. Yna clywodd rhywun cyfarwydd iawn yn canu dan ei wynt:

'Didl-didl-didl-didl-didl-di-dî!'

'Gwilym!' bloeddiodd Mam.

'O!' ebychodd Nhad, wedi dychryn am eiliad yn nhywyllwch dudew'r pantri. 'Drapia!'

'Be gebyst dach chi'n neud yn fa'ma?' holodd Mam wedyn.

'Wel . . . ym . . . ffansïo rhyw fisgedan 'nes i, a . . .'

Yr eiliad honno, gollyngodd Mam y procar a rhoi ei bys ar fotwm y golau fel bod y pantri mor llachar â lle bingo, achos ro'dd hi wedi anghofio clirio'r goleuada Dolig, ac mi ddaethon nhw i gyd ymlaen ar unwaith wrth iddi bwyso'r swits.

'Naethoch chi *addo*, Gwilym,' meddai'n gyhuddgar, *'you promised to stick to your diet* ar ôl Dolig, a ma' hi jest yn fis bach arnon ni, a chitha heb golli owns! Dach chi wedi bod yn sleifio i'r pantri i fyta gefn nos *behind my back*! Dwi'n dallt rŵan pam y'ch bod chi'n mynd yn dewach wrth y funud yn lle teneuo!'

'Y-y, wel ia. Ydw, debyg.'

'A finna wedi bod yn gneud 'y ngora, yn gofalu nad o'ddach chi'n ca'l mymryn o saim na *fat* na gormod o *carbohydrates* na dim byd drwg yn 'ych pryda bwyd, a dach chi'n claddu *biscuits* fel 'sa 'na'm fory! Yr hen beth *selfish*, tew i chi! Dach chi 'di mrifo fi'n ofnadwy. Dwi'n mynd yn ôl i ngwely . . . a' i â'r procar 'ma 'nôl.'

'Arswyd y byd!' cellweiriodd Nhad. 'Doeddach chi rioed

am 'y mygwth i efo procar am mod i heb gadw at y deiet?'

'Nago'n siŵr!' brathodd Mam, gan gychwyn ymaith, ac ailfeddwl a throi yn ei hôl yn flin gan chwifio'r procar a bygwth, 'Ond ma' gin i ffansi'i rhoi hi i fyny'ch *you-know-what* chi!'

Ac ar hynny, mi chwerthodd fy nhad yn g'lana'. A chyn pen dim, roedd Mam yn cyd-chwerthin ag o.

Dwn i ddim a gafon nhw banad cyn clwydo 'ta be, ond pan ddychwelais i o dŷ Taid ro'dd 'na stori ddigri yn fy aros i: un am fy mam yn clywed pesychiad yn y pantri yng nghanol y nos ac yna'n rhedeg rownd y tŷ yn bygwth fy nhad efo procar am ei fod o wedi meiddio codi o'i wely ar sawl achlysur, erbyn dallt, i fyta bisgets llawn seimiach ar y slei tra oedd Mam wedi'i roi o ar ddeiet!

*   *   *

Roedd Mam yn poeni am fy nhad am ei fod o'n eithriadol o brysur yn sgwennu'n gyson a ddim yn symud nac yn 'marfer ei gorff. Dyna pam y mynnodd hi ei roi o ar ddeiet, a pham y gwylltiodd hi wrtho wrth ddarganfod ei fod o'n codi gefn nos ac yn difetha'i holl ymdrechion hi i'w helpu i deneuo. Yn naturiol, byddai fy rhieni yn ffraeo fel pawb arall ar adegau, ond yn eitha cyson, byddai pob ffrae rhyngddynt yn troi'n chwerthin am eu bod nhw'n fwy aml na heb yn troi'r ffraeo ymhen amser yn stori ddifyr – neu'n un ddoniol!

Roeddwn wedi anghofio am y stori hon tan yn ddiweddar, pan ffoniodd un o gynhyrchwyr Radio Cymru fi'n gofyn i mi siarad am 'fisgedi'. Gwrthodais yn syth, achos dydw i ddim yn gwbod llawer amdanyn nhw am fod Mam wastad wedi pregethu eu bod nhw'n llawn o seimiach!

Hunllef Coraches

Ma' coraches yn sboncio mewn sosban,
dydy hi'm isio bod yno yntôl;
pwy roddodd hi yno ydy'r cwestiwn,
pwy fuodd mor ynfyd o ffôl?

'Tydy corrach ddim fod mewn sosban, siŵr iawn –
'nenwedig rŵan: ma' hi'n nos – nid prynhawn!
Tynnwch hi o'na, ma' hi isio dŵad allan,
peidiwch â'i byta 'fo pupur a halan!

Yw! Ylwch chi rŵan, ma' Corrach 'di gwylltio
yn gacwn! A dacw hi'n llwyddo i neidio
allan drwy'r ffenast, a fyny i'r awyr –
gryduras fach, mewn dipyn o wewyr!

Ma' hi'n neidio i frwgaij Lleucu ac Arwel
a rhedag i Glwb Mountain Rangers, yn dawel;
a dyna ryddhad mae hi'n gael yn fa'ma –
heb ga'l 'i byta 'fo tafall o fara!

Ond och! Ma' 'na waeth petha'n y lle 'ma –
ma'r neuadd yn llawn o gadeiria a choesa;
a wir, ma'r Corrach yn edrach i fyny:
a ma' pawb yn y clwb yn rhythu lawr arni.

Ac yng nghanol y bobol, ma' 'na lot o Feirdd Cocos
a Gwalch o Brifardd ar Garreg fawr andros;
yn sydyn, ma' 'na Gawr o Feistr yn codi
a'i sbectol o'n sgleinio fel swllt wrth fynd ati!

'Hei, Corrach!' me' fo, 'ti mewn Stomp, yr hulpan!'
'O, gwae!' medda Corrach, 'a' i 'nôl mewn i'r sosban!'
'Ma'n rhaid 'ti farddoni!' gorchmynnodd y Meuryn.
'O, na! O, na!' me' Corrach, a ffeintiodd yn sydyn.

Aeth pobman yn ddu . . . a'n ara dadebrodd,
'Corrach? Stomp? Yn Rhosgadfan? Pwy ddwedodd?

. . . A sylweddolodd:

O! Blydi hel! Fi ydy'r Corrach!
A wel, 'sdim isio poeni am hynny bellach;
dach chi'n gweld, dwi 'di gorffan 'barddoni' –
a rŵan, ga' i ista . . . yn ddel . . . yn fy sêt i!

Hon oedd y gerdd gynta rioed i mi ei sgwennu ar gyfer Stomp. Un i godi arian ar gyfer cael grât i Ganolfan Cae'r Gors, cartre Kate Roberts, oedd y Stomp honno, pan oedd y lle ar ganol cael ei atgyweirio. Wyddwn i ddim yn iawn be o'dd Stomp nes es i yno, a doedd gen i ddim syniad be i'w ddisgwyl! A doeddwn i rioed wedi barddoni cyn hynny. Wel, dydw i byth wedi meistroli'r grefft honno, fel y gwelwch chi yn y gyfrol fach hon. Achos dim ond rhaffu llinellau sy'n odli at ei gilydd fydda i, am hwyl, i adrodd stori.

Ar gais Arwel a Lleucu Roberts yr es i yno – rhai diwyd iawn yn eu hardal – am mod i'n gweld bod yr achos oedd yn cael ei hybu yn un teilwng iawn o ystyried mod i'n gynddisgybl ysgol uwchradd sydd yn nalgylch ardal Kate Roberts, a bod gen i feddwl mawr o'i gwaith hi. Mi fydda i wrth fy modd yn parhau i ddarllen ei straeon byrion drosodd a throsodd, gan fwynhau ei Chymraeg coeth, cyfoethog a'i throadau ymadrodd cywir, ei sylwgarwch, a gwerthfawrogi ei meistrolaeth lawn o'r grefft o saernïo stori. Dagra petha ydy y bydda hi ei hun yn troi yn ei bedd tasa hi'n mentro darllen fy ngwaith i!

Dwi wedi cynnwys 'Hunllef Coraches' yn union fel y darllenais hi yn y fan a'r lle ar y noson. Y 'cawr' ynddi ydy'r Stompfeistr hyglod Arwel 'Pod' Roberts a dwi'n cyfeirio hefyd at ei wraig, y nofelydd a'r sgriptwraig, Lleucu Roberts. Ma'r ddau yn agos iawn at fy nghalon – wastad yn barod am hwyl iach, tynnu coes, a chynnig eu hanogaeth. A dwi'm yn meddwl fod raid i mi egluro'r 'Gwalch o Brifardd', debyg! Diolch yn fawr iawn i Myrddin ap Dafydd am gytuno i gyhoeddi'r 'Felysgybolfa' hon, ac i'w dad, y nofelydd plant Dafydd Parri, am roi'r teitl i mi. Mae'r gair 'melysgybolfa' wedi ngoglais i byth ers i mi'i glywed o gynta.

Lle chwech Milan

Peth garw ydy cael hunllef. Peth garwach ydy cael un mewn lle chwech. A'r peth garwaf un ydy darganfod nad hunlle ydach chi'n ei chael o gwbwl, ond 'ych bod chi'n boenus o effro, mewn sefyllfa hunllefus - go iawn!

Rhyw brofiad fel'na ges i mewn lle chwech yn awyrle Milan yn yr Eidal flynyddoedd yn ôl erbyn hyn. A wir, mi ro'dd o'n brofiad dychrynllyd!

Roedd hi'n oria mân y bora, ac Emrys a minna yno, yn aros am awyren i fynd â ni i Fanceinion. Felly, am nad oedd gen i ddim byd i'w neud, mi es i i'r lle chwech i fusnesu; o edrych yn ôl, ro'dd hynny'n gamgymeriad mawr!

Agorais y drws a chamu i gyntedd marmor mawreddog o liw golau sgleiniog. Roedd y llawr yn farmor, y waliau'n farmor, ond 'nes i ddim sylwi'n fanwl ar y to i weld a o'dd hwnnw'n farmor. O'dd o'n rhy uchal i fyny i mi feddwl amdano fo, rwsut. Dim ond rhyfeddu wnes i, a chymryd fy ngwynt ata, mod i wedi cyrraedd cae mawr marmor glân gloyw, a dim sêt lle chwech ynddo fo'n nunlla.

Ond mi roedd 'na sinc yno – rhesi ohonyn nhw, yn befriog o lân. Do'n i ddim isio golchi fy nwylo cyn gneud dŵr, felly mi gerddis i drw'r stafell sincia, a thrwy ddrws oedd yn llawn ciwbycla gorseddi (ciwbicyls efo toileda fedrwch chi ista arnyn nhw dwi'n feddwl, ond mod i'n gneud fy ngora i sgwennu Cymraeg crand). Meddyliais mewn difri bryd hynny, achos do'n i ddim wedi cerddad drwy lond cae marmor o sincia cyn mynd i le chwech o'r blaen, ella fod yr Eidalwyr yn gneud pob dim o chwith, ac yn golchi'u dwylo cyn gneud dŵr. Ond do'n i fy hun ddim isio gneud peth felly.

Es yn syth am y ciwbicyl cynta welis i, a fu's i ddim dau funud yn ista ar yr orsedd fel petai, cyn cychwyn am allan ... ond fedrwn i ddim. Achos er i mi wthio a thynnu a phwnio a waldio, fedrwn i ddim agor y drws o gwbwl. Dyna pryd dechreuodd fy hunllef gydiad yndda i go iawn! Fedra i ddim diodda cael fy nghau mewn lle cyfyng ar y gora, ond ro'dd hyn saith gwaeth: ro'n i'n sownd wrth ymyl y crwndwll mewn awyrle ym Milan, a ddim yn nabod neb yn unlla'n byd yno ond fy ngŵr, o'dd yn aros amdana i tu allan yn rwla, a doedd ganddo fo ddim gobaith o nghlywad i'n galw arno fo am ei fod o bellter dau gae marmor mawr oddi wrtha i.

Dechreuodd chwys oer ddrybowndian i lawr fy wyneb a nghefn, a dechreuais gael panic go iawn. Felly sgrechiais a gweiddi am help dros y lle, ond nath 'na neb fy ateb i. Chlywodd neb fi; doedd 'na neb yna.

Roedd hi tua hannar nos, a finna'n sownd mewn lle chwech ym Milan, ac ar fin cael *nervous asthma panic attack*, sef rwbath fel 'caethdra mewn caeth gyfla' mewn Cymraeg crand.

Triais ddeud 'tha fi fy hun am beidio bod mor wirion, a bod rhaid i mi gallio a dechra meddwl sut andros oeddwn i am ddŵad yn rhydd o'r carchar hwnnw, yn lle hel meddylia am fygu. Felly, wrth i mi gynllwynio sut o'n i am ddianc, mi anghofiais am yr *asthma* a dechra dringo'r waliau. Fel 'sa rhywun yn disgwl, mi roeddan nhw'n andros o lithrig, ond ar ôl rhoi cynnig arni sawl gwaith a methu cyrraedd unman o achos llyfnder wynab y waliau, mi gaeais i'r crwndwll yn glep ac ista arno fo i feddwl . . . a gwrando. Ond chlywis i ddim smic yn unman. Felly cyn i mi ddechra hel meddylia a chael panic eto, dyma fi'n rhoi cynnig arall arni. A'r tro hwnnw, am mod i wedi cael ail wynt, mi lwyddais i gyrraedd top y wal – ond cyn i mi fedru llwyddo i ddringo drosti a thrwy'r gofod rhwng ei phen ucha a'r nenfwd, mi gollais fy ngafael, a dyma fi'n llithro'n ôl i lawr i'r gwaelod – yn union fel pry copyn mewn bath.

Mi wylltiais wedyn hefo'r holl sefyllfa, ac ailgydio yn y waldio: waldio'r drws, waldio'r waliau, waldio caead y crwndwll a gweiddi 'H-E-E-E-LP!' drosodd a throsodd, ond ddaeth 'na neb yno. A deud y gwir, a chysidro mod i wedi bod yn andros o hir yn y lle chwech, roeddwn i'n hannar gobeithio y bydda Emrys wedi dŵad i mewn i fy helpu fi am ei bod hi mor dawel, a dim golwg bod 'na ferched er'ill yno, ond fi. Fydda neb ddim callach petai o wedi mentro i mewn i le chwech y merched yn awyrle Milan. Ond ddaeth o ddim yno i f'achub i. Achos doedd o ddim yn fy nghlywad i'n gweiddi.

A dyna wnes i wedyn. Gweiddi . . . a gweiddi . . . a gweiddi . . . mewn sawl iaith, achos ro'n i'n gneud fy ngora glas i gadw fy mhanic draw. Ac ar ôl i mi orffen gweiddi rwbath tebyg i 'helpwch fi!' yn Gymraeg, Saesneg, Ffrangeg ac Eidaleg (achos mai dim ond yn yr ieithoedd hynny o'n i'n cofio be i'w ddeud), ddaeth 'na neb yno er gwaetha fy holl dwrw. Felly, rhag i mi gynhyrfu mwy, dyma fi'n mynd yn fy ôl i ista ar y crwndwll. A dal i neud fy ngora glas i gadw mhanic draw roeddwn i am hydoedd – drwy drio adrodd a chofio darnau o farddoniaeth Gymraeg a sawl araith Saesneg o Shakespeare a Dylan Thomas, canu caneuon Ffrangeg ddysgodd Miss Jones French i ni yn 'rysgol, a gweiddi detholiad o ymadroddion Eidaleg o'r *Italian phrasebook* oedd yn fy mag-llaw – a hynny i gyd ar dop fy llais.

A weithia, yng nghanol hyn i gyd, mi o'n i'n neidio odd'ar y crwndwll, wedi cynhyrfu'n lân, ac yn bangio a waldio'r drws a gweiddi, 'Fi ydy Strempan ddrwg o dwll y mwg, a dwi'n mynd i waldio'r blydi drws 'ma nes daw 'na rywun i f'achub i!' Ond ro'dd y synau o'n i'n neud yn da i ddim, achos doedd 'na neb yno i'w clywad nhw. Yr unig bwrpas iddyn nhw oedd bod yr holl berfformiada yn y ciwbicyl yn cadw fy mhanic draw. Felly dyma fi'n dal ati i ganu, adrodd ac actio rhag i mi gael caethdra. Ma'n rhaid mod i wedi llwyddo, achos 'nes i ddim mygu.

Erbyn hynny, ro'n i'n sefyll ar sêt y crwndwll yn sylweddoli ei bod hi'n prysur fynd yn nos arna i, yn 'llefaru' a chrochlefain llinellau agoriadol 'Madog' T. Gwynn Jones, gan ddal ati i neud unrhyw beth i osgoi meddwl am y posibilrwydd o gael caethdra a mygdod, ac yn gweiddi'n amharchus nerth esgyrn fy mhen:

Wylai cyfeiliorn awelig yn llesg yn yr hesg a'r llwyni,
Nos, dros y bryniau dynesai, dydd, ymbellhai dros y don;
Mwyn ydoedd glannau Menai, a'r aur ar Eryri yn pylu,
Su drwy goedydd Caer Seon, Môn yn freuddwydiol a mud.

A dyma ddrws y lle chwech yn agor led y pen! O'n i'n hollol syfrdan, ac yn teimlo'n rêl ffŵl! A'r funud honno, pan o'n i'n bell iawn o fod yn 'freuddwydiol a mud', mi sgrechis i, 'O, he-e-e-e-elp!' dros y lle.

Ac yno, o mlaen i, hefo horwth o sgriwdreifar yn ei law, yn edrach yr un mor syfrdan ag o'n i'n edrach arno fo, o'dd 'na ddyn tal mewn ofarôls swyddogol. A thu ôl i hwnnw, yn gegrwth i gyd, o'dd 'na griw o ferchaid o bob lliw a llun – wedi ymgynnull, mae'n siŵr, i weld be o'dd yr 'anghenfil' gorffwyll oedd yn gwneud pob matha o synau tu ôl i ddrws un o'r ciwbycla oedd yn cau agor.

O! Mam annw'l, o'dd gen i g'wilydd! Achos mae'n amlwg fod y merchaid wedi dŵad i mewn i'r lle chwech marmor mawr heb i mi'u clywad nhw, am mod i'n gneud cymaint o dwrw. Doedd gen i ddim Eidaleg, felly fedrwn i ddim egluro pam ro'n i wedi bod yn gweiddi canu a 'ballu, ond ro'dd hi'n amlwg i bawb fod y drws wedi torri, a finna wedi bod yn gaeth yna. Felly, mi neidis i oddi ar y crwndwll, gan fwngial fy niolch heb godi mhen, a ngwynab i'n goch gan gywilydd.

Rhedais o'na fel cath i gythral, wedi ca'l fy rhyddhau o fy hunllef o'r diwadd, gan adael y dyrfa wrth y drws yn rhythu'n syn ar fy ôl! Pan ddois i o hyd i Emrys, yr unig beth o'dd gin hwnnw i'w ddeud wrth i mi ddechra egluro be o'dd wedi digwydd oedd:

'Paid â deud dim. Es di'n sownd eto, ma' siŵr, do?'

Fedrwn i ddeud dim byd mwy wedyn – mond cytuno efo fo!

Tagfa Draffig! – dwy ochr i bob ceiniog

'Tydi hi'n rhyfadd fod sefyllfa o gaeth gyfla neu drafferth yn cael ei henwi ar ôl bwydiach? Picil oedd hwnnw yn Milan, a jam 'di hwn dwi am sôn amdano nesa. Traffig-jam s'gen i dan sylw. Mae 'na ddwy ochr i bob ceiniog, a dwy ffordd o feddwl mewn jam. Naill ai dach chi'n mynd i dorri'ch calon ynglŷn â'r peth a gwylltio, neu styried y broblem o ongl hollol wahanol – drwy fod yn amyneddgar a derbyn y sefyllfa, drwy aros i'r cyfnod annifyr fynd heibio.

Cymerwch chi Emrys fy ngŵr, er enghraifft. Un tro, roedd o'n sownd mewn Tagfa Draffig Arbennig – ar ben un o fynyddoedd uchaf Ffrainc! Na, doedd o ddim mewn car, ond mewn car cebl, yn aros ers hydoedd, yn un o res o geir cebl oedd mewn ciw, yn disgwyl i fynd i lawr odd'ar mynyddoedd yr Alpau. Doedd 'na neb yn gallu eistedd yn y car cebl achos roedd o'n rhy lawn. Roedd pawb yn sefyll yn agos, agos i'w gilydd – fel sardîns mewn tun, a phawb wedi 'laru aros yn y fath fodd, a'r rhan fwyaf wedi dechrau mynd yn flin. Doedd 'na ddim llawer yn medru torri gair â'i gilydd, achos mi roeddan nhw i gyd yn dod o wahanol wledydd, ac yn siarad ieithoedd gwahanol.

O'r diwedd, dyma blwc go sydyn ar y ceblau uwchben, a'r caban bach gwydr yn dechrau symud a mynd i lawr y mynydd. Ond yn anffodus, wrth i'r car cebl roi rhyw jyrc go hegar, dyma Emrys yn colli ei falans ac yn sathru traed rhyw Ddyn Mawr Blin oedd wrth ei ymyl, gan beri i hwnnw ei regi a'i felltithio mewn iaith oedd yn estron i Emrys. A wir i chi, er na allai fy ngŵr weld y dyn yn iawn, gan na fedrai droi rownd oherwydd y wasgfa sardîns, gallai daeru bod y Dyn Mawr Blin wedi poeri yn ei glust o! Gwylltiodd Emrys a chodi ei ddyrnau, yn barod am ffeit!

Ond cyn iddo fo lwyddo i roi swadan sylweddol i'r Dyn Mawr Blin, roedd hwnnw wedi poeri i mewn i'w glust o eto! Yn rhyfedd iawn, roedd y bobol o amgylch Emrys wedi dechrau chwerthin . . . a chwerthin . . . a chwerthin! Gostyngodd y Cofi Cŵl (sef fy ngŵr i) ei ddyrnau. A phan lwyddodd i droi i weld be'n union oedd yn bod, mi welodd o gi pwdl bychan ym mreichiau merch ifanc. A sylweddolodd yn y fan a'r lle mai'r pwdl fu'n llyfu ei glust o!

A'th 'na don o ryddhad rownd y tun sardîns, achos mi roedd pawb wedi sylwi ar y ddrama fach yna – a phawb wedi bod yn dal eu gwynt rhag ofn eu bod nhw am weld ffeit, neu *cable-car rage*! Ond ddaru nhw ddim, diolch byth!

Mewn chwinciad chwannen felly, roedd yr awyrgylch o fewn y car cebl wedi newid – o dyndra sinistr i ddoniolwch llwyr, ac erbyn hynny roedd pawb yn siarad ac yn gwenu ar ei gilydd, er eu bod nhw i gyd yn annifyr o anghyfforddus ac yn sownd fel sardîns mewn tun. Ro'dd hiwmor a chyd-chwerthin wedi dŵad a thwristiaid o bob gwlad dan haul yn ffrindia – dros dro o leia – a phawb yn cydnabod ei fod o'n brofiad annifyr iawn bod yn sownd mewn lle cyfyng. Ond be o'dd ots mewn gwirionedd, achos mi roeddan nhw i gyd yn medru bod yn amyneddgar efo'i gilydd, ac yn medru cyd-weld yr ochor ola i betha.

Fel dwedais i, mae 'na ddwy ochor i bob ceiniog. Ynghanol ciwiau goleuada ffordd, tagfeydd y gwylia, traffig trwm a chiwiau mwdlyd y Sioe Amaethyddol, a phrysurdeb y Steddfod Genedlaethol, er enghraifft – 'sa'n well i ni gyd drio canolbwyntio ar yr ochr olau, orau i'r geiniog, yn basa?

Ma' 'na Ddwy Ochor i'r Stori!

Pan oedd Emrys yn hongian yn y car cebl hwnnw aeth yn sownd yn yr awyr ym mynyddoedd yr Alpau rhwng Ffrainc a'r Swistir wrth ddŵad 'nôl i lawr o gopa Mont Blanc, mi ro'n i yn fy nagra mewn caffi yn Chamonix. Achos o'n i wedi trefnu i fynd ar y trip hwnnw hefo ngŵr, ond ches i ddim mynd, ac o'dd Emrys mor hir yn dŵad yn ôl i lawr, o'n i'n meddwl yn siŵr ei fod o wedi cael damwain!

Ar ein gwylia yn yr ardal honno roeddan ni, a'r ddau ohonon ni wedi bod yn ciwio i fynd ar y car cebl, fel ma' twristiaid yn ei neud yn y canolfannau mynydda yn Ffrainc. Ac wrth i ni dalu, mi sylwodd y dyn yn y swyddfa docynna mod i'n dal fy mhwmp *asthma* yn fy llaw. Mi ges i fy ngwahardd rhag mynd i fyny yn y fan a'r lle, rhag ofn i mi fynd yn sâl am fod yr aer yn teneuo yn yr uchelfannau. Does 'na ddim llawer o ocsigen ar y copaon. Yn amal iawn, mi fydd pobol sy'n diodda o'r caethdra, fel fi, yn methu anadlu mewn ffasiwn le. Felly mi grwydrais strydoedd Chamonix, o gaffi i gaffi, o siop i siop, i'r amgueddfa a 'nglwys, a 'nôl hyd y strydoedd ... am oria ... ac oria!

Doedd 'na ddim golwg bod Emrys wedi cyrradd 'nôl i lawr, a doedd ganddon ni ddim ffônau symudol amser hynny, felly mi es i i holi amdano fo yng ngorsaf y ceir cebl, ond dydy fy Ffrangeg i ddim cystal ag y dylia fo fod!

Yn ddagreuol, mi driais i egluro mod i ofn bod rwbath wedi digwydd i ngŵr i. Ond 'nes i ddim llwyddo'n dda iawn, ma' raid, achos mi feddyliodd pawb ei fod o ar goll ar y mynyddoedd yn rwla! Roeddan nhw ar fin anfon criw achub i fynd i chwilio amdano fo, pan gyrhaeddodd y car cebl yr orsaf tua dwyawr neu dair yn hwyr!

A diolch byth, doedd Emrys ddim mymryn gwaeth – mond ei fod o wedi cael anffawd efo pwdl tra oedd y car cebl yn sownd. Wedyn mi aethon ni'll dau am banad i mi gael clywad ei stori ddigri am 'Y Dyn Mawr Blin a'r Pwdl Bach Annw'l'!

Y Peth Prydferthaf yn y Byd

Tra mod i'n sôn am Emrys, dyma enghraifft i chi o falu awyr, neu falu ar yr awyr. Gofynnodd cynhyrchydd BBC Radio Cymru flynyddoedd maith yn ôl i mi siarad am ddau funud am 'Y Peth Prydferthaf yn y Byd', sef rhywbeth roeddwn i'n bersonol yn ei styried yn berffaith hardd a thlws. Y bwriad, mae'n siŵr gen i, oedd i mi fod yn ddoniol a ffraeth, ond methais yn glir â meddwl am rywbeth doniol i'w ddweud. Doedd y teitl ddim yn fy sbarduno fi i fynd i'r cyfeiriad hwnnw, a pheth anodd iawn ydi bod yn ddoniol drwy'r amser. Dwn i ddim ai hyn oedd y cynhyrchydd hwnnw isio, ond dyma ddarlledwyd:

Machlud haul uwchben y Fenai, eirlysiau'n mentro ymddangos er gwaetha oerni'r gaea, briallu ym môn y clawdd, esgyrn eira ar Eryri yn pefrio yn y pyst dan haul y machlud, gwefr ar wyneb diniwed plentyn bach . . . Ma' gofyn i mi sôn am 'Y Peth Prydferthaf yn y Byd' a neidiodd yr uchod i gyd yn blith draphlith i flaen fy meddwl. Ond dacia las ulw! Dria i beidio mor ddifrifol. Dyma ailystyried felly.

Ymmm . . . reit 'ta . . . wyddoch chi be ydy cragen Iago, *cowrie shell* yn Saesneg? Cragen fechan fach, fach ddowch chi o hyd iddi weithia yng nghanol y graean ar draethell ar lan y môr. Un wen ydy hi, neu ryw liw pinc gola gan amla – a hollt ddofn drwy'i chanol hi. Ma' hi'n beth dlws ryfeddol, yn berffeithrwydd bychan bach, yn gywreinrwydd gwyrthiol ar gledr llaw. Un o'r petha prydferthaf yn y byd. Eto i gyd, dydy hi ddim yn beth digri . . . hmmm. Y peth prydferthaf yn y byd – dwi jest ddim yn medru cyplysu rwbath 'prydferth' hefo rwbath 'digri'. A! Mi dria i eto. Dyfalwch 'ŵan am be dwi'n meddwl. Ro' i gliw i chi: mae gen i rwbath tebyg i gragen Iago. Ond un fawr binc, lawn, gron sydd gen i! Ac mae gan fy ngŵr i un hefyd. Ma' gan bawb un: chi, fi, fo, fe – pawb. A ma' nhw'n betha digon diddorol.

Fydda ngŵr i byth yn medru byw heb ei un o. Na finna heb f'un inna. Fedra neb, mewn gwirionedd, fyw heb un. Wedi'r cwbwl, 'dan ni'n ista arnyn nhw ryw ben bob dydd! Ma' gan fy ngŵr i flew bach duon yn tyfu o bobtu'r hollt sy yng nghanol ei un o, ond ella nad oes gan neb isio clywad am hynny. Mi fydda i fy hun yn hoff iawn o roi pinsiad slei i'w 'glustog' gron o yn awr ac yn y man. Dach chi'n gwbod be sgin i?

Ia, meddwl yn ddi-chwaeth a phlentynnaidd am ben-ôl rydw i! Un fy ngŵr, i mi, ydy'r peth prydferthaf yn y byd. A chyn i neb gwyno mod i'n wamal a gwirion. Ymddiheuriadau am fy ngeiriau coman! Fi mewn gwirionedd oedd yn methu cyplysu rhywbeth 'prydferth' hefo rhywbeth 'doniol'. Dyd hiwmor a chomedi ddim yn hawdd i'w sgwennu bob tro.

Eliffant Mowr Mericia
(i'w darllen mewn acen Cofi Dre)

Ma' bob dim yn fowr yn Mericia
'cos ma' Mericia'n fwy na Wêls,
ma' Tŷ Gwyn yn fwy na Cynulliad,
a ma' chwain nhw 'run faint â snêls!

Un tro, o'dd gin Mericians eliffant
o'dd yn dis-gys-ting o fowr:
o'dd bol fo mor grwn a mor llydan,
o'dd 'geillia fo'n llusgo 'rhyd llowr.

Mewn sw o'dd cradur 'ma'n cysgu,
ginno fo cipar i gyd i' fo'i hun
o'dd yn gwarchod a ffidio'r eliffant
a cau gadal neb dynnu'i lun.

A'th eliffant sw yn sâl, ia,
'im yn byta 'im byd, mond rhoi sgrech
'chos o'dd cradur mowr tew wedi rhw'mo –
methu pibo, na taro 'run rhech!

O'dd eliffant druan mewn po'n, ia,
yn r'wlio rownd caij am wsnosa,
a cipar fo 'im clem be i' neud:
o'dd fo'n *hot-air* balŵn efo cwysa!

O'r diwadd, ddo'th ffariar i sw, ia,
efo *laxatives* beison a hipo
a deud w'th y cipar bo' rhaid i fo
roid ffisig 'ma lowr 'i gorn-clac fo.

'Ŵan, o'dd cipar yn meddwl y byd o hwn,
a 'nuso fo drio a trio a trio,
ond er rhoid ffisig i eli-ffant –
do'dd *laxatives* hipo 'm yn gw'ithio!

'Cos o'dd eliffant dal fel balŵn fowr, fowr
a'n sgerchian mewn po'n dros bo' man!
'Lly ma' cipar yn gafal yn ffisig ffwl sbid,
a rhoid cwbwl lot lowr – *all in one*!

Ar'go! Ga'th eliffant gy-thral o sioc:
a â'th sdagins fo'n andros o fowr;
a mewn dau funud, mi darodd o rech
nes chwthodd o'r cipar i'r llowr!

A cyn i cipar fydru symud o ffor',
mi suthodd y corcyn yn 'gorad!
Fel ergyd o wn, dyma eliffant mowr
yn pibo dros llowr, a dros parad!

Un gwagiad, ac o'dd cwt fo yn llawn,
A sw 'di cyhoeddi: 'DISASTAR!'
O'dd cipar yn slwj ar waelod y cwtsh –
'di'i gladdu, 'di mygu – yn gonnar!

Ma' bob dim yn fowr yn Mericia:
bob ogla, bob eliffant, bob cach . . .
Gesh **i** fy ngneud yn Mericia –
Sut goblyn dw **i** mor FACH?!

Erbyn y cyfnod y sgwennis i'r gerdd yma, mi roeddwn i wedi deall mai rhyw fath o ganu maswedd, neu farddoniaeth fudur, o'dd yna'n amal iawn mewn Stomp. Felly ma' 'Eliffant Mowr Mericia' braidd yn bethma – ac os ydach chi'r darllenydd yn gwrthwynebu peth felly, ymddiheuriada – a jest trowch y dalennau, a darllan rwbath dipyn bach callach . . . o fymryn.

Yr ateb i'r cwestiwn yn llinell ola'r gerdd ydy: er mod i wedi nghenhedlu yn Oregon, welais i erioed mo'r lle gan mai yng Nghymru ges i ngeni. Dwi rioed wedi bod yn Mericia!

Mi ddois i ar draws stori'r eliffant ar y we wrth chwilio am stori ddoniol pan o'n i'n gweithio ar raglen *Kev a Nia* stalwm ar Radio Cymru. Sgwennais y 'gerdd' ar gyfer Stomp yn Galeri, Caernarfon, ddiwedd Chwefror 2009.

Derbyniad llugoer iawn gafodd hi . . . ond mi enillis i stôl mewn Stomp arall un tro hefo'r gerdd 'Dan Car'. Ma' honno'n rhy anweddus i'r gyfrol hon, ond cafodd ei chyhoeddi yn *Stwff y Stomp 2* gan Wasg Carreg Gwalch ym Mawrth 2008, a hefyd yng nghyfrol *Hiwmor y Cofi* Dewi Rhys (Gwasg y Lolfa, 2009). Penderfynodd Dewi Rhys ddiweddaru rhywfaint ar 'Dan Car' ar gyfer ei gyfrol o, a'i gneud hi'n fwy anweddus fyth!

Copsan ar Gopa!

Sôn am eliffantod: fydda i'n meddwl yn amal wrth fynd am dro ac edrach i gyfeiriad mynyddoedd Eryri fod 'na enwau diddorol arnyn nhw. Cym'wch Fynydd yr Eliffant. Ma'n siŵr ei fod o wedi cael yr enw yna am ei fod o'n fynydd 'run siâp â'r anifail hwnnw. A beth bynnag, dwi'n meddwl ma' Mynydd Grug ydy ei enw iawn o, achos dwi 'di hel llus arno fo sawl gwaith. Ond dwi'n cofio fy Yncl Wiliam Huw, o'dd yn brifathro dros y ffin yn Llwydlo erstalwm, yn dŵad â chriw o blant o'i ysgol yn Lloegr i weld ein mynyddoedd ni. Ac er mwyn iddyn nhw gael rhyw glem sut brofiad oedd bod yng nghanol ucheldir Cymru, mi a'th f'ewyrth â'r plant i gerdded ar Fynydd Grug. Doedd 'na fawr o siâp cychwyn ar y criw i ddechra, ond unwaith ddeallon nhw ma' 'Elephant Mountain' oedd enw'r mynydd oeddan nhw i fod i'w ddringo, mi sgrialon i fyny mor gyflym â phosib – i ddal yr eliffant mawr gwyllt o'dd yn byw ar y copa!

Pen Llithrig y Wrach, Castell y Gwynt, Carnedd y Filiast, Cegin y Cythraul – neu Dwll Uffar' ar lafar, a Moel Pen Olau – mi ddringodd Emrys a finna'r rheina i gyd, a llawar mwy, erstalwm. Dydan ni ddim yn mynydda'r dyddia yma am fod ei benaglinia fo 'wedi mynd', ond pan fydda i'n gyrru nghar drwy fwlch Llanberis, fydda i'n rhoi cipolwg ar y copaon yn falch, ac yn meddwl,

'Iesgob, dwi 'di bod ar ben rheina i gyd!'

A sôn am Foel Pen Olau, ges i anffawd ar ben Moel Siabod un tro. Gyda llaw, does 'nelo'r Pen Olau ddim byd â Siabod, achos mae'r cynta yn ardal Harlech, a'r llall yma yng nghyffinia Eryri. Enw Moel Pen Olau atgoffodd fi o'r tro trwstan hwnnw ges i ar Siabod am ei fod o'n gneud i mi feddwl bob tro am res o benolau moel yn pefrio yng ngolau'r haul, 'run fath yn union â f'un i ar ben Moel Siabod pan aeth 'na fyddin heibio!

Roedd y diwrnod hwnnw'n un poeth iawn, ac roedd y ddau ohonon ni wedi bod yn cerdded am amser go lew: cychwyn o Bont Gyfyng, heibio Llyn y Foel, lle cafon ni bicnic, ac yfed lot o ddŵr am ein bod ni'n chwysu cymaint yn y gwres. Wedyn, ar ôl i ni orffwys digon i deimlo'n sionc unwaith eto, dyma ni'n ailafael yn y cerdded.

Pan oeddan ni ar ganol dringo'r Ddaear Ddu ar ein pedwar – achos dyna'r ffor' arferol o'i dringo, *sgramblo* ma' nhw'n ei alw fo – dyma fi'n cael galwad. Ac nid galwad ffôn mohoni. Doedd ganddon ni ddim ffonau symudol bryd hynny, beth bynnag. Ond galwad natur ges i, a finna'n hongian ar glogwyn heb raff na dim i niogelu fi. Iesgob! O'n i bron â byrstio isio gneud dŵr! A dyma Emrys yn deud:

'Tria ddal nes 'nei di gyrradd y copa!'

'O'n i'n gneud fy ngora. Ma' hi'n anodd iawn canolbwyntio ar ddim pan dach chi wirioneddol isio 'mynd' – heb sôn am 'stachu i ddringo mynydd ar eich pedwar! Ond mi lwyddis i yn y diwedd, nes o'dd y chwys yn trybowndian i lawr fy ngwynab fel 'sa 'na gwmwl glaw wedi tywallt ei gynnwys am fy mhen!

Y peth cynta o'dd raid i mi'i neud y funud honno oedd dod o hyd i greigan neu goedan i guddio tu ôl iddi, achos mi roedd copa Moel Siabod yn foel iawn, a deud y lleia. Fedrwn i weld neb yn unlla. Ond er bod Emrys yn gwbod yn iawn mod i mewn cyfyng-gyngor, doedd o'n gneud dim byd i fy helpu. O'dd o jest yn synfyfyrio draw i'r pellter, yn mwynhau gweld y golygfeydd godidog wrth sefyll ar y copa.

'Helpa fi'r twmffat!' medda fi wrtho fo'n flin. 'Rhaid mi ffendio lle o'r golwg, 'cofn i rywun 'y ngweld i. Fedra i'm gweld nunlla i guddiad!'

''Drychodd fy ngŵr o'i gwmpas, ac yn sydyn, mi bwyntiodd at lecyn bach tu ôl i greigan.

'Fan'na!' medda fo. 'Cer i biso i fan'na – welith neb chdi!'

A dyna 'nes i, yn ddiolchgar . . . nes clywis i Emrys yn mwngial dan ei wynt:

'O blydi hel!'

A wedyn dyma fo'n deud, 'Brysia, Mâr, dal dy ddŵr, brysia!'

'Fedra i'm gneud dim cynt, siŵr iawn!' me' fi. 'Be ti'n feddwl ydw i – camal?'

Fedrwn i wir ddim 'rafu'r llif, ac yn sydyn reit, clywais fonllef, rhyw 'Hwrê!' fawr, a phobol yn curo dwylo a chymeradwyo'n frwdfrydig iawn, iawn.

'O, diar,' medda Emrys. Ond mi ro'dd y cena yn ei ddybla'n chwerthin!

Yn naturiol ddigon, llwyddais i roi corcyn ar weddill fy mhistyll, a llusgo fy nillad amdana rwsut-rwsut, achos yn amlwg o'dd 'na rwbath mawr o'i le! Wrth droi ac edrych i gyfeiriad lle roedd fy ngŵr yn syllu, be welwn i, yn sefyll yn un rhes, yn chwerthin a churo dwylo am eu bod nhw wedi bod yn 'studio fy Mhen Ola i, ond giang o ddynion mewn lifrai soldiwrs, yn amlwg yn ymarfer yn Eryri!

Dwn i ddim hyd y dydd heddiw os gnath Emrys chwara tric arna i, ac amneidio ar y fyddin i ddŵad heibio. O'i nabod o a'i ddireidi, synnwn i ddim o gwbwl!

Gneud y Pethau Bychain

O'dd Erin a Darren i fyny'n llofft gefn,
yn swsian yn twllwch, a'n tuchan,
'chos o'dd rhywun 'di deud bo' Dewi 'di deud
bod powb fod i neud Petha Bychan.

So mi fytodd y ddau *dolly mixtures* a mêl
a bownsio 'tha io-ios hyd lle;
mi landiodd Darren yn llyffant ar llawr
nes bo'i din o yn 'nelu am ne'!

'Hei!' medda Erin, 'ty'd 'nôl i fan hyn –
ma' rwbath yn rhyfadd yn rŵm 'ma!
Ma' 'na ogla ofnadwy yn llofft gefn, Darr –
a dim fi sydd yn drewi odana!
Fedra 'run o'r ddau wedyn feddwl am ddim
'chos o'dd 'rogla 'n llofft yn drybola,
a do'dd 'na'm posib 'nhw neud petha bach –
yn fath ddrewdod . . . so danion nhw'r gola.

O'n nhw isio gweld be o'dd matar yn rŵm:
o'dd 'na wbath dan gwely 'di marw,
ac wedi bod yno yn pydru ers tro
heb 'nhw wbod, a'n drewi, yn arw?

Mi sdagiodd y ddau ar ben wardrob cyn dim,
a mi welson nhw ddesgil fowr ffansi –
ben i lowr ar blât go nobl oedd hi;
deud gwir, o'dd nhw'n orniments swanci.

Yn sydyn, dyma'r plât a'r ddesgil *antique*
yn s'mudyd o'r chwith draw i'r dde,
a wedyn yn syth, a'th nhw'n ôl am y chwith
a mynd rownd, yn y fan a'r un lle!

Syth bìn, nath y plât a'r ddesgil *antique*
wibio eto, o'r chwith am y dde!
'W-o-o-o, ysbryd 'dio, Darr!' medda Erin, rêl iâr,
'fo sy'n drewi – i seithfad ne'!'

'Ysbryd o ddiawl!' medda Darren yn syth,
'Peth dal caws Anti Mable 'di rheina;
ddeng mis yn ôl, roth nhw'n bresant i ni
cyn 'ddi farw, a'i heglu hi o'ma.'

155

'O'na gaws glas dan honna ddeng mis yn ôl!
Dim rhyfadd bo' rŵm 'ma yn drewi:
Stilton sy'n cerddad fel ysbryd ar draed
a'n gneud petha bach dydd Gŵyl Dewi!'

Mi 'gorodd Erin ffenast led pen
i madal â'r ogla gynddeiriog,
a fentrodd Darr godi'r clawr o'ddar plât
ac a'th Stilton o'na – yn dalog!

Mi fowndiodd drw' ffenast fel 'tai o ar sbrings,
a sdrêt, dyma'r ogla'n diflannu!
Wel, a'th Erin a Darren 'nôl i ga'l sws
ar ôl madal â'r caws o'dd 'di madru.

O'dd y *dolly mixtures* yn flasus iown, iown
ar ôl 'nhw ga'l madal â'r drewdod;
o'dd y ddaear yn codi ar ddiwadd bob *sweet*
a'r 'gneud petha bach' yn rhyfeddod!

Sgwennais hon ar gyfer Stomp Gŵyl Ddewi yng Ngaleri
Caernarfon yn 2009 – i'w darllen, fel arfer, yn acen y Cofi. Y
syniad tu ôl iddi oedd rhyw stori ddarllenais i mewn
cylchgrawn am ffrindia un o actoresa enwog Lloegr yn cael
caws Stilton mewn *cheese bell* yn anrheg Dolig, a doedd
ganddi ddim stumog i'r caws glas hwnnw, felly mi luchiodd
hi'r cwbwl ar ben wardrob, a'u hanghofio – tan iddi sylwi
bod y caws wedi pydru a dechra 'cerddad'!
    Yn ddiweddarach, mi roedd 'na gwpwl ifanc yn priodi, ac
mi addasais i hi ar gyfer y ddau.

Gneud petha llai fyth … a cha'l fy mygwth!

A sôn am neud petha bach, ma' hi'n bur debyg ei bod hi'n reit amlwg i bawb sy'n fy nabod mod i wrth fy modd yn gneud petha llai fyth! Petha fel syllu ar forgrug sy'n brysur wrth eu gwaith, neu ar dderyn yn bwydo'i gyw, neu ar neidr ddefaid yn croesi'r ffordd o mlaen i. I mi, ma' petha fel'na yn wefreiddiol, a deud y lleia.

Ar wylan fôr roeddwn i'n edrach y tro hwnnw yr a'th petha o chwith i mi. Ac ro'n i wedi dotio ati, achos dim ond un llygad o'dd ganddi, ac mi ro'dd hi'n giamstar ar oresgyn pob anhawster, er gwaetha'r ffaith ei bod hi dan anfantais ac yn byw mewn byd creulon felltigedig: Byd Natur, lle ma'r treiswyr fel arfar yn ennill ac yn lladd y gwan a'r anabal er mwyn sicrhau bod y cryfaf o'r hil yn goresgyn, wrth gwrs. Dyna sy'n digwydd fel arfar yn ôl y drefn.

Beth bynnag, ro'n i'n edmygu'r hen wylan yma'n fawr am ei dewrder yn sefyll ei thir, dim ots pa dderyn neu greadur arall fydda'n 'mosod arni, a hitha'n wylan efo mond un llygad.

Mi fyddwn i'n arfer gyrru i Fiwmares i edrach amdani bob hyn a hyn, achos fan'no roedd ei lle hi. (A hyd y gwn i, ma' hi'n dal yno o hyd – yr hen sguthan bowld iddi!)

Un d'wrnod glawog, pan o'n i wedi parcio nghar yn un o'r llefydd pwrpasol wrth ymyl tai bach Biwmares, ac yn byta *panini* blasus, mi ddaeth yr wylan un-llygeidiog o rwla, a glanio'n dalog ar fonat fy nghar. Wrth gwrs, mi ro'n i wrth fy modd yn arsylwi arni'n troi ei phen bob siâp er mwyn iddi ga'l fy studio fi'n iawn hefo'i hunig lygad. Ac mi ro'n inna'n mwynhau ei studio hitha ar y pryd, ac yn cael modd i fyw wrth fyta'r *panini* a gweld y deryn ddim ond o bellter hyd braich oddi wrtha i.

Yn sydyn, dyma'r hen wylan yn dechra curo ffenast fy nghar, achos ro'dd hi 'di ffansïo fy nghinio fi, mae'n amlwg.

Ond fedrwn i'm rhoi tamad iddi, achos o'dd 'na arwydd plaen yn y lle hwnnw ym Miwmares bryd hynny yn deud y cawsach chi ddirwy o £200 am fwydo gw'lanod.

'Sorri, 'machi,' medda fi wrthi, am mod i biti drosti, 'chei di'm tamad, neu beryg i mi ga'l ffein.'

Nefi wen! 'Swn i'n taeru ei bod hi wedi fy nallt i'n iawn, achos mi ddechreuodd 'mosod ar fy winsgrin i fel peth ddim yn gall. Do'dd gynna i'm dewis wedyn ond tanio'r car, a refio. Ond do'dd dim byd yn tycio, achos ro'dd yr wylan yn 'mosod ar y car yn y modd mwya ffiaidd. O'dd gynna i ofn iddi frifo – ac ar yr un pryd, o'n i ofn iddi falu'r gwydr!

Felly, mi wasgis i fotwm y dŵr a sebon, a llwyddo i drochi'r hen wylan nes nath hi ymbellhau am funud neu ddau yn ei syndod, ac mi gladdis inna'r *panini* yn un gegiad fawr, er mwyn iddi weld nad oedd gen i ddim bwyd o gwbwl ar ôl. Ond diawch! Erbyn hynny, mi roedd yr wylan wedi myllio'n llwyr, a dyma hi'n dŵad ar ras, a dechra pigo ffeit efo'r weipars!

Wel dyna ni, Natur ydy Natur, ac mi ymunais i yn y ffeit, a phwyso'r botwm dŵr a sebon eto – a thanio'r weipars nes eu bod nhw'n symud o ochor i ochor mor wyllt â phosib. Ond ddaru'r wylan ddim cymryd y goes na dim; os rwbath, a'th hi'n saith gwaeth, a 'mosod yn ddidrugaredd ar y weipars!

Ac ma'n gwilydd gin i ddeud mod i wedyn wedi 'stachu drw' mhocedi, ac wedi dŵad o hyd i hen Crunchie stêl, ac wedi rhwygo'r papur lapio i ffwr' odd' arno fo, a'i daflu'n sydyn drw'r ffenast at yr wylan, gan weiddi: 'Cym' hwnna'r hen sgryfillan farus!' a chanu nghorn ac ysgwyd fy nwrn arni, gan ddiolch dan fy ngwynt nad o'dd 'na neb o gwmpas yng nghanol y glaw mawr i ddal sylw arna i'n ca'l ffeit efo gwylan!

Llyncodd yr abwyd yn un darn, yn union fel 'sa fo'n bysgodyn, a dŵad yn ei hôl i chwilio am fwy yn syth! Erbyn hynny, o'n i 'di ca'l mwy na ddigon. Dyma danio'r car yn reit sydyn, a mynd o'na am adra gynta medrwn i. Taswn i'n gi, fasa nghynffon i rhwng fy nghoesa.

Ro'n i'n teimlo'n rêl llo am mod i wedi bod mor llywaeth – a bod hyd yn oed gwylan fôr wedi medru cael y gora arna i. Trechaf treisied, myn brain. Dim rhyfadd bod 'na ddirwy i'w gael am fwydo gwylanod!

Y Gath a'i Phroblem

Ma' 'na rwbath 'di digwydd
   i gath John a Meri:
ma' hi'n cerddad hyd lle
   'fo sosej yn 'i thin hi.

Nid un bychan mohono –
   naci wir – mae o'n jymbo!
A ma'r gath yn methu dallt
   pwy rhoddodd o yno!

Bai Meri ydy'r cwbwl
   'nôl Blod, y drws nesa:
o'dd Meri isio *sex*,
   'lly mi brynodd Viagra.

Mi gratiodd hi'r bilsan
   ar frecwast 'rhen Johnny
nes neidiodd ei sosej o
   ddwy lath i fyny,
gan dorpidio fel bwlad:
   welwyd dim byd o'r fath –
pan saethodd o'n sydyn
   i dwll tin y gath!

A'th y gath ddu yn lloerig,
   yn ddwl wirion bost;
ac mi driodd yn deg
   ga'l *sex* efo'r tost!

Wel, o'dd Blod wedi myllio
   am fod John a Meri
mor greulon wrth gath –
   yn rhoi sosej yn ei thin hi!

A'th Blod draw i ddwrdio
   a blagardio yn siort;
a'th â'i chi efo hi
   fel *moral support*!

'O, ych a fi!' wfftiodd Meri
   am fod Blod yn rhegi:
'Ma' honna yn bla,
   ac ma' hi'n cega'n llawn coegni!'

A'th ci Blod i gythru
   tin y gath efo'r sosej,
a haliodd o – 'POP!' –
   o ganol y *back passage*.

A llyncodd y jymbo
   yn un, heb ddim traffarth;
mewn munud neu ddau,
   ddechreuodd o gyfarth.
O'dd y sosej, wrth reswm,
   yn llawn o Viagra;
A dyma'r ci'n *vibratio*
   nes bo'i llgada fo'n ddagra.

A mowntiodd ei fistras
   heb falio'r un ffeuan,
nes trodd Miss Blodeuwedd
   mewn fflach – yn dylluan!

(O'dd honna yn gainc
   droth braidd yn *kinky*;
ga'th hi'i hepgor yn llwyr
   o'r gwir Fabinogi!)

OND! Be ddaru ddigwydd
   i gath John a Meri?
Ailenwyd hi'n Gwydion . . .
A 'sna'm sosej yn 'i thin hi!

Ar gyfer Stomp Glanmai yng Nghanolfan Cae'r Gors 2009 sgwennis i hon. Dwi'n falch o ddeud mai celwydd noeth ydy hi: mond addasiad o jôc, a chydig bach o rwdl.

Dyma chydig mwy o rwdl y bydd plant o bob oed (neu ffermwyr ifanc neu glybiau rygbi ac ati) yn ei chanu hefo fi am hwyl yn ystod tymor y Nadolig. Mae'n fwy o hwyl fyth os caiff ei pherfformio fel cân actol!

Fferm Siôn Corn
(Alaw – 'Old MacDonald had a farm')

Roedd gan Siôn Corn fferm go lew – i-ai, i-ai, o,
ac ar y fferm, roedd ganddo GEIRW – i-ai, i-ai, o,
   (SŴN BREFU) hefo yyy! fan hyn, ac yyy! fan draw,
yyy-yyy-yyy-yyy ar bob llaw –
roedd gan Siôn Corn fferm go lew – i-ai, i-ai, o!

Roedd gan Siôn Corn fferm go lew – i-ai, i-ai, o,
ac ar y fferm, roedd ganddo HYSGIS – i-ai, i-ai, o,
(SŴN UDO) Hefo y-ww! fan hyn, ac y-ww! fan draw,
y-ww! y-ww! y-ww! y-ww! ar bob llaw –
roedd gan Siôn Corn fferm go lew – i-ai, i-ai, o!

Roedd gan Siôn Corn fferm go lew – i-ai, i-ai, o,
ac ar y fferm, roedd TWRCI TEW – i-ai, i-ai, o,
hefo GOBL fan hyn, a GOBL fan draw,
gobl, gobl, gobl, gobl! ar bob llaw –
roedd gan Siôn Corn DWRCI TEW! – i-ai, i-ai, O!

Roedd gan Siôn Corn fferm go lew – i-ai, i-ai, o,
ac ar y fferm, roedd ganddo WRAIG – i-ai, i-ai, o,
(LLAIS SIÂN YN ARTHIO) hefo 'Siôn!' fan hyn, a 'Siôn!'
fan draw,
'Siôn! Siôn! Siôn! SioooooooÔN!' ar bob llaw –
roedd gan Siôn Corn fferm go lew – i-ai, i-ai, O!

Roedd gan SIÂN Corn stwffin saij – i-ai, i-ai, o,
ac ar y fferm, ro'dd hi isio STWFFIO! – i-ai, i-ai, o,
a'th y TWRCI'n syn, a gwaeddodd fel hyn:
(LLAIS TWRCI OFNUS) 'Gobl! Gobl! Gobl! RHAID
mynd o fan hyn!
Mae gan Siôn Corn WRAIG FEL DRAIG!
I-ai, i-ai, oooOOO! H-E-E-E-LP!' (twrci'n rhedeg allan!).

Rhan 3

PERTHYN

Fel y crybwyllais wrth ragymadroddi ar ddechrau'r gyfrol hon, doedd gen i ddim awydd sgrifennu dim byd hunangofiannol o gwbwl, a rhoddais y syniad o'r neilltu sawl gwaith . . . nes i mi gyfaddawdu drwy gael fy sbarduno i roi fy straeon, o bob math, mewn sawl dull ac arddull, yn y gyfrol hon.

Erbyn meddwl, plant sbardunodd fi i wneud hynny mewn gwirionedd, er mai cyfrol i oedolion ydy hon. Rydw i wedi gwneud fy ngorau glas bob amser wrth sôn am griw o blant i beidio enwi'r un ohonyn nhw rhag ofn i'r lleill feddwl mod i'n ffafrio. Mae 'na lawer iawn o blant yn fy nheulu fi a theulu Emrys, er ein bod ni'll dau yn ddi-blant. Ac mae pob un ohonyn nhw yr un mor bwysig i ni'll dau. Felly, gobeithio y gwnaiff pawb ohonyn nhw, a phob plentyn arall rydw i'n ffrindia hefo nhw – a mae 'na lawer o'r rheiny hefyd – ddeall pam mod i am enwi un. Achos, fel mae'n digwydd bod, hi oedd fy 'sbardun'.

Sbardun, wrth reswm, ydy rhywbeth sy'n rhoi un hergwd i chi i neud rhywbeth nad oeddech yn siŵr iawn os oeddech am ei wneud o ai peidio. Heb y digwyddiad hwnnw, mae'n bur debyg na fyddech wedi'i gyflawni o gwbwl.

Ym mhentref Niwbwrch ar Ynys Môn yr oeddwn i un bore Sadwrn, yn gweithio i Fenter Môn, yn cynnal sesiwn stori 'Babi mewn Bygi', lle roedd gofyn i mi gyflwyno caneuon, rhigymau a straeon syml i fabanod a'u rhieni neu eu gofalwyr oedd newydd fod am dro cyn troi i mewn i'r neuadd i gael eu difyrru.

Wedi gwneud hynny, pwy ymunodd yn y miri ond tair o fy ngornithoedd, oedd braidd yn rhy fawr i gael straeon ar gyfer babanod. Felly, meddyliais y byddai'n syniad eu difyrru drwy adrodd hen straeon ein teulu ni wrthyn nhw – yn enwedig y stori am Harri Emrys Lewis, eu hen daid nhw, tad eu nain, oedd, yn ôl y sôn, yn dipyn o gês.

Wedyn, ar ôl gorffen y sesiwn stori, dros ginio o *chips* a sos coch, bu Mali Hannah, sy'n un ar ddeg oed, yn fy holi fi amdano eilwaith . . . a theirgwaith. Ac yn y car ar fy ffordd adref, ar ôl ffarwelio hefo pawb, meddyliais ei bod hi'n hen bryd i mi roi fy straeon ar gof a chadw – yn enwedig y chwe stori gyntaf yn Rhan 3. Nid fy straeon i ydyn nhw mewn gwirionedd, ond rhai ein teulu ni, wedi cael eu cadw'n fyw ar lafar – tan rŵan. Ac i Mali Hannah mae'r diolch eu bod nhw bellach ar ddu a gwyn, achos ei holi hi oedd fy sbardun inna.

Dydd Sul Diflas

Roedd hi'n Saboth andros o ddiflas yn 1924, a Harri Emrys Lewis, oedd yn bedair ar ddeg oed, wedi llwyr syrffedu, oherwydd châi neb chwarae na mwynhau eu hunain ar ddydd Sul yn yr oes honno. Yn hytrach, roedd rhaid cyflawni rhyw orchwylion oedd ddim at ei ddant, fel darllen, er enghraifft, neu eistedd yn llonydd a pheidio 'cadw reiat' o gwbwl. Ond roedd hynny i Harri yn llyffethair lwyr ac yn hollol groes i'r graen gan mai un o'i brif ddiddordebau ef, fel ambell un arall yn ei deulu oedd yr un mor ddireidus â fo, oedd chwarae triciau a chadw reiat!

Yn nhŷ ei nain yn y Felinheli yr oedd o'r Sul diflas hwnnw, a hiraethai am gael cwmni Wil, ei frawd. Achos er bod eu rhieni a'u dwy chwaer fach, Hannah a Nanw, yn byw yn y Pistyll, Llŷn, roedd o yn cael ei addysgu yn Ysgol Brynrefail ac yn byw hefo'i ewyrth, Joseph Lewis, brawd ei dad, hen lanc oedd yn deiliwr ac yn cadw siop deilwra'r teulu ym mhentref Deiniolen. A thra lletyai Harri yn ardal Llanberis, byddai ei frawd, Wiliam Huw, yn cael aros hefo'i Anti Polly, chwaer ei dad, yng Nghaernarfon a chael ei addysgu yn Ysgol Syr Hugh Owen yn y dref. Roedd trefniadau o'r fath yn arferol iawn yn y cyfnod hwnnw oherwydd tlodi, a bod gofyn i bawb dalu am ei addysg. A chan fod Ysgol Ramadeg Pwllheli bellter o'r Pistyll, roedd hi'n llawer rhatach i anfon yr hogia i aros hefo teulu na gorfod talu am lety iddyn nhw wrth ymyl yr ysgol oedd o fewn eu dalgylch.

Yn aml iawn ar y Sul, byddai Harri a Wiliam yn cael cyfle i weld ei gilydd am fod y teulu'n ymgynnull i fynd i'r capel a bwyta clamp o ginio Sul mawr yng nghartre eu 'Nain Felinheli', sef Hannah Lewis, oedd yn byw hefo'i phlant ieuengaf, Emrys ac Annie, yn y pentre hwnnw ac a oedd yn weddw erbyn hynny. Wedyn, ar ôl y cinio mawr, byddai'n arferiad gan bawb i eistedd o flaen y tân yn sgwrsio neu ddarllen. Ond yn fwy aml na heb, byddent wedi bwyta'n helaeth, ac o'r herwydd yn pendwmpian neu'n chwyrnu cysgu ar ôl y cinio mawr.

Ond ar y dydd Sul diflas hwnnw, doedd Wiliam na'u Anti Polly ddim wedi dod yno yn ôl eu harfer. Y rheswm am hynny oedd bod 'y Captan', sef gŵr Anti Polly, newydd ddychwelyd o fordaith, ac roedd ei wraig a'i nai wedi aros adref i'w groesawu. Felly, roedd Harri heb gwmni tra oedd yr holl oedolion yn hepian cysgu a'u boliau'n llawn.

Ystyriodd be andros oedd o am ei wneud, achos doedd o'n sicr ddigon ddim eisiau cysgu. Roedd o mor effro â'r gog! Ond doedd neb yn cael gwneud dim byd hwyliog ar ddydd Sul y dyddiau hynny: dim cicio pêl; dim naddu pib allan o frigyn coeden; dim canu caneuon o'r cyngherddau y byddai ei deulu yn eu cynnal ar ddyddiau eraill o'r wythnos, ac yn sicr ddigon, doedden nhw ddim i fod i smygu Woodbines i lawr ar Cei Felinheli ar y Sul! Yr unig beth oedd yn cael ei ganiatáu oedd mynd i'r gwasanaethau yn y capel fore, bnawn a nos – a bwyta cinio a swper.

Roedd 'na dipyn go lew o amser tan y gwasanaeth nos, felly eisteddodd Harri mor llonydd ag y gallai tra oedd pawb arall yn parhau i gysgu. Cyn pen pum munud, roedd o wedi diflasu. Felly, mor dawel â'i gysgod, cododd oddi ar ei gadair a mynd drwodd i'r gegin gefn. Yn ofalus iawn, agorodd ddrôr yn y sieffinîar. Rhyw gwpwrdd bychan oedd hwnnw hefo troriau ynddo fo, ac mae'n bosib bod y gair, a'r cwpwrdd, wedi dod i Gymru o Ffrainc, am mai *chiffonnière* yw'r enw Ffrengig am gwpwrdd o'r fath. Yn y ddrôr, roedd 'na bob mathau o feddyginiaethau. Estynnodd Harri dun bach o Andrews Liver Salts a photel fach o *smelling-salts* o'r ddrôr a chymrodd lwy de oddi ar y bwrdd. Yna, yn eithriadol o ofalus, rhag ofn i'r llawr coed wichian, dringodd y grisiau i lofft ei nain.

Yno, wedi iddo gyrcydu wrth droed y gwely a chwilio oddi tano am y po, cafodd afael ynddo a'i dynnu allan. Yn ôl y disgwyl, roedd o'n wag ac yn lân loyw, wedi cael ei lanhau ben bore fel arfer. Clustfeiniodd Harri rhag ofn bod rhywun wedi deffro, ac ar ddod i chwilio amdano. Chlywodd o'r un smic. Yna, yn chwimwth iawn, rhag ofn iddo gael ei ddal, tynnodd y caead oddi ar y tun *liver salts*, rhoi sawl llwyaid yn y po, a'i wthio 'nôl o dan y gwely.

Wedi sodro'r caead ar y tun, aeth yn ei ôl i lawr y grisiau mor dawel â phosib. Aeth â'r llwy a'r tun Andrews Liver Salts yn ôl i'w priod le, ond daliodd ei afael yn y botelaid fach o *smelling-salts*.

Ymgripiodd yn ei ôl i'w gadair o flaen y tân a gweld bod pawb arall yn dal i gysgu – pawb ond Titw'r gath. Roedd hi'n ymddangos ei bod hithau'r un mor anniddig â Harri.

'Titw!' sibrydodd arni dan ei wynt. Doedd dim eisiau ei chymell eilwaith, a neidiodd ar ei lin. Cyn iddi sylweddoli bod dim byd o'i le, roedd Harri wedi agor y botel *smelling salts* ac wedi'i dal hi dan drwyn y gath!

Aeth Titw yn lloerig, a phoeri a sgyrnygu a mewian dros y lle. Deffrodd pawb i weld y gath yn trybowndian yn wyllt wirion ar hyd ac ar draws pawb, dros y dodrefn ac ar ben y dresel, nes diflannodd fel seren wib allan drwy'r drws, gan adael y teulu'n syfrdan. Joseph oedd y cyntaf i ddod o hyd i'w dafod.

'Bobol annw'l! Ma'r hen Ditw'n ca'l ffitia!'

Ddwedodd Harri 'run gair o'i ben, ac yn ddiweddarach, yn syth ar ôl cyfarfod gweddi'r nos, cerddodd hefo'i Ewyrth Joss bob cam i'r siop yn Neiniolen yn ôl eu harfer.

Rai diwrnodiau wedyn, cyrhaeddodd llythyr oddi wrth Annie, modryb i Harri, yn adrodd yr hanes sut y bu i'r hen wraig ei mam gael pwl o 'fadwch ym mherfeddion y nos yn hwyr iawn ar y Sul. Roedd yn fater reit ddelicet ac yn ddirgelwch i'r doctor ddaeth ati fore Llun i'w gweld, yn ôl y llythyr. Yr unig gyngor gynigiodd y meddyg iddi oedd i'r hen wraig yfed digonedd o ddŵr barlys, ac y byddai'r ewyn a'r swigod rhyfeddol a ymddangosodd yn ei dŵr yn ystod y nos yn siŵr o glirio yn y man gan nad oedd twymyn na dim byd o bwys i'w weld yn bod ar Hannah Lewis.

Wedi i'w ewyrth adrodd cynnwys y llythyr wrth Harri, rhoddodd y mater o'r neilltu, gan nad oedd 'na ddim byd o dragwyddol bwys i boeni amdano beth bynnag. Roedd Harri Emrys Lewis yn meddwl yn wahanol.

Sgrifennodd lythyr at Wil ei frawd, yn dweud wrtho am 'forol bod yn nhŷ eu Nain Felinheli y Saboth canlynol, gan fod ganddo gyfrinachau i'w rhannu ag o. Ac o ganlyniad, bu i Wil gyfarfod â Harri yn nhŷ eu 'Nain Felinheli' y Sul canlynol. Fel y digwyddodd petha, oherwydd y cyfrinachau, y straeon, a'r hwyl a rannodd y ddau tra roedd pawb arall yn cysgu ar ôl cinio, doedd y dydd Sul arbennig hwnnw ddim yn un diflas o gwbwl!

* * *

Oherwydd bod dydd Suliau erstalwm yn gallu bod yn ddiflas, i blant yn enwedig, daeth y dywediadau canlynol i'n sgwrsio bob dydd ni – tywydd dydd Sul: tywydd glawog, diflas sy'n cadw pawb yn y tŷ; gwynab/gwep dydd Sul: wyneb oeraidd, parchus, di-wên.

Cyfrinach Lewis Siop

Stwcyn pryd tywyll, byrgoes, sgwâr oedd Lewis Siop, a gwisgai siwt frethyn gyfforddus, cap fflat, a gwên radlon, groesawgar. Smygai getyn o faco Shag nes bod cwmwl o fwg yn ei ddilyn i bobman yn barhaus, heblaw am ambell adeg pan fyddai'r cetyn yn wag. Bryd hynny, cadwai ef yng nghornel ei geg. Yn wir, anaml y byddai hebddo, nes peri i un o'i wyresau ofyn un tro i'w mam:

'Mam, ydy Taid yn cysgu drw'r nos efo'i biball yn 'i geg?'

Un tawel a boneddigaidd oedd Lewis. Cadwai siop bost ym mhentre Pistyll, Llŷn, yn hanner cynta'r ganrif ddwytha. Er na chafodd fawr o ysgol, roedd yn gymeriad diwylliedig yn yr ystyr ei fod wedi manteisio ar bob cyfle i gyfoethogi ac ehangu ei wybodaeth drwy ddarllen popeth a gâi afael arno – fel yn y cyfnod hwnnw cyn iddo gadw siop bost Pistyll pan oedd yn clercio yn chwarel Nant Gwrtheyrn. Bryd hynny, roedd yn byw ym Mhentre-uchaf wrth droed mynyddoedd yr Eifl, a'i wraig a gadwai'r siop bost yn fan'no.

Byddai Lewis Siop yn cerdded i'w waith yn chwarel y Nant bob dydd a cherdded adref drachefn. Fin nos, wedi swpera ac yfed 'panad dda o de coch a llymad o lefrith yn 'i lygad o', byddai'n eistedd yn gysurus o flaen tanllwyth o dân, wedi tynnu ei sgidiau hoelion-mawr a'i sanau, torchi ei drowsus hyd at ei bengliniau a socian ei draed mewn powlennaid o ddŵr a halen cynnes. Wrth wneud hynny, byddai'n mynd ati i ddysgu Saesneg iddo'i hun. Doedd ganddo ddim gwerslyfr o fath yn y byd, ond llwyddodd yn benigamp i feistroli'r iaith fain, dim ond wrth ei siarad hi hefo'r Gwyddelod a weithiai yn y chwarel a thrwy ehangu ei eirfa yn nosweithiol wrth ddarllen *The Pocket Oxford Dictionary of Current English*.

Wedi iddo ef a'i deulu – roedd ganddo ddau fab erbyn

hynny – godi pac a mudo i'r Pistyll, cymerodd awenau'r siop bost a chefnu ar y chwarel unwaith ac am byth er mwyn i'w wraig gael magu'r meibion, a'r ddwy ferch a aned iddyn nhw'n ddiweddarach. Aeth ati i fod yn bostfeistr a siopwr llawn amser, a bryd hynny yr aeth si ar gerdded o gwmpas pentre'r Pistyll a'r ardal gyfagos fod gan Lewis Siop y Foel alluoedd goruwchnaturiol, er gwaetha'r ffaith ei fod yn flaenor blaenllaw yng Nghapel Bethania.

Y drafferth oedd, yn ôl y gwybodusion, fod ganddo ormod o ffydd mewn 'yfad te coch a llyma'd o lefrith yn 'i lygad o'. 'Nenwedig os oedd hwnnw'n 'de tramp', a digonedd o ddeiliach ynddo. Petai unrhyw un o'i gydnabod yn wael, dyna fyddai Lewis Siop yn ei gynnig yn feddyginiaeth – dim ots pa anhwylder fyddai ar y claf.

Roedd Hannah, yr hynaf o'i ferched, yn dioddef o'r caethdra, a phob tro y câi bwl gwael o fygtod, byddai ei thad yn bwrw ffrwyth y deiliach te mewn tebotiad o ddŵr berwedig, yn ychwanegu chwe llond llwy de o siwgwr demerara at yr hylif, ac yn cymell y fechan i'w yfed o soser. Ar ôl iddi stryffaglu i yfed tair soseraid, byddai'n teimlo'n well. Yr unig eglurhad gynigiwyd am hyn yw fod y plentyn myglyd yn canolbwyntio cymaint ar y dull arbennig hwn o yfed te fel ei bod hi wedi anghofio am ei chaethdra! Hefyd, byddai Lewis yn cymell unrhyw un a ddôi i mewn i'w siop i yfed paned pe bai gan hwnnw neu honno ddos ddrwg o annwyd neu'n teimlo'n isel ei ysbryd neu'n ddrwg ei hwyl.

Mewn cwpan a soser *bone china* y byddai pawb yn yfed eu te yn y siop. Ac i rai – merched yn bennaf – roedd cael soser yn hollbwysig. Byddai un neu ddwy ohonyn nhw hyd yn oed yn cymryd arnyn eu bod yn dioddef o'r annwyd er mwyn derbyn y moddion. Ac fel roedd hi ryfeddaf, fydden nhw ddim wedi'i dderbyn o gwbwl oni bai fod 'na soser yn dal y gwpan oedd yn cynnwys y 'te coch'. A'r rheswm am hynny oedd fod Lewis, ar gais yr yfwr te ar ôl i hwnnw neu honno orffen yfed, yn darllen hanes y dyfodol yn y gwaddod roedd o'n ei droi o waelod y gwpan i'r soser.

Un da am weld y dyfodol yn y dail oedd Lewis, yn ôl y sôn. Medrai ddárogan pwy oedd am gael babi, pwy oedd yn gwaelu, a phwy, neu pa ddau, oedd yn ysu am gyfeillachu a chlosio i gael mymryn mwy na hynny. Dyna pam roedd rhai pobol yn edliw ei fod yn meddu ar bwerau goruwchnaturiol. Yn wir, roedd amryw o selogion Capel Bethania wedi mynd at y gweinidog i achwyn y dylai Lewis gael ei ddiarddel oherwydd hynny, neu o leia gael ei droi o'r sêt fawr. Ond cefnogai'r rhelyw ef, gan ddal mai dim ond 'hwyl bach diniwed' oedd y cwbwl, ac mai 'gneud giamocs i werthu te' oedd y siopwr cyfrwys. Achos, heb amheuaeth, roedd 'na andros o 'fynd' ar ei ddeiliach!

P'run bynnag, roedd Siop y Foel ei hun yn lle delfrydol i daro sgwrs ac yfed te ynddi. Ac mewn pentre mor fychan â'r Pistyll tua phedwar ugain mlynedd yn ôl, roedd yn fan cyfarfod a siop siarad fel y rhelyw o'i bath yn y cyfnod hwnnw. Gwahoddai'r hen setl bren y sawl oedd yn unig neu'n hesb o sgwrs i roi clun i lawr, dal pen rheswm, a rhannu cyfrinach neu ofid. Dyna ddigwyddai'n ddyddiol bron, a phetai'r siop yn bodoli heddiw a phawb o'r pentrefwyr yn ei mynychu fel yn y dyddiau a fu, mae'n bur debyg y byddai Siop y Foel wedi cael ei hailfedyddio'n 'Glwb Clebran'!

Ond yn ddiarwybod i bawb ond Lewis, roedd gan Siop y Foel glustiau. A'r diwrnod yr ymwelodd y Parchedig Nathaniel Ymarhous Jones, gweinidog Bethania, â'r siop, i drafod sefyllfa go 'bethma' y blaenor blaenllaw, darganfu yntau fod yn y siop allu prin i fedru gwrando a chadw cyfrinachau!

Y bore hwnnw, wrth i'r gweinidog falwodu ei ffordd tuag ati, penderfynodd ei fod am agor y drws yn ara deg a dihergwd, i arbed y gloch rhag canu er mwyn iddo yntau gael cyfle i roi trefn ar ei feddyliau cyn i Lewis ymddangos o'r cefn. Roedd eisoes wedi cuddio'n llechwraidd wrth y talcen am gryn chwarter awr, ac wedi aros, yn ymarhous, nes bod y siop yn wag cyn meiddio symud o'i guddfan. Roedd o angen cael gair preifat yng nghlust y siopwr, a gweddïai mai dim ond gair i gall fyddai hwnnw. Gobeithiai'n fawr, ar ôl hynny, y byddai'r sibrydion am helynt y te yn diflannu mor ddisymwth ag y daethon nhw.

Felly ymgripiodd mor dawel â chysgod i mewn i'r siop. Caeodd y drws yn araf ofalus ar ei ôl, a chan nad oedd golwg o neb yn unman, aeth i fyfyrio ar y setl.

Fel roedd o'n styried sut y byddai'n agor y drafodaeth, tybiodd iddo glywed swn llygoden yn crafu. 'Brensiach!' meddyliodd. 'Gobeithio nad ydy Lewis yn cadw ll'godan yma, yng nghanol y bwyd!' Clustfeiniodd a chraffu mewn mudandod llwyr, rhag ofn y gallai rywfodd, rywsut fod o help i'r siopwr drwy ddarganfod lle'n union roedd y llygoden yn llechu.

Parhaodd y swn crafu, a daliodd y Parchedig Nathaniel Ymarhous Jones i wrando'n astud. Ac ymhen y rhawg, daeth i'r casgliad fod y llygoden yn cysgodi o dan gownter y siop! Erbyn hyn, roedd perwyl y te, a'i neges, wedi mynd yn angof, gan ei fod â'i fryd ar ddal llygoden.

Eisteddodd yn hir ar y setl, yn gwrando ac arsylwi. Roedd swn yr anifail bach yn amrywiol erbyn hyn, ac anaml y byddai'n crafu. Yn hytrach, rhyw swn siffrwd a wnâi. Yn chwilfrydig hollol, syllodd y Parchedig yn hir iawn o gylch y siop a'i silffoedd. Sylwodd ar y jariau taclus, amrywiol o bethau da, a'r tuniau dirifedi'n llenwi'r silffoedd: oel lamp, cist fara, cwpwrdd gwydr i gadw pob mathau o ffisig. Roedd ynddo 'gabinet soda', trwyth riwbob, asiffeta, olew gewynnau Morus Evans, surop o' ffigs at gael eich gweithio, cribau mân at y llau, Victory V at dagu, a jariau o saim gŵydd i'w rwbio ar y frest; Aspro, Vaseline a Potters Cough Mixture. Ac mewn cist arbennig wrth ymyl y bara roedd y te, y te rhydd y byddai Lewis yn ei werthu fesul chwarter pwys, a'i becynnu ei hunan. Ond er syllu a rhythu'n fanwl iawn, welodd y gweinidog ddim golwg o'r llygoden ymysg holl drugareddau'r siop!

Yn sydyn, fferrodd y Parchedig, gan y tybiai iddo glywed sŵn mwngial siarad yn dod o rywle. Edrychodd i bob cyfeiriad, ond doedd 'na neb i'w weld yn unman! Pe bai'n ofergoelus, byddai wedi taeru bod yno ysbryd, neu bod y waliau'n siarad! Roedd o'n benderfynol o gael eglurhad.

Felly, ar flaenau ei draed, ymgripiodd yn ddeheuig a distaw tu ôl i'r cownter. Yn sydyn, cymrodd ei wynt ato. Achos yno, o dan y cownter, yn dawel fach, roedd Hannah, merch seithmlwydd oed Lewis Siop. Chlywodd hi mo'r gweinidog yn dynesu gan ei bod yn chwarae'n brysur yn y gist siwgwr. Roedd hi'n trin cynnwys y gist fel petai'n dywod ar draeth, ac yn prysur adeiladu cestyll siwgwr gan ddefnyddio llwy fwrdd, a mwngial canu wrth chwarae.

Cafodd y Parchedig Nathaniel Ymarhous Jones gryn drafferth i gadw'n dawel rhag piffian chwerthin, achos deallodd yn y fan a'r lle mai hon oedd yr ysbryd a'r llygoden fondigrybwyll!

Tybiai nad oedd Hannah wedi'i glywed, a'i bod wedi ymgolli yn ei chwarae, ond yn sydyn, rhoddodd y plentyn y gorau i'w phrysurdeb siwgwrllyd a stryffaglu i blygu mlaen, gan roi ei thrwyn ar bartisiwn pren y cownter.

'Be andros ma'r fechan yn ei wneud?' meddyliodd y Parchedig wrtho'i hun, yn parhau i sefyll fel delw y tu ôl iddi, heb feiddio symud na llaw na throed – rhag ofn ei dychryn, yn fwy na dim. Yna, wrth iddi ryddhau ei hun o'i gwylfan, sylwodd y gweinidog mai rhythu drwy dwll yng nghainc y pren oedd hi, a thrwyddo gallai fod wedi'i weld ef yn glir pan fu'n eistedd ar y setl. Erbyn meddwl, byddai modd iddi weld holl gwsmeriaid y siop yn dod i mewn ac allan drwy'r adeg pe dymunai. Aeth yn chwys oer wrth sylweddoli y gallai

Hannah fod yn gwybod yn iawn ei fod o wedi dod i mewn yn llechwraidd fel lleidr i'r siop. Aeth ton o euogrwydd drosto. Ac fel digwyddodd petha, roedd o'n llygad ei le, achos y funud nesaf, gofynnodd y ferch fach iddo'n hollol hamddenol, heb droi i edrych arno hyd yn oed:

'Isio prynu siwgwr dach chi, Mr Jones?'

Ffrwcsiodd y gweinidog, a dweud yn ei ddryswch:

'Y–y–ym naci, naci, 'mechan i – isio prynu te dwi. Y, mi gymra i werth owns.' (Er mai'r peth dwytha roedd o wedi styried ei brynu oedd y deiliach hynny, mewn gwirionedd.)

Cododd Hannah allan o'r siwgwr a deud:

'A' i i nôl Tada.'

'Na! Naci, paid!' meddai'r gweinidog, a chryn gynnwrf yn ei lais.

Syllodd Hannah arno mewn penbleth. A daeth yntau at ei goed – i ryw raddau.

'Aros di am funud bach rŵan. Deud wrtha i, 'mach i, fyddi di'n ista'n y siwgwr 'na'n amal?'

'Byddaf,' meddai Hannah yn siriol ac yn fwrlwm o sgwrs, 'a fydda i'n edrach ar bawb sy'n dŵad i mewn i'r siop drw'r twll 'ma. A wedyn fydda i'n gwrando ar bob dim ma' nhw'n ddeud, am hwyl – i helpu Tada.'

'O?' pendronodd y Parchedig. 'A sut byddi di'n ei helpu fo, Hannah?'

'Wel, fydd o'n smalio medru darllan dail te, a gweld hanas pawb yn y dail.'

'O. Wela' i. Smalio mae o.'

'Ia.'

'A dydy o ddim yn medru darllan y dail go iawn?'

'Nag ydy.'

'Ond ... sut mae o'n gwbod be ydy cyfrinacha pobol, felly?'

'Fi fydd yn deud wrtho fo, achos fydda i'n clywad pobol yn deud petha wrth 'i gilydd yn ddistaw bach.'

'Brensiach!' ebychodd y gweinidog.

'Dwi'n gwbod hanas pawb,' ymffrostiodd y ferch fach, 'ond fydda i ddim yn deud wrth neb. A dim ond Tada a fi sy'n gwbod.'

Chafodd Mr Jones ddim cyfle i holi mwy gan fod Lewis ei hun wedi ymddangos o'r cefn, yn amlwg wedi clywed lleisiau.

'Fedra i'ch helpu chi, Barchedig?' holodd y siopwr yn chwilfrydig, gan weld y gweinidog yn sefyll y tu ôl i'r cownter.

'Mae o isio owns o de,' meddai Hannah, yn hollwybodus.

'Y – ia, ia, dyna fo, owns o de. Ond – y – ym doeddach chi ddim yma, Lewis,' eglurodd, wedi colli gafael ar ei reswm gwreiddiol dros ddod i'r siop.

'O, felly,' meddai Lewis, a mynd ati'n hamddenol i becynnu'r te.

Ar ôl rhai munudau o dawelwch lletchwith, llethol, mi dalodd y Parchedig Nathaniel Ymarhous Jones am ei becyn, ac anelu am y drws, gan godi ei het a dymuno dydd da cyn ei heglu hi allan a chau'r drws yn glep ar ei ôl.

Gwenodd y tad a'i ferch fach ar ei gilydd. Cododd Lewis hi i'w freichiau, a chusanu ei boch.

'Mae o'n gwbod am ein hwyl bach diniwad ni felly, decini?' holodd y siopwr direidus.

'Ydy, Tada,' meddai Hannah wrth iddi blethu ei breichiau am wddf ei thad. 'Ond neith o ddim deud wrth neb. Achos mae o'n 'nidog.'

* * *

Mae'r stori hon wedi'i gosod yn 1927. Richard Lewis oedd fy nhaid ar ochr fy mam, a Hannah Mary Lewis oedd ei henw llawn cyn iddi briodi. 'Hannah' oedd hi i bawb o'i theulu, a 'Mary' i bawb arall, gan gynnwys Gwilym O. Mi fasa'r ddau'n gwaredu tasan nhw'n clywad y stori hon dwi'n siŵr, achos doedd fy nhaid ddim yn darllan dail te er mwyn unrhyw elw o gwbwl – ond mi roedd o'n gneud hynny 'am hwyl bach diniwad', ac i dynnu coes. Dyn tawal, mwyn oedd o, ac mi fyddai'n gweithio'n ddiwyd yn ei siop gan wrando'n astud ar sgyrsiau pawb er mwyn cael gwybodaeth ar gyfer y tynnu coes hefo'r dail te. Dwi ddim yn meddwl bod 'na neb wedi rhoi cerydd iddo fo, hyd y gwn i!

Fyddai Mam ddim yn sbecian drwy dwll dan y cownter chwaith, ond mi gafodd ei dal yn adeiladu cestyll siwgwr yno sawl gwaith – a ffrwyth fy nychymyg i yn llwyr ydy'r gweinidog.

Nain Nant

Cerddai'r ddwy chwaer, Catrin Ann a Meri Lisi, ling-di-long yr holl ffordd i lawr i'r Nant o bentre Llithfaen, gan lusgo'u traed bob cam yn eu sgidiau hoelion, oherwydd doedd 'run o'r ddwy eisiau cerdded i lawr y gamffordd i Nant Gwrtheyrn y diwrnod hwnnw. Ar eu ffordd i dŷ eu nain ar ochr eu tad yr oedden nhw, oblegid roedd honno, druan, ar ei gwely angau. Roedd y genod, oedd prin wedi cyrraedd eu harddegau, wedi'u siarsio gan Catherine Griffith, mam eu mam, i fynd i lawr i dŷ Betsan Owen, neu 'Nain Nant', i 'forol amdani tan ei diwedd. Doedd 'run o'r ddwy wedi gweld corff marw o'r blaen heb sôn am orfod tendiad ar rywun oedd ar fin 'croesi'r Iorddonen'!

Felly, yn hamddenol iawn y troedion nhw, a phob yn ail â cherdded, arhosent i bigo blodau gwyllt ac ambell sbrigyn o lelog persawrus o berthi a fochiai allan i'r lôn o erddi'r tyddynnod gerllaw.

Gyda'u bod nhw'n cyrraedd cartref eu nain, rhuthrodd hen wraig flin yr olwg allan o'r tŷ teras, yn gynnwrf drwyddi.

'Brysiwch, genod!' arthiodd yn ddiamynedd. 'Thâl hi ddim i chi loetran fel'ma, a Betsan Ŵan ar fin ein gadal ni!'

Edrychodd y ddwy lafnes ar ei gilydd mewn dychryn, cyn troi eu golygon syn at gymdoges eu nain eilwaith.

'Wel?' brathodd honno, 'Peidiwch â rhythu arna i fel'na, fel dau lo cyn t'rana! Dwi 'di bod yn aros amdanoch chi ers oes pys yr ieir. Cerwch i'r tŷ'r munud 'ma, nen' Tad, neu fydd Betsan druan 'di croesi heb neb o'i theulu i ddal ei llaw!'

Yn wylaidd iawn, mentrodd Catrin Ann a Meri Lisi i gyfeiriad rhiniog y drws. Bodlonodd y gymdoges o weld ei bod wedi torri crib y llancesi bach, a'u bod nhw wedi sadio rhywfaint o leia. 'Iawn, mi'ch gadawa i chi, 'ta,' ebychodd, a brasgamodd heibio talcen y tŷ pen.

Ar y rhiniog, 'drychodd y ddwy chwaer ar ei gilydd, a'u rhyddhad o gael llonydd o guchio a blagardio'r gymdoges yn amlwg. Llaciodd eu hysgwyddau a dechreuodd y ddwy biffian chwerthin, a dal i chwerthin nes eu bod nhw ymron â sigo.

Yn sydyn, trawodd ton o sŵn griddfan o'r tŷ ar eu clyw, a sobrodd y ddwy. Rhuthrodd Catrin Ann a Meri Lisi i mewn i'r tŷ blith draphlith nes bod petalau'r lelog a'r blodau gwyllt yn cawodu'n un cwmwl o'u cwmpas. Ac wrth glywed y griddfan yn cryfhau ac amlhau, mentrodd y ddwy drwy ddrws cyfyng y parlwr bach.

Syllodd y ddwy yn hir ar y claf, heb wybod yn iawn be i'w wneud nesa. Roedd y parlwr bach, lle gorweddai eu nain ar wely oedd wedi'i osod yn dynn wrth y palis, yn llyffetheiriol o boeth oherwydd y tân coed a wreichionai yn y grât er gwaetha'r ffaith ei bod hi'n ddiwrnod eithriadol o braf o wanwyn. Treiddiai arogleuon amhersawrus i ffroenau'r ddwy, nes bu i Meri Lisi ofni ei bod ar fin cyfogi.

'Fasa'n well i ni dendiad ar Nain Nant,' meddai Catrin. 'Cer i nôl digonadd o ddŵr o'r ffynnon ar gyfar y bloda a ty'd â chlwt efo chdi wedyn, i ni ga'l golchi Nain. Welis i ddau bisar wrth y drws gynna, a . . .'

Doedd dim rhaid cymell mwy ar Meri Lisi, oblegid roedd hi wedi rhuthro allan o'r stafell fel gafr ar d'rana, yn falch odiaeth o gael unrhyw esgus i ddianc o'r sefyllfa a'i llethai. Ochneidiodd Catrin Ann, gan sylweddoli y byddai'n rhaid iddi hi, y chwaer hynaf, gymryd yr awenau. Felly ymwrolodd, a throi ei golygon tuag ati. Sylwodd fod Nain Nant yn edrych yn anghyfforddus o boeth, yn chwys laddar drosti.

Ystyriodd y ferch y sefyllfa: tybed a oedd ei nain yn rhy boeth, ac mai dyna pam y bu hi'n griddfan cymaint yn gynharach? Bosib mai dyna oedd y rheswm pam ei bod hi mor chwyslyd, ac nad y dwymyn oedd yr achos mewn gwirionedd. Aeth Catrin Ann at y ffenest a'i chilagor. Doedd hi ddim am ei hagor led y pen rhag ofn i'r hen wraig oeri'n rhy sydyn. Yna craffodd o amgylch y stafell, a gweld fod jwg a dysgl ar y bwrdd bach crwn wrth erchwyn y gwely. Roedd 'na fymryn bach o ddŵr yng ngwaelodion y jwg. Rhoddodd gornel ffedog a grogai ar gefn cadair ynddo, ac yn ysgafn fel cyffyrddiad adenydd glöyn byw, sychodd y chwys oddi ar dalcen ei nain. Yna eisteddodd yn llonydd i'w gwarchod.

Fel roedd hi'n dechrau cysidro bod ei chwaer yn andros o hir wrth y ffynnon, daeth Meri Lisi i mewn yn go swnllyd hefo piseraid o ddŵr.

'Hisht! Taw!' sibrydodd Catrin dan ei gwynt, gan amneidio tuag at eu nain, oedd â'i hanadlu trwm wedi'i leddfu am ryw hyd. Yna, ar ôl saib, gofynnodd yn ddistaw, chwilfrydig:

'Peth fel'ma ydy gwely anga, dwa', Melsi?'

'Dwn i'm byd,' atebodd ei chwaer, 'ond glywis i Wmffra 'mrawd yn deud wrth Mam neithiwr bod o'n siŵr ddyn bod Nain Nant am ei phegio hi unrhyw funud.'

'Ew! . . . Dybad?' holodd Catrin, gan ama' geirwiredd ei chwaer. Go brin y bydda Wmffra wedi meiddio dweud peth mor ddi-dact wrth eu mam.

'Do, mi ddudodd o, ar fy llw,' taerodd Meri Lisi, 'ond mi gafodd ddrwg na fuo' rotsiwn beth am ddeud!'

'Faswn i'n meddwl wir!' wfftiodd Catrin Ann, gan droi'i golygon at ei chwaer. 'Meddylia bod Wmffra ni wedi bod mor haerllug â deud bod Nain Nant ar fin 'i phegio hi!' Ar y gair, clywsant waedd dros y parlwr:

'Hoi! Pwy gythgiam sy'n deud mod i am 'i phegio hi?'

Dychrynodd y ddwy chwaer am eu hoedal: ro'dd Betsan Owen wedi codi ar ei heistedd yn ei gwely ac yn gwgu'n ddiddannedd arnyn nhw. Sgrechiodd ei hwyresau nerth esgyrn eu pennau, a gollyngodd Meri Lisi ei phiser, nes tasgodd y dŵr dros y llawr yn llyn. A chan gydio yn nwylo'i gilydd, rhuthrodd Catrin Ann a Meri Lisi allan o'r tŷ, a'i heglu hi 'nôl i Lithfaen, bob cam i fyny'r gamffordd. Roedd yr holl sôn a holi a stilio fu am wely angau Nain Nant wedi'u llorio'n llwyr, nes iddyn nhw nogio'n lân a gwrthod mynd yno wedyn. A bu'n rhaid i rywrai eraill o'r teulu fynd i 'forol am yr hen wraig o hynny mlaen – hyd nes croesodd hi'r Iorddonen!

* * *

Fy nain, Meri Lisi, sef mam Gwilym O., fy nhad, adroddodd yr hanes uchod wrtha i. Fel mae'n digwydd, roedd Catrin Ann hefyd yn nain i mi, gan ei bod yn wraig i Richard Lewis, fy nhaid, ac yn fam i Hannah Mary, fy mam – sy'n fy ngwneud i, felly, yn gyfyrdras i mi fy hun!

Roedd Betsan Owen yn gymeriad a hanner, mae'n debyg, achos roedd hi'n byw dan yr unto â dau ddyn, sef Wiliam Owen, ei gŵr, a hefyd hefo'r lojiar. Cysidrai'r gymdeithas ar y pryd, oddeutu 1897, fod hyn yn beth pechadurus iawn. Ond y gwir amdani oedd fod Wiliam yn dioddef o'r caethdra ac wedi gorfod madael â'i waith yn y chwarel. Felly dyna'r eglurhad am rentu stafell i'r lojiar . . . hyd y gwn i!

Cysgodion

Doedd hi ddim yn dywyll iawn er ei bod hi'n berfeddion. Roedd 'na leuad loyw fel soseraid lawn o laeth enwyn yn taflu'i llewyrch bendithiol dros y fro. Yng nghysgodion rhiniog drws ffrynt Compton House, Llithfaen, pendronai Catherine Griffith a fyddai'r plant yn ddiogel ai peidio. Pigai ei chydwybod hi am gefnu ar ei rhai bach fel hyn, ond roedd raid i rywun ennill mymryn o fara 'menyn i'r teulu. Fedra hi ddibynnu dim ar Wiliam. Ochneidiodd, a brasgamu'n benderfynol dros y trothwy i'r caddug, gan dynnu ei siôl yn dynnach amdani rhag brath y barrug oedd a'i eisin oer yn haenen befriog dros lawr gwlad.

'Fydd hi'n flwyddyn newydd cyn i ni droi,' meddyliodd, wrth glocsio'i ffordd ar hyd yr hen lwybr trol. 'Pwy feddylia'n bod ni ar drothwy 1858 yn barod?'

Roedd hi'n cydio'n dynn mewn basged lawn o 'falau surion bach, a phob hyn a hyn, trosglwyddai hi o un ystlys i'r llall gan fod y pwysau'n ei blino. A styried mai pwten eiddil, lai na phum troedfedd o daldra oedd Catherine Griffith, neu 'Catrin Gruffudd' i'w chydnabod, doedd ryfedd ei bod hi'n bustachu dan ei phwn.

Mynd i gynorthwyo gyda genedigaeth baban yn un o ffermydd anghysbell yr ardal yr oedd hi. Ac er na dderbyniodd unrhyw hyfforddiant ffurfiol yn unman, ystyrid hi'n fydwraig heb ei hail, ac roedd galw mawr amdani pan fyddai gwragedd y fro ar fin esgor.

Wrth fynd yn ei blaen felly o gam i gam, parhâi ei meddyliau i wibio yma ac acw: tybed gâi hi ddarn o gaws ac wya heno, yn dâl am ei thrafferth? A fyddai William o gwmpas ei bethau petai galw arno fynd i dendiad un o'u plant? Beth petai Ann fach yn deffro, a be os byddai'r bychan yn . . .? Ochneidiodd, ac am y canfed – na, fyddai hi ddim yn ormodiaith dweud, y milfed gwaith, gan mai i'r fan honno y byddai ei meddyliau'n hedeg dro ar ôl tro, ystyriodd ei phriodas â William . . . William druan.

Yn sydyn, o gysgodion y gwrych, daeth sŵn mwngial rhyfedd. Dychrynodd Catrin, gan fod y sŵn yn ddynol – rhyw hanner ffordd rhwng chwerthin a pheswch. Fferrodd yn y fan i glustfeinio. Yna, ymwrolodd, a chan nad oedd o gymeriad gwangalon gofynnodd yn uchel a thalog,

'Pwy sy 'na?'

Atebodd neb mohoni.

Gwrandawodd eto, ond chlywodd hi ddim byd anarferol, dim ond sisial awelon ym mrwyn yr weirglodd, murmur rhediad y nant wrthododd rewi wrth fôn y clawdd ac ambell besychiad neu fref dafad ymhell bell yn erwau caeau'r nos.

Prysurodd yn ei blaen, a'i bryd ar gyrraedd pen ei thaith cyn gynted â phosib. Ond er na fedrai weld neb yn unman, na chlywed dim byd anarferol, pwysai teimlad anesmwyth fod rhywun yn ei dilyn. Er bod y lleuad yn goleuo'i llwybr yn glir a gwynder y barrug yn ddisglair o dan ei thraed, ni allai Catrin Gruffudd lai na phryderu be yn union allai fod yn llechu o'r golwg yn y cysgodion. Gwyddai ym mêr ei hesgyrn fod rhywun yno – rhyw feidrolyn lloerig o bosib, yn aros amdani yn y düwch.

Cordeddai ei hofnau yng nghefn ei meddwl fel gwlân dafad ar droell, tra brasgamai hithau ymlaen i ben ei thaith.

Arhosodd ennyd yn unig i gael ei gwynt ati, achos prin y gallai ddioddef 'rafu'i chamre na cherdded ling-di-long wrth ei phwysa wrth ystyried beth neu pwy oedd yn ei dilyn. Felly, ymhen chwinciad roedd yn rhedeg, gan afael yn dynn yn ei basged. Yn ei hofn, ni allai lai na charlamu yn ei blaen, ond ymhen ysbaid, yn bennaf oherwydd pwysa'i basged, roedd rhaid iddi oedi unwaith yn rhagor i gael ei gwynt ati. A'r tro hwnnw, wrth i'r chwys lifo i lawr ei meingefn, clywodd sŵn clocsio trwsgwl o'i hôl.

'Pwy sy 'na?' sgrechiodd, a'i gwaedd yn atsain dros y caeau.

Peidiodd sŵn y camau. Roedd y nos mor ddistaw â'r bedd. A bellach, roedd hi'n amlwg i Catrin fod 'na rywun yn ei dilyn! Rhythodd i'r cysgodion . . . a sylwodd fod cysgod meidrol yn llechu yn y gwrych.

'Pwy sy 'na?' gorchmynnodd, gan ei bod wedi dechrau colli'i limpyn yn lân. 'Pwy ydach chi? Rhowch wbod y funud 'ma!'

Arhosodd ennyd, cyn ochneidio'n ddiamynedd. Erbyn hynny roedd ei hofnau'n dechrau cilio, a'i rheswm yn dweud wrthi pe bai 'na unrhyw beryg am ddod i'w rhan, byddai'r dihiryn yn y gwrych wedi hen ymosod arni.

Doedd o ddim am ymateb.

'Hy!' wfftiodd hithau, a dan sgyrnygu, meddai wedyn: 'Peidiwch, 'ta. Wa'th gin i monoch chi!' Yna plygodd i ymestyn am ei basged, a dyna pryd y clywodd hi'r waedd arswydus:

'W-y-y-y-a-a-A!'

Yn y fan, sylweddolodd beth oedd yn digwydd. Gadawodd ei basged drom ar ganol y llwybr a brasgamu i gyfeiriad y sŵn. Ymhen dwy eiliad roedd Catrin Gruffudd wedi plymio i ganol y cysgodion, ac wedi llusgo crymffast o lafnyn dros chwe troedfedd o daldra ar yr wtra iddi hi gael golwg iawn arno. Allai hwnnw ddim amddiffyn ei hun rhag ei chynddaredd – roedd yn chwerthin cymaint nes ei fod yn rhy wan i wneud dim byd ond ufuddhau.

'Yli di'r cythral!' bytheiriodd y frwynen fach o wraig. 'Yli di, cer adra'r munud 'ma! Dwyt ti ddim yn fy nychryn i, wel'di, achos mi dwi'n gwbod yn iawn nad oes gan ysbryd gnawd ac esgyrn!'

A mynd ddaru'r llwdwn gwirion, a'i gynffon rhwng ei goesa.

Mynd ddaru'r fydwraig hefyd hefo'i basged ac ynddi'r anrheg o afalau, i 'forol fod baban arall yn cyrraedd y byd hwn yn ddiogel. A pha fygythiad bynnag a lechai mewn cysgodion wedi hynny, eu hwynebu nhw i gyd yn wrol a dewr wnâi hi, doed a ddelo.

Wedi'r enedigaeth ar y fferm y noson honno, aeth Catrin Gruffudd adref ar doriad gwawr, gyda thorth haidd, chwarter cosyn o gaws a phwys o fenyn yn ei basged – i fwydo'i nythaid o blant bach annwyl a'i gŵr, Wiliam, oedd mor gaeth i'r botel.

* * *

Catherine Griffith oedd fy hen hen nain. Mae'r stori uchod amdani, a ddigwyddodd tua 1857, yn hollol wir, ac wedi cael ei hadrodd droeon gan sawl aelod o nheulu dros y blynyddoedd, ynghyd â'r dyfyniad: 'Does gan ysbryd ddim cnawd ac esgyrn!' A phob tro y byddwn i, pan oeddwn i'n blentyn, wedi cyflawni rhyw orchwyl gwrol a dewr, mi fasa Mam neu fy nain yn siŵr o ddeud amdana i: 'Ma'r hogan 'ma'n rêl Mam Griffith.' Ro'n i'n ystyried ei bod hi'n anrhydedd cael fy nghymharu â hi. Dyna pam fy mod i wedi fy swyno gan y stori, ac yn falch o gael ei rhoi ar gof a chadw yn fy *Melysgybolfa*.

Dwi'n gresynu, ar y llaw arall, rhag ofn mod i'n dwyn anfri ar Wiliam Griffith, fy hen hen daid, wrth sôn amdano'n yfed yn drwm. Achos mewn gwirionedd, dwn i ddim pa mor drwm oedd hynny, a dwn i ddim chwaith a oedd o'n ddibynnol iawn ar alcohol 'ta be, ond fedra fy hen hen nain ddim byw hefo fo wedi iddyn nhw orffen magu eu plant, ac mi wahanon nhw. Ar y llaw arall, ella mai fy hen hen nain yrrodd ei gŵr at y botel, achos mae'r hanes wedi'i gladdu'n rhy bell yn y gorffennol i neb wybod yn iawn pwy aeth ar nerfau pwy yn union!

Beth bynnag am hynny, aeth Catrin i fyw at eu merch, a Wiliam at un o'u meibion. Bu farw fy hen hen nain ar 21 Tachwedd 1900, yn 73 mlwydd oed, a chladdwyd hi ym mynwent Eglwys Pistyll ar ei phen ei hun. Wn i ddim am fy hen hen daid, ond dwi'n tybio ei fod wedi'i gladdu ym mynwent rhyw gapel – naill ai yn Llithfaen neu ym Mhentre-uchaf.

Y Fo!
(1955)

Sylwodd Richard John ar ddim byd anarferol pan gerddodd i'r stafell. Daeth i mewn o afael brath y gwynt 'yn llwythog a blinderog' â pharsel mawr yn ei freichiau, a bocs tŵls tra sigledig ar ben hwnnw wedyn. Roedd hi'n dda ganddo gyrraedd Tŷ Isa gan fod ei ddiwrnod gwaith yn tynnu at ei derfyn. Gwyddai y câi ymgeledd wrth y tân yn y ffermdy arbennig hwnnw achos roedd croeso twymgalon Rini Jones yn wybyddus i lawer, a châi'r rhan fwya baned a darn o dorth frith cyn cychwyn ar waith yno.

Wedi dod i osod teledu newydd sbon danlli roedd o. Ystyrid peth felly'n ddyfais syfrdanol ym Mynydd Nefyn ganol yr ugeinfed ganrif, gan mai dim ond radio a feddai trigolion yr ardal cyn y cyfnod hwnnw. Wedi i Rini Jones roi cyfarwyddiadau ble yn union y dylid rhoi'r teledu newydd, wrth y tân y gadawodd hi'r 'dyn telifisiyn' tra aeth hithau i hel wyau ac i helpu'i gŵr hefo'i waith, gan ddweud yn ddidaro cyn diflannu drwy'r drws:

'Peidiwch â gadal iddo Fo 'fennu dim arnoch chi.'

Chymrodd Richard John ddim sylw achos roedd o â'i fryd ar gael 'twm tin', neu dwymo'i ben-ôl o flaen y tanllwyth o dân, gan ei fod wedi fferru wrth osod erial ar y to funudau ynghynt. Wedi iddo gynhesu a gorffen ei de, aeth i'r afael â'i dasg o dynnu'r set deledu o'i bocs mawr a'i rhoi yn daclus yn ei lle yn barod i'w chysylltu â gwifren yr erial. Roedd o bron â gorffen y gwaith pan frifodd ei fys a gollwng ei sgriwdreifar ar lawr. Gan nad oedd 'na neb arall yn y stafell, mi regodd yn uchel a sylweddol. Ar amrantiad, clywodd lais clir fel cloch o rywle:

'Paid â rhegi'r diawl!'

Dychrynodd Richard John, a throdd i giledrych yn euog dros ei ysgwydd. Fyddai o ddim wedi meiddio rhegi petai'n gwybod bod yno rywun arall fyddai'n debygol o'i glywed – ond doedd 'na neb i'w weld yn unman. Aeth ias i lawr ei asgwrn cefn, a thaniodd y teledu i weld a oedd o'n gweithio. Wrth reswm, doedd 'na fawr o siâp ar y signal, achos doedd Richard John ddim wedi cael cyfle eto i osod yr erial yn union yn ei le ar y corn. Er nad oedd 'na bwt o lun ar y sgrin – dim ond rhywbeth tebyg i eira – na sain, heblaw am ryw sŵn cras, gallai'r gosodwr teledu glywed sŵn llais yn canu cân Gymraeg lân loyw drwy'r cwbwl – a hynny cyn i raglenni Cymraeg ddod yn bethau cyffredin!

'Ma' sŵn ym Mhorth Dinllaen, sŵn hwylia'n codi; Blocia i gyd yn gwichian! Dafydd Jôs yn gweiddi: Mi fynna i fynd i forio . . . di-dym-di-dym-di-dym,' llafarganai'r llais croch dros sŵn rhygnu di-baid 'CH-ch-ch-ch-ch!' y teledu di-erial.

'A'clwy' mawr!' ebychodd Richard John, gan grafu ei ben mewn syndod ac anghofio'n llwyr yn ei ddychryn y dylai ochel rhag rhegi jest rhag ofn bod rhywun arall yn bresennol. 'Be gyth–?'

'Na chymer enw'r Arglwydd dy Dduw yn ofer!' gorchmynnodd y llais.

'Blydi hel!' rhegodd Richard John, heb weld neb na dim yno.

'Paid â rhegi'r diawl!' bytheiriodd ei gyhuddwr diflewyn-ar-dafod eto.

'Paid â rhegi dy hun!' atebodd Richard John yn gandryll, gan edrych o'i gwmpas yn wyllt, yn y gobaith y câi roi bonclust sylweddol i'r llwdwn oedd yn blagardio cymaint. Ond parhau i fethu darganfod neb o gwbwl yn y stafell wnaeth o – yr unig un a wgai arno'n sarhaus oedd rhyw uchelwr syber a ffroenuchel o ddarlun ar y wal gyferbyn. A chan nad oedd neb arall yn y stafell i'w felltithio, gwaeddodd Richard John ar y llun, 'Wfft i chdi'r llo cors ddiawl!' Trodd ymaith i gadw'i offer a thacluso cyn madael â'r diddosrwydd i fynd allan i'r oerni unwaith yn rhagor, er mwyn troi'r erial ar y corn.

Cafodd lonydd am orig, ond ymhen y rhawg, wedi iddo agor y drws, gwisgo'i dop côt a chythru am ei focs twls, galwodd y llais arno, yn ogleisiol y tro hwn:

'Richard John y bachgan llon!'

Fferrodd gwaed Richard John. Pwy andros oedd yn tynnu arno? Rhywun roedd o'n ei adnabod yn dda, mae'n rhaid, gan ei fod o mor gyfarwydd â'i enw, rhywun oedd ynghudd yn y stafell! Craffodd o'i amgylch ond doedd 'na neb i'w weld yno o gwbwl, fel o'r blaen.

Meddyliodd mewn difri calon tybed a oedd yno ysbryd? Roedd Rini Jones wedi sôn am rywun wrth iddi droi ymaith i fynd allan, rhyw 'y Fo' neu'i gilydd. Pwy oedd y 'Fo' hwnnw, tybed? Rhythodd eilwaith ar y darlun. Ymddangosai'n bortread real iawn, a gyrrai ei wg ymfflamychol iasau i lawr asgwrn cefn Richard John druan. Ysgydwodd ei ben a thwt-twtian, gan styried ei hun yn ffŵl am hyd yn oed cysidro, mewn eiliad wan, fod yno ryw bresenoldeb arallfydol, a'i fod wedi dychmygu'r llygaid yn y darlun yn ei ddilyn o gylch y stafell! Wfftiodd ato'i hun. Dim ond mewn ffilmiau arswyd ym mhictiwrs y Town Hall ym Mhwllheli y byddai pethau felly'n digwydd, debyg iawn! Gafaelodd yn dynnach yn ei focs tŵls, ac yn syth, llafarganodd y llais eto fyth:

'Richard John y bachgan llon! Richard John y bachgan llon!'

Yr eiliad honno, ymddangosodd Rini Jones yn ffrâm y drws, a phrysurodd i mewn hefo'i basgedaid o wyau. Wrth sylwi ar yr olwg ddryslyd ar wyneb y gweithiwr, holodd:

'Dach chi'n iawn 'ma, Richard John?' cyn prysuro at gynhesrwydd y tân. A chyn i'r gweithiwr fedru'i hateb, dyma'r llais yn canu:

'Rini Jôs a minna yn mynd i ddŵr y môr, Rini'n codi'i choesa, a deud: "Ma'r dŵr 'ma'n oer!"'

Chynhyrfodd Rini Jones ddim o gwbwl, dim ond dwrdio:

'Taw, Jiorji!' A chlywodd Richard John y llais fel carreg ateb:

'Taw Jiorji! Taw Jiorji! Taw Jiorji!'

'Usrael Ddafydd! Ma' isio gras a blacin gwyn efo'r cena deryn 'na!' ochneidiodd Rini, gan dynnu ei chôt a hanner cau'r drws roedd hi newydd ddod trwyddo.

'Deryn?' ebychodd Richard John.

'Ia,' meddai Rini Jones. 'O'n i'n meddwl i mi'ch rhybuddio chi am 'i glebran o gynna. Ddylwn i fod wedi rhoi'r gorchudd drosto fo,' ac amneidiodd i gyfeiriad y drws.

Rhoddodd y gweithiwr hergwd i hwnnw a'i gau'n glep, a gwelodd, yn y cysgodion y tu ôl iddo, gaets deryn, ac o'i fewn fwji bach bywiog yn morio canu.

'Dos i gysgu, Jiorji!' gorchmynnodd ei berchennog, gan daflu lliain i orchuddio'r caets.

'Ma' hi'n nos arna i!' sgrechiodd Jiorji'n ddig... yna aeth yn fud.

Chwarddodd Richard John dros y lle, gan egluro'i benbleth wrth berchennog Jiorji, ac ychwanegu nad oedd wedi sylwi tan y funud honno ar y caets a'i gynnwys er iddo glywed digon ar y llais. Ond roedd o'n dal i bendroni sut y bu i'r deryn bach wybod ei enw.

Roedd eglurhad syml iawn am hynny: Richard John oedd enw gŵr Rini Jones hefyd, a'i dynwared hi pan fyddai'n tynnu ar ei gŵr fyddai Jiorji pan ganai: 'Richard John y bachgan llon'!

Mewn dim o dro, roedd y gweithiwr wedi gorffen ei waith ac wedi'i throi hi am adref gan ddal i biffian chwerthin am ei anffawd hefo'r bwji. Ac unwaith y cafwyd signal clir ar y teledu du-a-gwyn, cafodd Jiorji fodd i fyw hefo'r 'teli-fision' – achos nid dynwared ei berchnogion yn unig a wnâi wedyn, ond rhoi ailbobiad Saesneg o'r newyddion a chybolfa o ddetholiadau o raglenni, gan fyddaru pawb ar y naill law, a pheri iddyn nhw ddotio ar y llaw arall, gan y cytunai pawb fod 'Y Fo', sef Jiorji Tŷ Isa, yn gymeriad ac yn gwmni rhyfeddol.

Rini Jones

Deryn a hannar oedd Jiorji, bwji Rini Jones, sef modryb fy rhieni, a'm hen fodryb innau. Roedd o'n siarad bymtheg yn y dwsin, fel rhyw hen ŵr bach parablus, henffasiwn, a byddai pawb yn dotio ato. Bron na allai rhywun gynnal sgwrs ag o! Doedd dim rhyfedd yn y byd, gan mai Rini Jones oedd ei berchennog, a hi, yn anad neb arall, oedd wedi'i ddysgu i siarad. Mae'r stori amdano'n llwyddo i beri penbleth i Richard John y gosodwr teledu yn berffaith wir. Dyna oedd enw'r dyn dan sylw o ddifri, er nad oedd yn rhegi cymaint go iawn – os oedd o gwbwl, a deud y gwir, na Jiorji chwaith, o ran hynny! A Richard John oedd enw fy hen ewyrth hefyd. Dyna barodd y dryswch a'r hwyl yn Nhŷ Isa – neu Dan-y-mynydd, a rhoi i'r ffermdy ei enw ffurfiol, y diwrnod cyrhaeddodd y set deledu gynta rioed yno.

Roedd 'na ryw ysfa yn Rini Jones, rhyw ysfa barhaus i ogleisio a chael hwyl nes bod ei direidi'n ddihareb. Un enghraifft o hynny oedd y tro hwnnw pan ddaeth y fan fara at ei ffermdy ym Mynydd Nefyn, a hithau'n gofyn i'r gyrrwr am dorth neu ddwy. Ymestynnodd hwnnw am y nwyddau oedd yng nghefn ei fan, a thra oedd o ar ei bedwar yn ei chrombil yn ceisio cael gafael ar y bara, cafodd Rini Jones ysfa i binsio'r pen-ôl sylweddol oedd o'i blaen. A'i hysfa a orfu, ac o ganlyniad, neidiodd y dyn mewn dychryn a tharo'i ben yn nho'r fan!

Dro arall, pan oedd Rini'n gweini ar bobol ddiarth ddaeth yno o dros Glawdd Offa ('y fusutors' fel byddai pawb yn eu galw nhw erstalwm), pan oedd cadw 'Gwely a Brecwast' yn hwb i incwm sawl aelwyd yng nghefn gwlad Penrhyn Llŷn, llwyddodd i dynnu coes a chodi braw ar gwpwl oedd yn lletya ar ei haelwyd.

Wedi sicrhau eu bod yn gorweddian yn gyfforddus mewn *deck-chairs* ar lecyn heulog dymunol ar dir ei fferm, a hitha newydd weini te traddodiadol Gymreig iddyn nhw, trodd Rini i ddychwelyd i'r tŷ hefo'i hambwrdd mawr alwminiwm gwag dan ei braich. Ond fe'i trawyd gan yr ysfa ddireidus honno fyddai'n ei tharo bob hyn a hyn pan fyddai'n gweld sefyllfa allai fod yn ddoniol, felly dychwelodd at ei 'fusutors' yn ddistaw a dirgel, gan sefyll y tu ôl iddyn nhw. Cododd yr hambwrdd yn uchel uwch ei phen, ac yn sydyn, gollyngodd ef yn glewt ar y llwybr concrid, nes bod swn yr ergyd yn diasbedain dros y lle. Neidiodd yr ymwelwyr mewn braw, a chan fwngial 'Wps, sorri!' aeth Rini Jones yn ôl i'r tŷ i grafu tatws at swper.

Merch 'fengaf Ann Morgan Griffith (oedd yn ferch i Catherine Griffith, Llithfaen) a Wiliam Owen (mab Betsan Owen, Nant Gwrtheyrn) oedd Rini Jones, ac yn fach y nyth yng ngwir ystyr y gair oherwydd roedd gan ei rhieni nythaid o blant oedd gryn dipyn yn hŷn na hi, gan gynnwys dau o rai maeth oherwydd bod Ann Morgan, ei mam, wedi tosturio wrth gyfnither iddi oedd, ar ei gwely angau, yn pryderu be ddôi o'i dau fab ar ôl iddi hi ymadael â'r byd hwn. Addawodd Ann Morgan y byddai'n eu magu, a chadwodd at ei gair.

Chwarelwr oedd Wiliam Owen, tad Rini Jones, a chyn geni Rini a Lil, y chwaer agosaf ati o ran oedran, penderfynodd godi'i bac a hwylio i America i fwyngloddio mewn chwarel yn y fan honno, gan obeithio cael gwell cyflog i'w anfon yn ôl i'w wraig i gynnal eu teulu. Bu Wiliam yn ymweld â'i dylwyth yng Nghymru ddwywaith yn ystod y blynyddoedd y bu'n byw ac yn gweithio yn yr Unol Daleithiau. Naw mis ar ôl ei ymweliad cyntaf, ganwyd Lil, a digwyddodd yr un peth yn union naw mis ar ôl ei ail ymweliad, pan anwyd Rini.

Catrin Ann a Meri Lisi, dwy ferch hynaf y teulu, gafodd y fraint o roi enwau ar eu dwy chwaer fach. Dyna pam y cafodd y ddwy eu henwi ar ôl y ddwy hŷn: bedyddiwyd Lil yn Elisabeth Jane ar ôl Mary Elisabeth, a Rini yn Ann Irene ar ol Catrin Ann.

Roedd fy nhad ac Anti Rini yn hen lawia oherwydd nad oedd ond naw mlynedd rhyngddyn nhw o ran oedran, ac er mai modryb iddo oedd hi, ystyriai fy nhad hi'n fwy fel cyfnither mewn gwirionedd – un y byddai'n cael llawer o anturiaethau a hwyl yn ei chwmni.

Cyfoethogwyd fy mywyd innau o gael ei hadnabod.

Roedd hi'n annwyl a charedig dros ben, heb sôn am fod yn llawn o hwyl a chwerthin. Mae sawl sgript radio neu deledu i blant rydw i wedi eu creu neu eu perfformio dros y blynyddoedd wedi eu seilio ar gymeriad bywiog Rini Jones, a hyd heddiw, byddaf yn defnyddio pyped llaw poli parot lliwgar wrth adrodd straeon ar gyfer plant bach. Ac ar Jiorji'r bwji anfarwol y bydda i'n seilio cymeriad y deryn swnllyd hwnnw!

Calon Lawen
(bomio Manceinion yn y blits ddiwedd 1940)

Roedd Madge Hicks, nyrs staff yn Uned Gofal Dwys Inffyrmari Frenhinol Manceinion, wedi myllio'n lân. Cordeddai meddyliau annifyr drwy'i phen: pryderai fod 'na ddau wely angen cynfasau glân, a doedd y ddwy lolan wirion 'na byth wedi dod yn eu holau o'r golchdy. Beth petai'r Metron yn cyrraedd? Mi fasa hi'n gandryll! Go fflamia! Pam, o pam, nath hi ganiatáu i ddwy nyrs ddibrofiad fynd i nôl y dillad gwely glân? Mi fydda un ohonyn nhw wedi medru gwneud hynny ar ei phen ei hun. Roedd Nyrs Ketteridge a Nyrs Bruce wastad ar ryw berwyl direidus ac yn chwilio am hwyl. Ar y llaw arall, a bod yn deg â nhw, roedd y ddwy wedi bod yn gweithio'n galed fel lladd nadroedd, a hithau wedi penderfynu rhoi hoe fach iddyn nhw o'r herwydd. Ond nefi, roedden nhw'n medru bod mor wirion ar adega: doedden nhw ddim fel 'taen nhw'n sylweddoli bod 'na ryfel! Doedd dim amdani ond mynd i chwilio amdanyn nhw, gan mai dan ei gofal hi roeddan nhw i fod. Ac eto, roedd hi'n gyndyn o gefnu ar y ward, gan fod 'na ryw argyfwng yn codi'i ben yn barhaus ar Gofal Dwys. Ond roedd popeth i'w weld yn dawel iawn, felly mentrodd gefnu ar ei chyfrifoldebau ar y ward ar ôl siarsio Nyrs Vine, oedd yn arbennig o brofiadol, i gadw llygad barcud ar bopeth. Dim ond munud neu ddau fydda hi oddi yno p'run bynnag. Byddai'n rhaid iddi ddod o hyd i'r ddwy nyrs anaeddfed a'u disgyblu mor fuan â phosib cyn i'r tair ohonyn nhw fynd i drybini gan fod rheolau'r Metron yn eithriadol o llym.

Ond doedd 'na ddim golwg o Harriet Ketteridge na Catriona Bruce yn unman: doedden nhw'n bendant ddim yn y golchdy! Glynai tawelwch llethol fel clogyn o darth tamplyd o amgylch muriau di-ben-draw adeilad urddasol yr Inffyrmari ym mherfeddion y nos. A mud oedd Manceinion hefyd; yn y distawrwydd llethol, safodd Madge Hicks yn stond, i wrando.

Yn sydyn, clywodd sŵn cerddediad rhywun ar y coridor cyfagos. Aeth y nyrs-staff i gyfeiriad y sŵn, gan obeithio y byddai modd iddi gael ateb i gwestiwn neu ddau gan un o'r ddwy ifanc. Yn ddiamynedd, brysiodd yn fân ac yn fuan, ac wedi troi'r gornel yn ddisymwth, daeth wyneb yn wyneb â gweinidog yr efengyl mewn dillad syber a choler gron. Suddodd ei chalon, achos go brin y byddai dyn parchus, canol oed fel hwn yn gwybod ble i ddarganfod dwy nyrs fach benchwiban! Petrusodd, a chododd y gweinidog ei het i'w chyfarch.

'Noswaith dda,' meddai'n dawel.

'Ym . . . sgusodwch fi,' mentrodd Madge ofyn, 'dach chi ddim wedi digwydd gweld dwy nyrs ifanc – un bryd tywyll a'r llall yn olau – o bosib yn cadw reiat hyd y coridora 'ma, ydach chi?'

'Do, fel ma' hi'n digwydd!' atebodd y gweinidog mewn syndod. 'Mi gwelis i nhw gynna, wrth i mi gymyd hoe fach. 'Deud y gwir, mi roddodd eu chwerthin nhw ryw hwb i mi, w'chi – yng nghanol yr hen ryfal 'ma a'r holl salwch ac ati. "A fýnno iechyd, bid lawen", yntê?' dyfynnodd, gan ryw led dynnu coes. Ond doedd gan Madge ddim amser i ddal pen rheswm, er bod y dyn yn amlwg yn ddigon cyfeillgar a chlên. Petai ganddi funud i'w sbario, byddai wedi mwynhau cael sgwrs, ond roedd hi ar frys.

'Lle gwelsoch chi'r nyrsys?' holodd braidd yn siort.

'O, fan'cw. Aethon nhw drwy'r drws acw,' meddai yntau, wrth sylwi ar frys Madge. Amneidiodd tuag at fynedfa ar y chwith – a'r drws bychan oedd bron o'r golwg ar ben draw'r coridor byr.

'Diolch,' meddai Madge, a rhuthro am y drws mor dawel â phosib.

Erbyn hyn, roedd ei thymer yn berwi. Gwelodd fod y drws yn arwain at risiau culion, a allai ddim ond mynd i un lle yn unig – sef i ben y to! Be gebyst oedd y nyrsys ynfyd 'na'n ei wneud yn fan'no? Am anghyfrifol – yn meiddio gwastraffu ei hamser prin hi fel hyn! Gobeithio'r nefoedd fod Nyrs Vine yn gallu delio ag unrhyw greisus oedd yn sicr ddigon o godi'i ben. O'r andros! Ddylai hi ddim fod wedi gadael y cleifion. Damia'r nyrsys dw-lal 'na!

Wrth i Madge ddringo'r grisiau, clywodd chwerthiniad iach uwch ei phen.

'Fa'ma ma'r tacla!' meddyliodd yn flin. Ac unwaith y cyrhaeddodd hi'r pen ucha, o'i blaen gwelodd ysgol fechan o haearn bwrw yn arwain at ddôr agored yn y nenfwd. Allai Madge weld dim drwy'r ddôr, gan fod coesau siapus Nyrs Ketteridge yn llenwi'r gofod hwnnw, achos roedd hi hanner ffordd allan, ac yn 'nelu am y to! Ac ar waelod yr ysgol, ar lawr, yn sypyn llipa, roedd Nyrs Bruce, yn g'lana chwerthin, heb sylwi dim ar Madge Hicks, oedd yn gwgu'n demprus arni.

'Ketteridge! Bruce!' bytheiriodd. 'G'leuwch hi 'nôl am y

ward y funud 'ma! Rhag eich c'wilydd chi'n tanseilio f'awdurdod i! Ewch yn eich hola'r funud 'ma! Mi fydd raid i mi'ch riportio chi i'r Metron! '

Yn syfrdan, sgrialodd y ddwy nyrs esgymun i lawr y grisiau i'r coridor islaw, gan fwngial eu hymddiheuriadau wrth fynd heibio'r nyrs staff gandryll.

'Ma' hi wedi canu arnon ni rŵan, Cat!' ebychodd Harriet wrth ruthro ar hyd y coridorau 'nôl tuag at y ward.

'Dwi'n gwbod!' meddai ei chyfeilles. 'Ddylan ni ddim bod wedi mynd i fyny fan'na – 'nenwedig a ninna ar ddyletswydd Gofal Dwys.'

'Be sy'n bod ar Staff, 'ta? Dio'm fatha hi i wylltio fel'na. Do'dd hi'm yn arfar bod fel'na, nagoedd? O'dd hi'n lecio dipyn o hwyl. Fasa hi wedi chwerthin tasa hi 'di ca'l gwbod be o'ddan ni'n neud.'

''Di colli'i chariad ma' hi, 'de.'

'Pwy, y portar 'na o'dd hi'n arfar ei ganlyn? Hwnnw a'th a'i gadal hi. Stanley rwbath o'dd ei enw fo? Ond ma' hynna ddwy flynadd yn ôl.'

'Wn i. Ond ma' petha'n wahanol pan ti'n hŷn, 'dydyn? Sdi, 'di Staff ddim yn ifanc, nachdi? Ella na cheith hi'm cyfla arall.'

'Staff druan.'

'Ia, Staff druan. A druan ohonan ninna hefyd pan fydd raid i ni fynd i weld Metron!'

Safodd y ddwy nyrs yn eu hunfan wrth i sgrech seiren ymosodiad o'r awyr ferwino'u clustiau. Deffrodd yr adeilad cyfan o'i drwmgwsg. Roedd yr Inffyrmari'n ferw gwyllt: pobol yn ymddangos o bob cyfeiriad a phawb yn rhedeg blith draphlith fel haid o forgrug ar ffo, am y gora i lochesu. Dychrynodd y ddwy nyrs ifanc, ond rhedeg ar eu hunion yn eu holau i mewn i'w ward wnaethon nhw tra oedd pawb arall yn gadael y ward, ac yn dianc – yn staff a chleifion fel ei gilydd. Roedd pawb yn ei g'leuo hi gynted â phosib i'r gwarchodfeydd 'mochel tanddaearol rhag ffrwydriadau'r bomiau oedd yn debygol o ddisgyn ar y ddinas unrhyw funud. Ond doedd staff a chleifion Gofal Dwys ddim yn cael cysgodi yn unman. Roedd y gwaelion yn fan'no'n rhy sâl i'w symud, felly roedd rhaid i bawb oedd ar ddyletswydd yn ystod y blits aros i gyflawni eu dyletswyddau.

Wrth i Madge Hicks redeg yn wyllt i gyfeiriad y ward heb ganolbwyntio i ble roedd hi'n mynd, aeth ar ei phen i mewn i rywun arall oedd, fel hithau, yn rhuthro fel cath i gythraul. Bu bron iddi faglu a disgyn, ond arbedwyd hi wrth i freichiau cyhyrog ei dal a'i sadio. 'Y dyn 'na oedd ar y coridor!' meddyliodd Madge, gan ryddhau ei hun o'i afael a chythru am y drws.

'Brysiwch!' galwodd arno dros ei hysgwydd, ac ing yn ei llais. 'Ewch o'ma gynta medrwch chi, neu newch chi byth gyrradd y lloches cyn i'r bomia ddod!' Yna diflannodd drwy ddrws y ward Gofal Dwys cyn i'r dyn fedru yngan gair.

Rhuthrodd Madge Hicks i mewn i'r ward, ac yng nghefn ei meddwl – yn ei hisymwybod bron – roedd hi'n cysidro pryd ar wyneb daear roedd y rhyfel ddiddiwedd hon am ddarfod. Llanwodd ei chalon â rhyddhad o weld bod Nyrs Vine wedi goruchwylio'r ward yn benigamp. Byddai'n rhaid iddi gofio'i chanmol wrth y Metron – heb ddatgelu gormod ar ei stori hi ei hun! Ond do'dd rŵan ddim yn amser da i hel meddylia.

Aeth i roi help llaw i un o'r nyrsys i godi claf o'r enw Lawrence Brice o'i wely, a'i osod mor gyfforddus â phosib ar lawr. Yna ar frys, ond yn dyner, gwthiodd y ddwy'r dyn bregus o dan y gwely, i'w ddiogelu. Gorchmynnodd i'r nyrs arall fynd i 'mochel dan wely i ofalu am un arall o'r cleifion, ac yna gorweddodd hithau ochr yn ochr â Lawrence Brice, gan orffwyso'i llaw gynnes ar ei law oer yntau. Wedyn, diffoddwyd y golau.

Gorweddodd Madge yn dawel yn nhywyllwch dudew'r blacowt, yn gwrando, gan felltithio'r seiren am rwygo llonyddwch y nos a'i hatal hithau rhag disgyblu'r ddwy nyrs wirion fu'n ddigon ffôl i feiddio cymowta ar ben to'r sbyty ynghanol rhyfel! Roedd hi'n anochel ei bod hi'n gorfod gohirio hynny bellach.

Clustfeiniodd. Yna clywodd y gelyn yn dynesu. 'Rhyfadd,' meddyliodd, ''sgynna i ddim ofn, er bod awyrennau'r Natsïaid yn dŵad yn nes. Beryg mod i'n dal i fod wedi chwerwi?' Ochneidiodd, gan obeithio nad oedd yn dechra troi'n hen ferchetan sur oedd wedi cael ei gwrthod! Ond weithiau, ni allai lai na gwaredu: yn doedd hi wedi treulio'i hieuenctid i gyd yn gofalu am lawer, yn cyfuno'i gofal am eraill drwy ei gyrfa yn yr ysbyty hefo'i dyletswyddau moesol yn 'morol am ei rhieni oedd mewn gwth o oedran! Ro'dd hi wedi colli'i mam yn lled ddiweddar, flwyddyn, bron, ar ôl i Stanley fynd. Yn reddfol, teimlodd am y fodrwy ar ei bys priodas. Wrth reswm, doedd hi ddim yna. A'i dyweddïad ar ben, roedd hi wedi'i gwerthu, gan fod Stan wedi cyfarfod rhywun arall. Roedd o wedi blino aros cyhyd amdani. Fedrai hi mo'i feio fo mewn gwirionedd, a thrist oedd meddwl nad oedd ei rhieni wedi cymryd ato fo, a fynta'n hen foi iawn. Ond doedd o'n 'ddim digon da' iddi hi, eu hunig blentyn, yng ngolwg ei rhieni. Fedrai hi mo'i feio fo am fynd. Mi ddyla hi fod wedi rhoi ei throed i lawr yn amlach yn lle gadael i'w rhieni – ei mam yn enwedig – ei rheoli hi. Daeth deigryn i'w llygaid wrth gofio wyneb annwyl Stan.

Teimlodd gorff y claf yn stwyrian wrth ei hymyl. Gwasgodd ei law yn dyner i'w gysuro, er y gwyddai nad oedd yn ymwybodol o ddim yn y cyflwr yr oedd ynddo. Ond cododd ei chalon wrth iddi deimlo'r mymryn lleia o ymateb yn ei law oer. Fallai fod 'na obaith iddo o hyd!

Bellach, roedd bomiau'n cael eu gollwng. Gallai Madge glywed eu ffrwydriadau yn y pellter a thrwy dywyllwch y ward daeth llais clir Nyrs Dervla O'Reilly i'w chlyw, yn gweddïo'n daer:

'Iesu, Mair a Joseff, achubwch ni.'

Sgrytiwyd Madge Hicks o'i myfyrdodau. Lle roedd Stan rŵan tybed? Gobeithiai'n angerddol ei fod yn rhywle diogel. A be am 'rhen ŵr ei thad? A fyddai Charlie Mathews drws nesa wedi 'morol amdano, a mynd ag ef i'r lloches? A ble roedd bob un o'i ffrindiau annwyl? A'r nyrsys ifanc? Rhaid eu bod nhw wedi dychryn yn ofnadwy.

Clywodd fom arall yn ffrwydro . . . yn nes tro 'ma. Doedden nhw erioed wedi bod mor agos o'r blaen. Daliodd ei hanadl ac aros am yr ergyd nesa, a sylweddolodd Madge, er ei bod hi'n tynnu am ei deugain a phump ac yn debygol o fod yn hen ferch am weddill ei hoes, nad oedd hi eisiau marw. Yn enw'r nefo'dd, doedd hi ddim isio marw! Fel y rhelyw o'r lleill yn y tywyllwch dan y gwlâu, dechreuodd weddïo hefo Dervla O'Reilly:

'Iesu, Mair a Joseff, achubwch ni.'

Yn sydyn, gafaelodd llaw gadarn, gynnes yn ei llaw rydd. Bu bron iddi lewygu yn ei dychryn!

'Fydd hyn drosodd cyn pen dim,' sibrydodd llais cryf, caredig yn ei chlust, nes peri i'w dychymyg fynd ar chwâl. Pwy andros oedd 'na? Roedd y llais yn gyfarwydd. Ceisiodd droi a chraffu drwy'r tywyllwch, ond roedd hi'n rhy gyfyng yno.

'P-pwy sy 'na?' mentrodd siffrwd dan ei gwynt.

'Y dyn ar y coridor,' atebodd y llais, a thinc o chwerthin ynddo.

Ma' gynno fo lais melfedaidd iawn beth bynnag, meddyliodd Madge, wrth grafu'i phen a cheisio'i gora i gofio pam ei fod o'n gyfarwydd iddi. Cymro oedd o, a barnu oddi wrth ei acen. Doedd ganddi ddim byd i'w golli wrth holi mwy.

'Ym-y-ydw i'n eich nabod chi, d'wch?' A chafodd atéb ar ei ben:

'Fi o'dd y dyn yn y coridor gynna. O'n i'n gwisgo coler gron.'

'Brensiach mawr!' meddai Madge. 'Y gw'nidog sy 'na!' A chlywodd ef yn chwerthin yn dawel. 'Ond o'n i'n meddwl eich bod chi wedi mynd i lochesu!'

'Mi o'n i ar fy ffordd i weld Lawrence Brice pan glywis i'r seiren,' eglurodd y llais melfedaidd yn bwyllog, ac yna difrifolodd. 'Dwi'n ffrind i'r teulu. Rai blynyddoedd yn ôl, mi ges i brofedigaeth ac mi fuodd teulu Lawrence yn gysur mawr i mi. Bod yma hefo fo ydy'r peth lleia fedra i neud iddo fo a'i deulu.'

Ddeudodd 'run ohonyn nhw ddim byd wedyn, dim ond gwrando a meddwl am ganlyniadau erchyll y bomio dychrynllyd o agos.

'Ma' hi ar ben arnon ni,' meddyliodd Madge. A cheisiodd wneud ei gorau glas i beidio hel meddyliau, a chanolbwyntio ar feddwl am ddim byd o gwbwl. Ond lwyddodd hi ddim, achos yn sydyn, cofiodd pam fod y gweinidog yn gyfarwydd iddi. Bu farw'i wraig ar y ward hon rai blynyddoedd yn ôl. Cofiodd nad oedd ganddo deulu agos yn yr ardal, a'i bod hi wedi gofidio'n arw amdano ar y pryd. Roedd o wedi'i tharo hi fel un dewr iawn yn ei unigrwydd – yn urddasol bron, ac mewn ffordd roedd hi wedi'i edmygu o, am nad oedd 'na arlliw o chwerwedd o'i gwmpas o o gwbwl.

Er rhyfeddod iddi'i hun, sylweddolodd Madge ei bod wedi parhau i afael yn ei law drwy gydol y bomio. A phenderfynodd ddal ei gafael yn y llaw honno, doed a ddelo, gan ei bod yn gysur mawr iddi yn y sefyllfa dywyll roedden nhw ynddi.

Llusgai'r munudau eu traed; yna'n rhyfeddol, er gwaetha difrifoldeb y sefyllfa, teimlodd Madge bwl o chwerthin yn goglais ei stumog, ac o'i herwydd fe'i trawyd hi gan ryw awydd i chwerthin dros y lle! Gwnaeth ei gorau i fygu'r ysfa wamal honno, rhag ofn pechu'r gweinidog, ond daliai ei sefyllfa i'w phryfocio, oherwydd roedd hi'n un mor rhyfedd – yn ddoniol ac yn ingol ddifrifol ar yr un pryd! Pwy feddylia y byddai hen ferch o'i hoedran hi'n gorwedd o dan wely hefo dau ddyn o boptu iddi ynghanol tywyllwch dudew! Adfeddiannodd ei hun a sobri'n syth, gan fod Lawrence druan yn griddfan wrth ei hochor, a'i waeledd â'i grafangau ynddo. Gweddïodd Madge y byddai'n goroesi, a chan fod ei law yn teimlo fymryn c'nesach, er yn llaith, a'i afael yn ei llaw hi'n llai llipa, gobeithiodd fallai fod 'na lygedyn o obaith iddo.

Roedd sŵn y bomio'n pylu ac yn pellhau. Llaciodd Madge ei gafael yn nwylo'r ddau arall fymryn, yna'n affwysol o sydyn a dirybudd, daeth ffrwydrad annaearol na thawodd sŵn ei ddinistr na'i danchwa am hydoedd. Sgrytiodd holl adeilad yr ysbyty a'r criw bychan a swatiai oddi mewn iddo. Roedd hi'n ymddangos fel pe bai'r nos wedi cael ei rhwygo'n yfflon gan rym yr ergyd ysgeler. Yna, doedd 'na ddim. Dim sŵn na dim byd ond dwys ddistawrwydd – pawb yn fud mewn dychryn, a neb yn meiddio symud llaw na throed.

O'r diwedd, daeth goleuni i Uned Gofal Dwys Inffyrmari Frenhinol Manceinion, ac un llais clir yn gweiddi: 'All clear!'

Bythefnos yn ddiweddarach, eisteddai Madge Hicks ar fainc yn y parc, yn ymgomio'n hamddenol hefo'r Parchedig Trefor Owen.

'Mi gafon ni ddihangfa wyrthiol, Madge,' meddai'r gweinidog.

'Do,' cytunodd hithau'n syber. 'Roeddan ni mor lwcus mai dim ond yr adran Cleifion Allanol gafodd ei tharo. Diolch nad oedd 'na neb yn y rhan honno o'r sbyty ar y pryd!'

'Mmm,' myfyriodd Trefor. 'Diolch i Dduw.'

'Ond wedyn, fasan ni'n dau ddim wedi taro ar ein gilydd fel gwnaethon ni – oni bai am y bomio,' meddai Madge, a rhyw ddireidi'n mynnu gwthio'i hun i'w llais er gwaetha difrifoldeb y sgwrs. 'A fasan ni ddim yn ista'n fa'ma rŵan chwaith heblaw . . .'

'Doeddwn i ddim angen bomia i f'arwain i atoch chi, Madge,' meddai yntau, a'i lygaid yn pefrio. Syllodd hithau arno mewn penbleth, felly ymhelaethodd Trefor.

'Dwi wedi sylwi arnoch chi ers tro wrth fynd o gwmpas fy ngorchwylion ar y wardia. Os ca' i fod mor hy â deud mod i wedi gweld modrwy ddyweddïo ar eich bys chi, a wel . . .'

'Wel, dydy hi ddim yna rŵan!' gorffennodd Madge y frawddeg drosto. Yna ategodd, 'Yr hen gadno â chi!'

Edrychodd y ddau ar ei gilydd, a chwerthin nes i'w miri atseinio drwy goed y parc. Bu munud o dawelwch cyn i Trefor newid y pwnc:

'Dwi mor falch bod Lawrence yn gwella mor dda.'

'O, a finna hefyd!' meddai Madge, o'r galon. 'Does dim angan gofal dwys arno fo bellach, ac mae o am gael ei symud pnawn 'ma.'

'Da iawn, da iawn!' meddai'r gweinidog. Yn sydyn, cofiodd am y ddwy nyrs ifanc aeth ar sbri ar hyd y coridorau funudau cyn y blits.

'Gyda llaw, Madge, be ddigwyddodd i'r ddwy nyrs roeddech chi'n rhedeg ar eu holau'r noson honno?'

'Y tacla gwirion!' meddai Madge, a chwerthin nes oedd hi yn ei dybla, hyd nes bod Trefor yntau'n ymuno, er nad oedd ganddo lawer o glem am be roedd o'n chwerthin! Ymdrechodd Madge i egluro fod Harriet a Catriona wedi bod ar y to yn taflu graean at yr Home Guard am fod 'na si ar gerdded yn yr ysbyty fod y rheiny, druan, yn rhai llwfr. Roedd y nyrsys wedi llwyddo i brofi hynny: roedd pawb o'r Home Guard wedi'i g'leuo hi am adre'r funud y clywon nhw'r graean yn disgyn ar eu helmedau!

Ar ôl pwl arall o helaeth gydchwerthin, sychodd Madge ei dagrau, a deud:

'Ro'n i wedi styried achwyn am y ddwy yna wrth Metron, ond ar ôl y bomio, newidis i fy meddwl.'

'Pam felly?' holodd Trefor. 'Roeddech chi i' weld yn flin iawn hefo nhw ar y pryd.'

'Am eu bod nhw wedi ymddiheuro'n llaes ac wedi iddyn nhw adrodd hanes y graean, fedrwn i yn fy myw â pheidio chwerthin. Mi nath eu stori nhw godi calon pawb, ac ar ôl yr holl ofn a thristwch, roedd pawb ohonan ni angen rhwbath i'n tawelu ni ar ôl y sioc. Ro'dd dos o chwerthin yn well nag unrhyw ffisig.'

'Calon lawen a wna les fel meddyginiaeth,' dyfynnodd Trefor.

Gwenodd y ddau ar ei gilydd, cyn cofleidio'n dynn.

* * *

Profiad fy mam oedd un Madge Hicks yn y stori uchod. Hi mewn gwirionedd oedd y nyrs staff ar y ward Gofal Dwys yng nghanol y blits ym Manceinion. Cafodd brofiadau erchyll bryd hynny, a thrwy eu chwerthin a'u ffydd y goroesodd hi a'i chyfoedion drwy'r amseroedd tywyll. Mae'r stori am y ddwy nyrs ifanc yn ei gofal yn hollol wir, ond ffuglen ydy'r stori serch. Dim ond un ar hugain oed oedd fy mam pan briododd hi Nhad, a naethon nhw ddim cyfarfod ei gilydd o dan unrhyw wely!

Ond roedd fy rhieni'n canlyn adeg y blits, a gweinidog oedd fy nhad bryd hynny – a'i ddyletswyddau'n ymestyn i wardiau ysbyty a'r *air-raid shelters*, lle teimlodd fod angen cynnig mwy na 'moddion gras' i'r dioddefwyr. Er na chollodd ei ffydd, bu iddo gwestiynu digon arni, ei dadansoddi a'i throi hi tu chwith allan hefyd! Felly aeth i Ysgol Feddygol Leeds i astudio Seicoleg, profiad a fu'n chwyldroadol yn ei hanes, gan iddo ymddiddori'n fawr iawn yn y pwnc newydd hwnnw. Dyna'r rheswm pennaf pam yr aeth fy rhieni i fyw i'r Unol Daleithiau; hynny, a'r awydd i ddechrau bywyd o'r newydd, fel y llaweroedd eraill oedd wedi byw drwy erchyllter yr Ail Ryfel Byd. Fallai fod y Byd Newydd yn cynnig dihangfa o'u hunllefau a'u hatgofion iddyn nhw – pwy ŵyr!

Un hanesyn bach arall sy'n berthnasol i'r stori uchod ydy'r ffaith fod Mam wedi morio ar ei phen ei hun ar long y *Queen Elizabeth* rai misoedd wedi i Nhad gyrraedd y wlad newydd a setlo yn ei waith yng Ngholeg Lewis & Clark yn Portland, Oregon, a darganfod llety i'r ddau ohonyn nhw. Ar y fordaith honno mi gyfarfu Mam â milwr o'r un oedran â hi oedd wedi bod yn beilot ym myddin y Natsïaid yn yr Almaen. Gŵr ifanc boneddigaidd ac annwyl iawn oedd o, a bu cyfle iddyn nhw unwaith fentro 'cymharu nodiadau' am brofiadau ffiaidd eu blynyddoedd diweddaraf. Daeth y ddau i'r casgliad mai erchylltra oedd yr holl gyflafan, a bod rhaid camu mlaen i'r dyfodol gan ymddihatru'n llwyr oddi wrth ryfel byth wedyn.

Llygad mewn Basgiad
(1957)

Dwi ofn. M-ma' 'na lygad yn y fasgiad 'na. Dwi'm isio i honna fod yn fan'na, achos . . . 'chos ma' hi'n edrach arna i. Drw'r adag, pan fydda i ddim yn edrach arni hi – ma' hi'n dal yna, yn sbio! Ych! Dwi'm yn ei lecio hi. Ma' hi . . . ma' hi'n llygad ddrwg! Dydy hi ddim yn las, nac yn wyrdd, nac yn frown. Nac yn rwj-raj o liwia chwaith. Ew, ma' hi'n un fowr, a'i chanol hi'n ddu bitsh fatha fy sgidia newydd sgleiniog i. Dwi'n medru gweld llun fy mys yn y rheiny, a reit rownd y lliw du, ma' 'na liw coch. O! Llygad goch ydy hi! Dydy hynna ddim yn iawn, nag ydy? Sgin neb llgada coch.

Dim basgiad Mam ydy honna chwaith! Be ma'r llygad 'na'n neud yn fan'na, yn sbecian o waelod y fasgiad siopa gron ddel 'na ar lawr glân cegin Mam? Dydy hi ddim i fod 'ma. Dim ni pia hi! Dim ein llygad goch ni ydy honna! Ych!

Dwi'n cofio rŵan! Llygad Misus Jenkins Tŷ Pen ydy hi. Ia, hi pia'r llygad goch 'na sy yn y fasgiad. Dydy hi ddim fatha llgada go iawn Misus Jenkins, ond hi pia hi, achos ma' hi yn 'i basgiad siopa hi – honna nath hi'i thaflu i lawr efo'i chôt a'i het cyn iddi hi a Mam fynd drwadd i'r parlwr ffrynt. Nath Misus Jenkins weiddi: 'Dos o ffor'!' arna i. O'dd hi'n flin ac yn bigog am ei bod hi isio crio, medda Dad. Oedd. Ro'dd Misus Jenkins yn crio pan fyrstiodd hi i mewn i gegin Mam gynna, ac ro'dd hi'n gweiddi dros y lle.

Isio menthyg ysgwydd Mam i grio arni o'dd hi medda Dad. Fydd 'na lot o bobol yn dŵad i dŷ ni i neud hynna, ond dwi ddim yn dallt yn y byd pam, achos fydd Mam yn fy hel i o'na, a deud 'tha i am fynd i chwara efo Dad. Ond dydy hwnnw'm isio chwara heddiw, a dwi 'di deud 'tho fo bod o'n niwsans, ond dio'n gwrando dim! Weithia, fydd 'na ffrindia i Dad yn dŵad i 'grio ar ei ysgwydd' ynta hefyd, ac amsar hynny, fydd Mam yn darllen stori i mi, neu fydda i'n mynd allan i chwara efo Carys a Gwyneth, neu'n mynd i'r ardd i ddal broga o'r llyn a'i roid o yn fy mhocad, a'i dynnu fo allan yn slei i weld Mam yn neidio. A weithia, os bydda i'n lwcus, mi fydd draenog yn y brwgaij yn chwilio am falwod. 'Sgin lot o bobol 'im clem sut i afa'l mewn draenog am eu bod nhw'n pigo. Ond dwi'n gwbod sut i afa'l mewn lot o betha, achos nath Dad ddangos i fi sut ma' gneud. Fydd o'n deud:

'Ara deg, ac yn ffeind gynddeiriog, ma' rhoi dwylo o dan ddraenog.'

Dwi'm yn lecio Mam yn rhoi menthyg ei hysgwydd i rywun. Be tasan nhw'n crio dros ei chardigan newydd hi? Dydy o'm yn neis, nachdi, 'chos dim ond fi sy'n ca'l gneud petha fel'na –

i fod. 'Nes i neud neithiwr, pan nath Mam ddeud stori am y ci. Gelart o'dd ei enw fo. O'n i'n poeni am Gelart am ei fod o 'di gor'od marw ar y diwadd – a nath o'm gneud dim byd drwg, mond edrach ar ôl y babi! O'dd Mam 'di dychryn am mod i 'di dychryn, a nath hi addo na fasa hi byth yn deud y stori yna eto. A wedyn, dyma hi'n deud nad o'dd hi'm yn stori wir! Pam ddeudodd Mam stori ddigalon o'dd ddim yn wir wrtha i?

Ma' hi'n bwrw glaw rŵan. Ma' drysa'r gegin i gyd wedi cau, a finna'n dal i mewn yma efo Gwenno. Ci Mam ydy Gwenno. Ma' hi'n ffeind, ac ma' hi'n gadal i fi chwara efo hi. Dwi 'di bod yn rhoi fy nghreia sgidia i fyny'i thrwyn hi, i'w gweld hi'n tisian, ond 'dan ni 'di 'laru chwara'r gêm tisian rŵan, a ma' Gwenno 'di cyrlio yn ei basgiad o dan y bwrdd. Dwi 'di 'laru, a . . . a dwi ofn. Dwi ofn, 'chos dwi newydd gofio am yr hen lygad goch 'na ym masgiad Misus Jenkins.

Dwi'm yn licio Mam a Dad yn cau drws arna i pan fyddan nhw yn parlwr ffrynt efo'u ffrindia. Ddim isio i mi wrando ma' nhw. Dwi 'di deud wrth Dad ei fod o a Mam yn niwsans, ond nath o jest gwenu a deud ei bod hi'n bwysig ein bod ni i gyd yn bod yn ffeind, a bod isio i ni wrando ar boena'n gilydd. Un rhyfadd ydy Dad . . . yn deud petha fatha: 'Paid â bod yn ddafad!' a 'Rho dy law ar ben ci brathog'. Ew, na wnaf, wna i ddim! 'Sa fo mrathu fi, yn basa! A wedyn 'swn i'n brifo . . . Ella fod gin Misus Jenkins Tŷ Pen frifo yn ei bol, ond do'dd hi'm yn edrach yn sâl; o'dd hi'm yn gloff a do'dd hi ddim yn mygu fatha pan fydda i'n ca'l *asthma* chwaith.

Ond dwi'n meddwl ei bod hi'n dal i grio rŵan hyn, achos tasa hi wedi stopio, faswn i 'di ca'l mynd atyn nhw i ddeud 'helô'. Ond dydy hi ddim yn gweiddi rŵan, 'chos dwi 'di rhoi nghlust wrth y drws, a fedra i'm clywad dim. Ddim fatha pan dda'th hi i mewn i dŷ ni gynna, pan o'dd hi'n deud drefn am Dai – Mistar Jenkins ydy hwnnw – am bod o wedi 'rhedag i ffwr' efo ffliwsi'. Dyna be ddeudodd hi: 'Mae o 'di rhedag i ffwr' efo ffliwsi.'

Be ydy ffliwsi? Car ydy o? Neu . . . ysgub gwrach? Ella ma' anifail gwyllt ydy o – un cas ofnadwy, ma' raid. A nath Mistar Jenkins redag a dengid o'i flaen o! Ia, dyna be ydy ffliwsi, anifail gwyllt PERYG! Dyna pam o'dd Misus Jenkins yn crio, am bod y ffliwsi 'di gafal yn Mistar Jenkins efo'i geg, a rhedag i ffwr' yn bell, bell . . . a . . . a dyna pam bod Misus Jenkins yn gweiddi: ofn i'r ffliwsi lyncu Mistar Jenkins ma' hi! A-a dyna pam nath hi luchio'i chôt a'i het ar lawr, a'u gadal nhw yn fan'na, yn gegin, wrth ymyl ei basgiad hefo'r hen lygad goch 'na ynddi hi! Dyna pam o'dd hi'n flin ac yn bigog: am ei bod hi ofn.

Gynna i biti dros Misus Jenkins rŵan. Ma'r ffliwsi 'di dwyn rwbath o'dd hi'n meddwl y byd ohono fo, a ma' 'na hen lygad yn busnesu yn ei basgiad hi, a . . . Ydy hi'n dal yna? Y llygad goch? A' i i edrach . . . o, na! Gynna i ofn! Ond rhaid i mi sbecian. O, ych! Hen beth bowld! Ma' hi'n dal yna'n sbio'n gas arna i! Fan'na! Yn fan'na ma' hi, yn sbecian rhwng y te a'r teisus – rhaid i mi beidio edrach! 'Na' i ddeffro Gwenno. Na, dwi'm i fod i blagio'r ci pan ma'n cysgu, medda Mam. Gynna i ofn. Lle ma' Dad? Wedi mynd allan am ddau funud. Ma' dau funud yn amsar hir iawn, iawn! 'Sna neb yma . . . mond fi . . . a llygad goch mewn basgiad.

Paid â sbio arna i fel'na'r hen lygad ddrwg! M-ma' 'na dân ynddi hi rŵan! Un gas ydy hi. Llygad draig! Dwi'n gwbod, yn gwbod yn iawn be ydy hi rŵan! Llygad ffliwsi! Yr hen ffliwsi cas hwnnw sy'n cuddiad ar ben Wyddfa! Www-aaa! Mae o'n dŵad ar fy ôl i. He-e-e-lp, Mam! M-a-a-m!

Hisht! Hisht! O! Ma' Gwenno 'di deffro. Hisht, paid â plagio'r ci! 'Sdim isio crio fel'na, nagoes. Ma'r llygad goch yn dal yn y fasgiad. Heb symud. Rhaid i mi beidio edrach. 'Na' i ddeud wrth Mam ar ôl i Misus Jenkins fynd adra . . . ond erbyn hynny, fydd hi 'di mynd: hi a'r fasgiad!

Ydy'r ffliwsi'n dal i gysgu? Mi sbecia i eto. Ŵ! O na, o NA! Dwi 'di baglu a rhoi cic i'r fasgiad a ma' 'na ddau lygad yna rŵan! Dau lygad mawr coch! Ma' ffliwsi wedi deffro, ac mae o'n edrach yn gas arna i!

H-e-e-e-lp, M-a-a-am! Dwi'm isio rhedag i ffwr' efo ffliwsi fatha Dai Jenkins! Dwi ofn, dwi ofn, dwi OFN! Rhaid i mi fynd o'ma, ma' ffliwsi'n dŵad, mae o'n dŵad! Nôl stôl . . . agor y drws. Brysia, brysia, brysia, ma' ffliwsi'n dŵad . . . tu ôl i mi! Ma' Gwenno'n cyfarth . . . paid ag edrach! Mae o'n mynd i fy myta fi, a byta Gwenno! Brysia! Brysia! Rhed, Gwenno, ty'd! Rhaid 'mi gyrradd drws y parlwr ffrynt. Ma-a-a-m, agor y drws! Bang! Bang! Bang!

Yn sydyn, ma'r drws yn agor . . . a dyma hi Mam! Ma' hi'n plygu a nghodi fi i roi mwytha i mi am mod i'n sgrechian crio. Sorri. Ddrwg gynna i, o'n i'm i fod i guro'r drws . . . o'n i'm i fod i sgrechian . . . o'n i'm i fod i ddeffro'r ci, a gneud iddi gyfarth . . . ond o'n i ofn.

Ma' 'na ogla da tu ôl i glustia Mam. Ogla Paris ydy o medda hi, ac allan o botal felyn fach, fach fatha swigan y doth o – honno roth Nanw iddi pan ddaeth hi adra o wlad o'r enw Ffrainc. 'Dan ni'n dwy'n mynd i ista ar y soffa rŵan, Mam a fi. Dwi'n dringo ar lin Mam. Ma' gynni hi ddwylo mawr, annw'l. Ma' hi'n gwenu arna i, yn sychu nagra, a thacluso ngwallt i hefo'i bysadd ffeind. Ma' fy mhen i ar ei hysgwydd hi. Fy nagra i sy'n g'lychu cardigan newydd Mam. Ond dwi'n saff, saff, ac ma' ca'l crio ar ysgwydd Mam wedi gneud i mi deimlo'n hapus. Does gynna i'm ofn yr hen ffliwsi ddim mwy.

Ma' Misus Jenkins yn gwenu, felly ma'n rhaid ei bod hitha hefyd wedi bod yn crio ar ysgwydd Mam. Dydy hi ddim yn flin nac yn bigog ddim mwy. A dwi'n falch ei bod hi'n well. Ma' hi wedi bod yn y gegin yn nôl ei het a'i chôt a'i basgiad – yr un efo llygad goch ynddi hi. Ma' hi'n gwenu arna i . . . dwi'n edrach ar y fasgiad . . . ac yn gafael yn dynn yn llaw Mam.

O! Ma' Misus Jenkins wedi rhoi ei llaw yn y fasgiad, ac ma' hi'n chwilio am rwbath . . . a dydy'r ffliwsi ddim yn ei brathu hi! Ma' Misus Jenkins yn gwenu arna i.

'I dy fam ma'r rhein,' meddai, a rhoi'r te a'r teisus i Mam.

'W! C'enna cri!' medda Mam, yn wên o glust i glust.

'Ac ma' 'na anrheg yn fa'ma i ti, cariad bach,' medda Misus Jenkins, 'am fod mor ffeind, yn aros yn y gegin yn hogan dda, i mi gael gair efo dy fam.'

A ma' hi'n rhoi rwbath i mi sy'n edrach yn ddel ac yn feddal. Mae o'n biws, glas a gwyrdd, ac ma' Mam yn deud:

'O, yli, 'mach i! Llyffant melfad! Ma' gynno fo ddwy lygad fawr goch, sy'n ddigon o ryfeddod. Wel? Be w't ti'n ddeud wrth Misus Jenkins?'

Dwi'n deud diolch. Mae hi'n cynnig y llyffant del hefo'i lygaid coch i mi, a finna'n mentro rhoi fy mys ar ei drwyn o.

'Be wyt ti am 'i alw fo, cariad?' ma' hi'n gofyn. A dw inna'n atab yn syth bìn:

'Ffliwsi.'

* * *

Cafodd y darn hwn ei sbarduno mewn dosbarth sgrifennu creadigol dwyieithog oedd yn cael ei arwain gan y bardd a'r awdures Sian Northey yn Llyfrgell Caernarfon ym mis Mawrth 2009. Rhoddodd Sian lond basged o bethau o'n blaenau, a'n hannog i sgwennu rhywbeth amdani hi a'i chynnwys. Saesneg oedd iaith fy ymdrech gyntaf, ac mi gyfieithais y darn a'i addasu yn ddiweddarach. Dewisais sgwennu yn y person cyntaf er mwyn styried teithiau fy meddyliau i fy hun pan oeddwn i tua phedair oed, gan obeithio rhoi rhyw ongl arall i'r dweud.

Bryd hynny, roeddwn i'n naturiol yn gorfod dysgu

difyrru fy hun ar adegau pan fyddai fy rhieni'n brysur, ac mae arna i ofn y byddwn yn gwneud hynny weithia drwy roi creiau fy sgidia i fyny trwyn Gwenno oddefgar er mwyn ei gweld hi'n tisian!

Hefyd, dylwn egluro y byddai Nhad yn fwriadol yn defnyddio troadau ymadrodd a diarhebion anodd i blentyn eu deall, gan wybod y byddwn yn siŵr o holi Mam ynghylch eu hystyr. Gwyddai y buasai hithau'n egluro'n syml ac effeithiol ystyr y geiriau roedd fy Nhad wedi'u defnyddio. Roedd hon yn ffordd benigamp a diymdrech i gyfoethogi iaith plentyn.

Rhag ofn eich bod yn meddwl, mae'r cymeriadau ychwanegol yn y stori (heblaw am fy rhieni a minnau, wrth gwrs) yn rhai ffug. A ffrwyth fy nychymyg i'n llwyr ydy'r stori!

Ar Ddiwadd y Dydd

Glywis i Mam yn sgrechian. Ar ddiwadd y dydd, pan o'dd pob dim ar ben, pan o'dd neb yn clywad, a'r byd yn swrth a ddim isio gwrando. Amsar hynny sgrechiodd hi. Dim ond fi clywodd hi. A sgrech fud o'dd ei sgrech hi.

Anghofia i fyth mo'r noson honno: o'dd lliw'r dydd wedi dechra pylu, a'r lleuad wedi codi'n fawr a llonydd. O'dd hi wedi bod yn hongian am sbelan uwchben y byd, a mond newydd ddechra dringo'r awyr o'dd hi, a ninna'n dwy'n cerddad ling-di-long wrth droed y mynydd tawal hwnnw, yn chwilio am rwla clyd i swatio dros nos. Mi fyddan ni'n arfar mwynhau nosweitha dan y sêr pan fydda'r tywydd yn fwyn ac yn dirion.

A'th 'na bobol heibio i ni bob ryw hyn a hyn, y rhan fwya ohonyn nhw ar ras am eu bod nhw ofn cael eu dal ar y rhosydd yn twllwch. Nhw'n dŵad i lawr y mynydd, a ninna'n dringo'n hamddenol i fyny. Wedi i ryw dri arall ein pasio ni ar wib, edrychodd Mam yn ddireidus arna i, ac mi ddarllenis i ei meddwl hi, a chymryd ei bod hi'n deud:

'Ma'r rheina ofn bod ar y mynydd yn y nos, sdi – y petha gwirion! 'Sna'm byd fatha cysgu dan y sêr, 'sa nhw mond yn gwbod.'

O'n i'n cytuno efo hi.

Ond erbyn hyn, dwn i'm byd . . . achos dwi'm yn lecio'r nos ers . . . ers y noson honno. Ac ar ddiwadd bob dydd rŵan, dwi . . . dwi ofn.

Dyna pryd digwyddodd o, dach chi'n dallt. Ar ddiwadd un diwrnod braf pan oeddan ni newydd setlo yn ein congol fach – y ddwy ohonon ni 'di dechra pendwmpian, a'n penna ni'n drwm.

Yn ddirybudd, ro'dd o yna: ym mhob man – o'n cwmpas ni, ar ein penna ni, droston ni! Do'n i ddim yn gwbod be o'dd o, rioed 'di gweld un mor fileinig â hynna o'r blaen.

O'dd gynno fo winadd hir, budur; ro'dd o'n pwnio a chrafangio ac yn rhyw chwyrnu dan ei wynt rwsut . . . a fedra 'run ohonan ni'n dwy ddengid achos ro'dd o 'di'n dal ni'n sownd yn y gornal glyd honno, o'dd fwya sydyn wedi troi o fod yn lloches i fod yn garchar! O'n i'n mygu, ac o'dd o'n fy mygu fi, achos ro'dd o'n ffiaidd a gorffwyll, a lot rhy agos. O'n i ofn cymryd fy ngwynt! Mi wasgis fy hun cyn bellad â fedrwn i oddi wrtho fo, ac mi stwffis i – ella fod Mam wedi rhoid rhyw hwyth i mi, dwi'm yn cofio'n iawn, achos ddigwyddodd o mor sydyn, o'r golwg tu ôl iddi. Ond ro'dd o . . . y peth gwyllt gwallgo 'ma . . . wedi'n dal ni, ac yn sefyll yn fan'no uwch ein penna ni, yn poeri ei hen wên yn un slafar rhwng ei ddannadd, a cau gadal i ni symud dim!

Dyna lle buon ni'n tri wedyn am rai munuda: fo'n rhythu

arnon ni, a ninna ddim ond yn mentro cymryd cip arno fo
. . . weithia.

O'dd 'na fymryn bach o liw'r dydd yn dal ar ôl yn llusgo'i
draed hyd y rhosydd, ac mi fedrwn i weld bod 'na ryw ola
coch rhyfadd yn llygaid gorffwyll y 'peth' yma, ond yn y
llwyd ola hwnnw ro'dd ei wynab o'n rhy dywyll i mi fedru'i
weld o'n iawn.

Yn sydyn, am ddim rheswm amlwg, dyma fo'n plymio
mlaen, a chydiad yn dynn yng ngwddw Mam, dan ei gên hi,
a phlannu'i hen ddannadd enfawr ynddi hi, a gwasgu . . . a
gwasgu nes o'dd hi'n mygu ac yng ngola'r lleuad lawn o'dd
yn gloywi fwy a mwy, mi welis i'r gola oedd yn llygaid Mam
yn mynd yn llai . . . ac yn llai.

Clywais fy hun yn gneud sŵn petrus, rhyfadd – rhyw
frefu ddi-baid, a chyn pen dim roedd pobol yno, a'r ddynas
yn sgrechian gweiddi:

'Freddie! Freddie! Stop that, stop it! Come away!'

Dechreuodd y dyn o'dd efo'r ddynas drio llusgo'i
anghenfil oddi ar Mam, ond fedra fo ddim. Achos ro'dd y
'peth' melltigedig yn gwrthod ei gollwng hi. O'dd o wedi ca'l
blas gwaed, a naetha fo'm gwrando.

Yn sydyn, sgrechiodd y ddynas fel rhywbeth oedd ddim
yn gall, ac am funud bach, a'th pob man yn ddistaw, pob dyn
ac anifail a phob deryn yn fud. Gollyngodd y sglyfath ei afa'l
fymryn, a dyma'r dyn yn cythru ynddo fo a'i lusgo fo i
ffwr'.

Fe 'nes i fentro sbecian dros ysgwydd Mam. Ges i gip
arnyn nhw'n sgrialu o'na gynta medron nhw . . . y bobol a'u
hanghenfil, a'i geg yn goch efo'i gwaed hi . . . ac mi
ddiflannon nhw o'r golwg mwya sydyn, gan sleifio'n euog i
dwyllwch cysgodion du.

Glywis i Mam yn sgrechian. Ar ddiwadd y dydd, pan
o'dd hi ar ben, neb yn clywad a'r byd yn swrth a ddim isio
gwrando. Mi gaeodd y nos yn dynn am y rhosydd, a dyna

pryd sgrechiodd hi. Dim ond fi clywodd hi . . . a sgrech fud oedd ei sgrech hi.

* * *

Rhyw arbrawf ar fonolog oedd 'Ar Ddiwadd y Dydd'. Roeddwn i wedi dechrau sgwennu fwyfwy ar y pryd, ac awydd troi fy llaw at ddarnau i oedolion, o ran 'myrra'th. Ac am unwaith, roedd gen i awydd rhoi tro ar greu rhywbeth oedd – yn anarferol yn fy hanes i – yn ddifrifol a dwys, heb arlliw o hiwmor ynddo o gwbwl.

Roedd 'na gystadleuaeth sgrifennu monolog yn dwyn y teitl uchod yn *Taliesin*, cylchgrawn llenyddol yr Academi Gymreig, ac mi rois i dro arni. I ddechrau, mi ystyriais pwy oedd y beirniad. Fy hen ffrind Cefin Roberts oedd o, a chan ei fod newydd ennill Medal Ryddiaith am ei gyfrol yn olrhain hanes mochyn, mi feddyliais y byddai'n dda o beth i minnau sgrifennu am anifail, er mwyn plesio'r beirniad!

Felly ysgrifennais fonolog i oen bach. Wnes i ddim ennill, wrth reswm, achos mae'n bur debyg y byddai'r fonolog yn beth rhyfedd i'w hadrodd ar lwyfan, yn enwedig gan ei bod hi mor ddifrifol. O roi rhywun mewn gwisg oen a sgrifennu rhywbeth doniol iddo, byddai'n fater gwahanol. Ond wrth reswm, fel ym mhob cystadleuaeth, nid yr ennill a'r colli sy'n cyfri yn y diwedd, ond yr ymgais ei hun, a'r ffaith fod rhywun wedi mentro rhoi geiriau ar bapur, a rhoi tro arni.

Roedd hanes yr oen bach a'r ddafad yn hollol wir, gyda llaw. Erstalwm, byddai Emrys yn gweithio fel Warden Cynorthwyol i Barc Cenedlaethol Eryri. Un diwrnod, aeth y ddau ohonom i fyny'r copaon yn ystod y tymor wyna. Roedd 'na ŵr a gwraig ar y llwybr o'n blaenau, yn cerdded eu ci a hwnnw'n beth mawr gwyllt hanner call oedd yn rhedeg yn rhydd hyd y llethrau, heb fod ar dennyn. Yn unol â'i ddyletswyddau, rhoddodd Emrys rybudd iddyn nhw reoli eu ci – yn bennaf oherwydd yr ŵyn. Ond gwrthod wnaethon nhw.

I dorri stori hir, hir yn fyr iawn, diwedd y stori oedd bod y ci gorffwyll wedi rhwygo wyneb dafad i ffwrdd, ac am ei bod hi mewn poen enbyd, bu'n rhaid ei difa, gan adael ei hoen bach yn amddifad. Bu'n rhaid difa'r ci yn ogystal.

Wrth sgrifennu'r fonolog, felly, roeddwn yn meddwl am yr achlysur arbennig hwn. Ochr yn ochr â hynny, roeddwn yn cadw mewn cof fod 'na blant drwy'r byd yn colli eu tadau a'u mamau drwy drais a rhaib: boed hynny yn y cartref neu drwy ryfel neu anfadrwydd treisiol. A'r pwynt roeddwn i'n geisio'i gyfleu mewn gwirionedd oedd bod y diniwed a'r diamddiffyn mor aml, a rhy aml o'r hanner, yn cael eu gormesu drwy'r byd o hyd ac o hyd. Ysywaeth, mae'n ymddangos ei bod hi'n broblem oesol.

Y Llythyr

Doedd Drysfa ddim yn teimlo'n iawn. Doedd hi ddim yn sâl, ond doedd hi ddim yn ei llawn hwylia chwaith, ac wedi bod yn teimlo felly ers rhai wythnosau bellach. Ond pe byddai rhywun yn gofyn iddi pa hwyl oedd arni, byddai wedi ymateb drwy ddweud, 'O, siort ora, siort ora,' fel roedd hi wedi arfer ei wneud ers cyn co'. Felly, wnaeth neb o'i chydnabod na'i theulu ystyried y posibilrwydd nad oedd hi gant y cant. Roedd 'na rywbeth mawr yn ei phoeni, ac er y gwyddai yn union be oedd yn bod, doedd hi ddim yn un i drafod ei theimladau â neb. Gwyddai nad oedd wedi bod o gwmpas ei phetha ers iddi dderbyn y llythyr hwnnw tua mis yn ôl. Pwysai ei gynnwys yn drwm iawn ar ei meddwl. A gwaeth fyth, yr hyn a'i blinai fwyaf oedd be roedd hi ei hun wedi'i wneud wedi iddi ei ddarllen!

Hen ferch o Nefyn oedd Drysfa Andorra Huws. Roedd ganddi enw annisgwyl am ei bod hi'n ferch i gapten llong. Nid bod pob capten llong yn rhoi enwau rhyfedd ar eu plant, wrth reswm, ond drwy gamddealltwriaeth y cafodd ei galw'n Drysfa am fod ei thad ymhell, bell i ffwrdd ar ddiwrnod ei genedigaeth hanner cant a phump o flynyddoedd yn ôl.

Roedd y capten wedi trafod enwau gyda'i wraig cyn mynd i fordeithio, gan amau na allai gyrraedd adref cyn yr enedigaeth. Soniodd y byddai'n hoffi cael Dryslwyn yn enw ar y babi newydd pe byddai'n fab, gan mai dyna oedd enw'r tyddyn y'i magwyd ef ei hun ynddo. A chan fod llong arbennig yn agos at ei galon – un a adeiladwyd yn Sbaen yn dwyn yr enw *Andorra* – mynnodd mai dyna fyddai enw canol y babi. Ond merch fach anwyd iddyn nhw, ac yn hytrach na rhoi enw bedydd call arni, meddyliodd ei mam y byddai'n plesio'i gŵr ddwywaith drosodd pe bai'n rhoi'r ddau enw o'i ddewis ef ar eu plentyn yn ei absenoldeb. A dyna pam y cafodd y babi newydd ei galw'n Drysfa Andorra, er mawr ryfeddod i weddill y teulu a'r gymuned.

Yn rhyfedd iawn, roedd yr enw yn gweddu i'r dim iddi. Achos yn y bôn, roedd hi'n un go ddryslyd a ffrwcslyd a dihyder. A dweud y gwir, roedd hi'n wahanol iawn i weddill ei theulu. Doedd hi ddim yn debyg i'w mam, na'i brodyr a'i chwiorydd, chwaith – ac yn sicr ddigon, roedd yn hollol wahanol i'r capten. Siomiant oedd hi i hwnnw, a oedd yn ddyn uchelgeisiol iawn, a thra oedd gweddill ei epil wedi mynd i bedwar ban byd i ddisgleirio yn eu gwahanol feysydd – ym myd diwydiant, meddygaeth ac addysg – arhosodd Drysfa Andorra, tin nyth y teulu, adref yn Llŷn, i wneud cyn lleied â phosib o ran gyrfa.

Un flêr ei hedrychiad oedd hi, ac roedd hynny hefyd wedi peri i'w thad gywilyddio ynddi. Roedd hi'n fain, yn dal ac yn unionsyth, a sbectol fawr â gwydrau trwchus yn eistedd ar flaen ei thrwyn, braidd ar sgi-wiff. Meddai fop o wallt crychiog, brith a edrychai fel drysfa llwyn drain, neu fel petai rhywun wedi rhoi sioc drydanol iddi ar ffurf cartŵn. A pha liwiau bynnag fyddai'r dillad a wisgai, fydden nhw byth yn cydweddu, ac o ganlyniad, llwyddai bob amser i edrych braidd yn od, yn enwedig pan wisgai drowsusau. Gwnâi hynny'n aml am fod trowsus yn ddilledyn mor ymarferol, a byddai coesau'r rheiny wedi hen ffarwelio â'i sgidiau a'i sanau fel arfer.

Er gwaetha'r olwg wahanol oedd arni, doedd Drysfa Andorra Huws ddim yn ddi-raen a diog nac yn fudur chwaith. Cadwai dŷ o'r enw 'Nythfa', a lechai ar Fynydd Nefyn uwchben y pentre, yn lân a thwt ar gyfer ymweliadau cyson ei brodyr a'i chwiorydd, fyddai wrth eu boddau'n cael gwyliau a thendans gan eu chwaer. Estynnai hithau groeso twymgalon bob amser, nid yn unig iddyn nhw a'u teuluoedd, ond i unrhyw un o'i chymdogion a ffrindiau a ddymunai droi i mewn am baned a sgwrs.

Fel arfer, ystyriai ei hun yn berson hapus ei byd, oherwydd o'i chartref gallai weld golygfa drawiadol ehangder Bae Nefyn a Phorth Dinllaen y tu ôl iddo, yn ogystal ag amlinell bell y gorwel a Bae Ceredigion. Rhoddai hynny bleser di-ben-draw iddi, yn enwedig y fraint o weld lliwiau amrywiol y machlud dros Benrhyn Llŷn ar derfyn dydd; hyd yn oed pan oedd y lliwiau hynny ar eu tlotaf, yn ddi-liw ac yn bŵl, rhyfeddai Drysfa yn barhaus at y fath olygfa gyfnewidiol. Ac yn dâl am gael hynny i gyd, byddai'n garedig tu hwnt wrth bawb – yn gweini a thendiad a difyrru'n barhaus. Doedd ryfedd, felly, fod pawb o'i chydnabod yn heidio yno am ymgeledd o bob cwr fel pinnau at fagned, i encil tyddyn diddos Drysfa.

Ymfalchïai hithau yn ei chartref, ac fe'i hystyriai'n drysor ac yn berl i'w barchu, gan mai anrheg ydoedd mewn gwirionedd. Bu i'w brodyr a'i chwiorydd ei brynu iddi flynyddoedd ynghynt pan fu farw eu tad. Gwerthwyd yr hen gartref ar Benrhyn Llŷn, ac yn unol ag ewyllys yr hen Gapten, rhannwyd yr arian hwnnw a gweddill ei ystad, oedd yn swmpus iawn, yn gyfartal rhwng ei blant i gyd: pawb ond Drysfa. Roedd hon yn ergyd ingol iddi hi – ac i'r lleill hefyd, oedd yn tosturio cymaint wrthi, fel bod pob un ohonyn nhw wedi rhoi ei siâr o'i etifeddiaeth a phrynu Nythfa'n gartref iddi. Gwyddent na fu gan eu tad, am ba reswm bynnag, fawr o feddwl o'i blentyn ieuengaf. Credent ei fod wedi gwneud cam â hi, a'i fod wedi llwyddo i ddryllio ei hunan-barch a'i hyder, ac mai dyna pam roedd wedi bod mor ddigychwyn o ran ei gyrfa – mor groes i bawb arall ohonyn nhw. Gwyddent nad oedd eu chwaer yn ddwl o gwbwl. I'r gwrthwyneb, achos roedd y tyddyn bychan yn orlawn o silffoedd llyfrau oedd yn gwegian dan bwysau llyfrau trymion – trwm mewn sawl ystyr, yn wir. A chofiai Drysfa beth oedd cynnwys pob un o'r cyfrolau hynny i'r llythyren!

Mewn gwirionedd, roedd gan ei brodyr a'i chwiorydd reswm arall, mwy personol, dros roi'r tŷ iddi – er mwyn iddyn nhw eu hunain allu cael gwyliau a thendans yn eu hen gynefin. Doedden nhw ddim yn fwriadol yn 'gwneud iws' ohoni, nac yn ystyried eu bod yn ei chymryd hi'n ganiataol. Mynd adra oedd ymweld â hi, fel gwenoliaid yn dychwelyd i'r un lle i nythu flwyddyn ar ôl blwyddyn, er nad Nythfa oedd yr union dŷ y'u magwyd nhw ynddo'n llythrennol. Roedd 'na ryw angen ynddyn nhw i ddrachtio o'u hatgofion am eu gwreiddiau bob hyn a hyn, fel petaen nhw'n sychedig. Ac wedi cael rhyw joch go dda, mi fyddai hynny'n ddigon i'w cynnal nhw wedyn tan y tro nesaf.

A bod yn deg, roedden nhw wastad wedi 'morol na fyddai eu chwaer fach yn gorfod mynd heb unrhyw beth y dymunai ei gael – er na fyddai hi fyth yn mynd ar eu gofyn nhw, tasa hi'n dod i hynny. Felly, teimlent ryw dragwyddol hawl ar y fangre a'i pherchennog. Rhyw gytundeb a chydddealltwriaeth deuluol ddieiriau oedd yn bodoli rhwng pawb, a bodlonai'r brodyr a'r chwiorydd, un ac oll, ar hynny, gan gynnwys Drysfa ei hunan.

Ond, yn ddiarwybod iddynt, ac yn gymharol ddiweddar, roedd Drysfa, er dirfawr benbleth iddi hithau hefyd, wedi dechrau gweld y peth yn fwrn. Bob hyn a hyn, câi ryw hen deimladau anghyfarwydd, a byddai'n hel meddyliau ynglŷn â'r ffaith ei bod hi wedi cael llond bol ar ddandwn pawb, a 'larai ar ddifyrru pobol – hyd yn oed ei chymdogion, a ystyriai yn ffrindiau agos iddi. Roedd hi wedi dechrau cael syrffed ar roi swcwr a chynhaliaeth, a dyheai am gael llonydd i ddewis a dethol llwybr newydd iddi'i hun, heb orfod tendiad ar neb.

Ar y llaw arall, teimlai'n euog ei bod hi'n meddwl felly, gan ei bod drwy gydol ei hoes wedi dilyn rheidrwydd i geisio plesio pobol. Bellach, roedd 'na ryw awydd wedi dod drosti i blesio'i hun. Ond roedd hwnnw'n emosiwn mor ddieithr iddi fel y byddai'n melltithio ar adegau, achos bu'n teimlo mor saff a diogel yn ei hen rigol cyhyd. Rhoddai'r bai am ei hanesmwythyd ar y llythyr dderbyniodd hi rai wythnosau ynghynt. Oherwydd cyn iddi dderbyn hwnnw, roedd hi wedi bod yn hapus a bodlon braf. Neu dyna gredai hi, beth bynnag.

Y diwrnod canlynol, tra oedd Drysfa yn eistedd yn llygad yr haul ar y fainc o flaen y tŷ yn darllen ei llythyr eto fyth, pwy ddaeth heibio'n ddisymwth ac fel huddug i botes, yn ôl ei harfer, ond Morwenna, ei chwaer hynaf. Hon oedd hoff chwaer Drysfa, os yw'n weddus dweud bod ganddi hi ffefryn. Roedd hi'n arferiad gan Morwenna ymddangos heb air o rybudd fel hyn. Ac fel arfer, byddai'n galw'i chyfarchiad: 'Hyl-ô!' hwyliog y funud y byddai'n gweld ei chwaer fach, a byddai'r ddwy wedyn yn rhedeg i gofleidio'i gilydd ar eu hunion, yn foddfa o chwerthin a miri.

Ond y diwrnod hwnnw, bu'n fendith fod Morwenna wedi digwydd ymlwybro o gylch talcen y tŷ a dod ar draws Drysfa heb iddi hi ei gweld. Petai hi heb wneud hynny, efallai na fyddai fyth wedi cael gwybod yn iawn be'n union oedd cynnwys y llythyr bondigrybwyll. Ac mae'n bosib iawn na fyddai wedi sylweddoli bod ei chwaer mewn cymaint o bicil, ac yn torri ei chalon o'r herwydd. Achos pan ddaeth hi i olwg y fainc a gweld ei chwaer yno'n darllen llythyr, mi safodd yn stond, yn gegrwth hollol gan fod Drysfa druan, yn hollol groes i'w natur arferol, yn wylo'n ddidrugaredd!

Suddodd calon Morwenna a chywilyddiodd iddi esgeuluso teimladau ei chwaer. Roedd yn amlwg fod rhywbeth erchyll yng nghynnwys y llythyr oedd wedi peri loes dychrynllyd iddi. Oherwydd, o nabod cyndynrwydd ei chwaer iau i wrthod – na, i fethu – rhannu ei theimladau â neb, roedd y chwaer hŷn yn eithaf sicr na fyddai neb wedi cael gwybod am y llythyr a'i gynnwys petai hi ei hun heb ddigwydd galw heibio fel hyn. Ac o'r olwg ddi-raen oedd arno, roedd hi'n amlwg i Morwenna fod Drysfa wedi'i ddarllen laweroedd o weithiau. Am ba hyd y bu hi'n teimlo mor eithriadol o drist, tybed?

Ar hynny cododd Drysfa ei phen, a chymryd ati pan sylweddolodd ei bod wedi cael ei dal yn torri'i chalon. Yn reddfol, gwasgodd y llythyr yn belen a'i wthio i'w phoced. Cododd oddi ar y fainc, a chamu mlaen i dderbyn coflaid ei chwaer. Wnaeth hi ddim trafferthu i sychu ei dagrau gan y gwyddai nad oedd diben iddi wneud hynny: achos roedd Morwenna, a barnu oddi wrth ei gwedd anarferol o ddwys, wedi deall bod rhywbeth o'i le. Ymhen y rhawg, roedd y ddwy yn eistedd ochr yn ochr ar y fainc mewn tawelwch llethol, yn gwylio'r haul yn bygwth machlud, a 'run ohonyn nhw wedi yngan gair. Ymhen hir a hwyr, mentrodd Morwenna ofyn:

'Ti am ddeud 'tha i, Drys?'

Aeth rhai eiliadau heibio cyn i Drysfa ochneidio a phlymio i mewn i'r dwfn:

'Y llythyr 'na . . . 'di troi fy myd i ben i waerad, sdi.'

'O?'

Bu tawelwch wedyn, cyn i Morwenna ofyn:

'Pam na ddangosi di o i mi? 'Sa'n gneud petha'n haws . . .'

'Na! Na, Morwenna . . . Ma' hi'n rhy hwyr. 'Sna'm pwrpas i ti ddarllan y llythyr. Ma'r llanast wedi'i neud.'

'Llanast? Be ti'n feddwl? Ti'm yn sâl, w't ti?'

'N-nagdw siŵr.'

Collodd Morwenna'i limpyn yn lân, a doedd ei dagrau hithau ddim ymhell pan fytheiriodd:

'Er mwyn dyn, Drysfa! Oes raid i ti fod mor gysetlyd? Tria ddallt mod i jest â drysu'n poeni am be sy 'di digwydd i ti!'

Plygodd ei chwaer ei phen, a thrwy gudynnau gwallt a dagrau, dywedodd:

'D-dwi'n mynd o'ma, Mor . . . sorri, ddrwg gynna i, ond dwi'n mynd.' Ac yna'n bendant ac amddiffynnol, ychwanegodd, 'Ma'n rhaid i mi!'

Roedd Morwenna'n hollol, hollol gegrwth. Ni fedrai yngan gair am amser hir iawn, dim ond eistedd yn fud yn syllu ar haul oedd wedi hanner machlud. Ac yn y man, mentrodd ofyn:

'Ti'n mynd o'ma – o fa'ma? O Nythfa?'

'Ydw.'

'Ond . . . pam? I ble'r ei di ar dy ben dy hun?' Ac fel bollt, trawyd hi gan ryw syniad: 'Ti'm 'di ffendio rhyw ddyn?'

'Dyn?' holodd Drysfa'n ddi-ddallt.

'Ia, w'sdi, ffansi man?'

Edrychodd ei chwaer arni'n hurt am funud, a phan ddeallodd be oedd gan Morwenna dan sylw, dechreuodd chwerthin dros y lle, er mawr ryddhad i'w chwaer, a dechreuodd honno ymuno drwy biffian rŵan ac yn y man.

'Yli, paid â phoeni os ma' dyna sy'n bod,' meddai. 'Ti'n rhydd i fynd i ble bynnag ti isio, a hefo pwy bynnag ti'n licio. Fasan ni i gyd yn dallt yn iawn – cyn bellad â dy fod di'n hapus.'

'O, Mor! Diolch 'ti am ddallt! A finna wedi bod yn poeni cymaint mod i'n gneud tro gwael â chi i gyd, a chitha 'di bod mor ffeind wrtha i ar hyd y blynyddoedd!' Cofleidiodd y ddwy'n llawen, ac wrth i'r haul suddo'n esmwyth i'r heli, mentrodd Morwenna holi:

'Ga' i ofyn i ble ti'n meddwl mynd?'

'O, ddim yn bell o gwbwl,' meddai Drysfa, a rhyw ddireidi yn ei llais.

'I ble, 'ta? Nefyn . . . 'ta Pwllheli?'

'O, naci, naci! 'Ta i'm hannar mor bell.'

'O? Lle sgin ti mewn golwg, 'lly?'

Amneidiodd Drysfa'i phen i gyfeiriad y caeau cyfagos:

'Fan'cw,' meddai, gan gyfeirio at y tyddyn gwyngalchog agosaf oedd i'w weld led cae i ffwrdd er gwaetha'r gwyll ddaeth yn sgil diflaniad y machlud. 'Bwlch Gwyn.'

O glywed hynny, roedd Morwenna yn fwy cegrwth fyth. Feddyliodd hi rioed fod 'na gymaint nad oedd hi'n ei wybod am ei chwaer.

'Bwlch Gwyn? Dwyt ti rioed wedi gwerthu Nythfa am Fwlch Gwyn!' holodd, a'i siom a'i dicter yn amlwg erbyn hyn. 'Ond . . . ond pam?'

Dychrynodd Drysfa o weld bod ei chwaer wedi'i chythruddo. 'Dydw i ddim wedi gwerthu Nythfa o gwbwl!' atebodd. 'Fyddwn i byth yn breuddwydio gneud ffasiwn beth! Dwi am i bawb ohonoch chi gymryd Nythfa'n ôl. Chi i gyd fydd pia fa'ma rŵan, chi oedd pia fo ar hyd yr adeg mewn gwirionedd. Jest bod yn ffeind efo fi roeddach chi, o achos be nath Tada i mi ac am nad oedd gynna i waith na dim. Fydda i'n ddiolchgar am byth i chi i gyd, ond dydw i ddim angan Nythfa ddim mwy. Awn ni at y twrna i newid petha fory nesa.'

Meiriolodd Morwenna rywfaint. Ond daliodd ati i brocio:

'Ond fedri di ddim fforddio prynu Bwlch Gwyn. Am ei rentu fo w't ti?'

Cymerodd Drysfa ei gwynt ati a mentrodd ddatgelu. 'Dwi 'di'i brynu fo'n barod,' meddai, a rhyw bendantrwydd newydd ac anghyfarwydd yn ei llais.

'Be?' holodd ei chwaer mewn anghredinedd. 'Ond sut?'

Aeth Drysfa mlaen i egluro:

'Mae o wedi bod ar werth ers tro, a fedrwn i'm meddwl amdano fo'n mynd i ddwylo diarth. Wedyn pan a'th 'na si ar gerddad bod 'na rywun o ffwr' wedi bod yn holi . . . dyna nath i mi benderfynu. Felly mi'i prynis i fo. Dwi'n cyfadda mod i 'di bod bron â'i ollwng o o ngafal droeon wedyn . . . dyna o'dd fy mhenbleth fawr i. Ond rŵan, ar ôl siarad efo chdi, dwi wedi sylweddoli, dwi wastad wedi breuddwydio am ga'l byw ym Mwlch Gwyn.'

Fedrai Morwenna ddim deud rhagor. Roedd hi wedi cael cryn sgrytiad. Ac ar hynny, wedi i'r caddug ddechrau cau am y ddwy, trawyd hi gan flinder mwya sydyn, a mynnodd eu bod nhw'n mynd i mewn – am baned haeddiannol i roi trefn ar yr hyn roedd ei chwaer wedi'i ddatgelu. Achos roedd hi'n ymddangos bod ganddyn nhw dipyn o waith trafod o'u blaenau!

A dyna ddigwyddodd. Drwy'r nos nes bod y wawr ar dorri cafodd Morwenna eglurhad am bopeth yn ei gyfanrwydd: fel y bu i Drysfa dderbyn dau lythyr mewn gwirionedd. Roedd y cyntaf wedi cyrraedd yn annisgwyl tua chwe wythnos ynghynt, a phan ddarllenodd o, teimlai'n chwilfrydig iawn, achos roedd yn cynnwys rhyw ddirgelwch.

Oherwydd ynddo roedd gwŷs i fynd i dre Pwllheli, gan fod rhywun wedi gadael llythyr – sef y llythyr – iddi hi yng ngofal swyddfa dwrneiod yn y dref, 'i'w roi i Miss Drysfa Andorra Huws yn ddi-ffael ar achlysur fy marwolaeth'.

Roedd hi'n amlwg fod amser agor y llythyr hwnnw wedi cyrraedd ac, yn naturiol ddigon, aeth Drysfa i'w nôl, yn llawn chwilfrydedd, gan feddwl yn hir a chrafu ei phen ynglŷn â'i gynnwys – ac i ddatrys y dirgelwch pwy andros fyddai'n gadael llythyr fel hyn i rywun di-nod fel hi. Fedrai hi yn ei byw â meddwl am neb o gwbwl!

Roedd hi'n reit gynhyrfus wrth agor yr ail lythyr, ac yn sobor o falch ei bod wedi gwneud hynny ar y ffordd allan o le'r twrneiod, oherwydd mi droth yn ei hôl ar ei sawdl, i orffen darllen y cynnwys. Darllenodd ef deirgwaith i gyd yn y stafell aros – cyn gofyn am gael gweld yr un un twrna eilwaith.

Roedd y llythyr hwn – yr un roedd Morwenna wedi'i weld yn llaw ei chwaer y noson cynt – yn cynnwys newyddion syfrdanol fyddai'n newid bywyd Drysfa Andorra Huws unwaith ac am byth.

'Pwy feddylia,' ystyriodd Morwenna wrthi'i hun, 'mewn oes mor dechnolegol, y byddai chydig eiriau wedi'u gosod mewn ffordd arbennig ar ddarn o bapur ar ffurf llythyr henffasiwn yn gallu cael y fath effaith ar fywyd rhywun!'

Erbyn deall, gohebiaeth oedd hon oddi wrth Edgar Egryn Hughes, brawd 'fengaf ei thad, fu farw yn weddw a di-blant yn yr Unol Daleithiau rai misoedd ynghynt. Yn ei ewyllys, roedd wedi gadael swm sylweddol o arian i Drysfa yn rhodd, wedi iddo ddeall bod ei frawd wedi gwneud tro gwael echrydus â hi. Felly, gan nad oedd ganddo etifedd, gwelodd gyfle i wneud iawn â hi ar ran teulu ei thad, a chofio amdani yn ei ewyllys.

O'r diwedd, roedd y baich o gadw'i theimladau a'i phryderon iddi'i hun wedi llithro oddi ar ei hyswyddau, ac roedd Drysfa yn ddynes newydd. Roedd hi'n rhydd o orfod ateb gofynion pawb. Ymfalchïai Morwenna yn hapusrwydd newydd ei chwaer, ac roedd hi'n falch odiaeth ei bod wedi cael y cyfle hwn i roi tro ar ei byd er gwell.

Cytunodd y ddwy i wneud trefniadau i newid perchnogaeth Nythfa, ar amod y teulu fod Drysfa yn cael cadw'i siâr ohono'r tro hwn. Golygai hyn na fyddai 'na reidrwydd arni i dendiad ar bawb a phopeth byth eto. Bellach, roedd hi'n rhydd o'r baich hwnnw, a châi wneud fel y mynnai, pryd mynnai, o hynny ymlaen. Ac i goroni'r cwbwl, câi weld lliwiau'r machlud ar derfyn pob dydd yn ôl ei harfer, gan mai'r un oedd yr olygfa o'r Nythfa â Bwlch Gwyn.

* * *

Cefais y syniad am y stori uchod wrth bori drwy dudalennau cylchgrawn oedd yn dangos sut oedd rhywrai o wlad arall wedi mynd ati i addasu tyddyn ym Mynydd Nefyn yn dŷ haf. Roedden nhw wedi adnewyddu'r lle a'i godi'n ôl fel ag yr oedd yn wreiddiol, ac roedd yn bleser ei weld o felly. Ro'n i'n falch iawn nad oedd yr hen dyddyn wedi cael ei racsio mewn ffordd ddi-chwaeth. Ac mae'n debyg y byddai rhai'n fy ngweld i'n hen snoban o'r herwydd. Mae'n debyg y byddwn yn cael fy nghyhuddo o fod yn hiliol ac eithafol hefyd, am na alla i beidio tristáu o deimlo bygythiad i'n heniaith a'n traddodiadau pan wela i hyn yn digwydd, er bod fy synnwyr cyffredin yn dweud wrtha i fod gan unrhyw un hefo'r arian i'w sbario yr hawl i wneud be fynnan nhw. Oes ganddyn nhw'r hawl, 'ta be? Mae'n destun trafod, o leia.

Nid yr erthygl yn gymaint dynnodd fy sylw, ond y ffotograffiaeth. Drwy'r lluniau, mor hawdd oedd gweld yr atyniad i unrhyw un o unrhyw fan yn y corneli bychan, godidog hynny sy'n parhau i fod felly – am ryw hyd, o leia. Wela i ddim bai ar y sawl sydd am ddod i'r parthau hyn i encilio, i fyw yma neu'n 'wenoliaid' dros dro. Dwi'n dallt . . . ond oes raid i mi ymddiheuro wrth weld hyn yn fygythiad i'n heniaith a'n diwylliant cynhenid? A gwaeth fyth, oes raid i mi ddiodde'r sen o gael fy ngalw'n 'hiliol' ac yn 'eithafol' o'r herwydd? Mae gen i hawl i nheimladau, debyg. Dim ond tristáu y bydda i – nid bod yn chwerw a dichellgar.

Traed dan Bwrdd

Roedd Plu Chwithig yn hogan flêr. Martha Parry oedd ei henw iawn hi, ond 'Plu' o'dd hi i bawb o'i chydnabod – ers dyddiau'r ysgol gynradd a deud y gwir, pan oedd pawb yn darllen am anturiaethau Wil Cwac Cwac a'i fam, Martha Plu Chwithig yn *Llyfr Mawr y Plant* stalwm.

Ro'dd gan Plu wallt claerwyn, gwyllt, ac roedd hi wedi rhoi'r gorau i ymdrechu i roi trefn arno ers blynyddoedd. Doedd ganddi ddim chwaeth yn y byd cyn belled ag roedd dillad yn y cwestiwn. Gwisgai bob lliw a steil dan haul ffurfafen, heb styried o gwbwl a fyddai'r gybolfa'n cydweddu. A deud y gwir, doedd 'na fyth siâp na graen ar ei dillad, ac er y byddai'n mentro prynu rhywbeth hynod ffasiynol weithiau, llwyddai Plu bob amser i edrych fel petai hi'n gwisgo sach! Roedd ei ffrindiau – ac roedd ganddi lawer, gan ei bod hi'n berson hynod gydymdeimladwy a charedig a chanddi 'galon fawr' yn ôl pawb o'i chydnabod – yn amau ar y slei ei bod hi'n gwneud ati i greu mwy o olwg nag oedd raid arni hi ei hun. Deilliai hynny o ddyddiau ei phlentyndod, yn ôl rhai, gan fod ei mam yn ddynes or-barticlar o drwsiadus ac yn obsesiynol am lanweithdra. Yn ôl eraill fu yn y coleg 'run pryd â hi, y rheswm am ymddangosiad di-raen Plu oedd y ffaith ei bod hi wedi torri'i chalon pan oedd hi'n ifanc. Bryd hynny, cafodd blwc o fod yn smart a thaclus a hynod ddeniadol, ond wedi i'w pherthynas â'i dyweddi fynd yn yfflon ar ôl iddo wneud tro enbydus o wael â hi, suddodd Plu yn ei hôl i'w harferion di-hid ynglŷn â'i hymddangosiad.

Er enghraifft, mynnai wisgo sbectol anferth anffasiynol ar ei thrwyn, a gwydrau honno fel gwaelodion potiau jam. Yn ystod ei chyfnod 'smart' colegol, gwisgai lensys yn ei llygaid trawiadol o dlws. A bu i'r weithred honno ynddi'i hun ei gweddnewid er gwell. Ond pan wisgai sbectol, edrychai ei llygaid yn fach, fach a di-fflach. Yn anffodus, roedd ganddi drwyn mawr cam – a oedd, ar un adeg, yn drwyn digon dymunol. Ond cafodd anffawd ffiaidd yn fuan wedi iddi ddechrau gweithio, pan fu raid iddi amddiffyn ei hun drwy roi bonclust i ryw ddihiryn geisiodd fynd i'r afael â hi wrth iddi gerdded adref yn y gwyll yn hwyr un noson. Gan fod ganddi freichiau hir a chyhyrog, llwyddodd Plu i'w hamddiffyn ei hun yn benigamp, ond bu i'w hymosodwr roi dyrnod hegar iddi yng nghanol ei hwyneb. Er gwaetha dicter pawb o'i chydnabod, a fynnai'n daer fod y dihiryn yn cael ei ddal a'i gosbi, llwyddodd yr ymosodwr i ddianc i ebargofiant cyn i neb fedru casglu unrhyw wybodaeth na thystiolaeth o bwys amdano. Fyth ers hynny, roedd trwyn Plu yn dolciog a fflat, ac yn gogwyddo am i lawr nes peri i bawb sylwi ar y mwstásh tywyll o flew a lechai oddi tano, ac y mynnai hithau ddal ei gafael arno. Ac er i'w ffrindiau a'i theulu ei hannog i dderbyn triniaeth i wella'i hymddangosiad, gwrthod bob gafael wnâi Plu, gan fynnu ei bod hi'n berffaith hapus fel ag yr oedd hi.

Ar nodyn mwy cadarnhaol, fodd bynnag, rhaid prysuro i ddweud bod Plu'n meddu ar y ddwy droed hyfryta dan haul! Roedden nhw'n fach ac yn dwt, heb arlliw o gorn na fflatrwydd yn agos atyn nhw! Ac roedd hi mor hoff o'i thraed nes iddi ddatblygu gwendid: obsesiwn am esgidiau. Roedd ei thŷ'n llawn ohonyn nhw, ac os agorai unrhyw gwpwrdd, wardrob neu ddrôr yn ei chartref, roedd rhyw esgid neu'i gilydd yn siŵr o drybowndian allan yn ddieithriad!

Trwy ei holl dreialon, llwyddodd i fod yn hogan glên a phoblogaidd. Roedd hi wedi hen ddod i delerau â'r ffaith na fyddai fyth yn cael gŵr er gwaetha ymdrechion sawl un o'i chydnabod i ddarganfod un iddi. Daeth i'r casgliad amser maith yn ôl nad oedd arni chwant priodi o gwbwl. Bodlonai ar fynd i'w gwely bob nos i freuddwydio am y rhith oedd yn adlewyrchiad afieithus o'i syniad hi o'i Dyn Perffaith. Roedd ei thraed yn solat ar y ddaear, a gwyddai mai yn ei breuddwydion yn unig yr oedd ei Dyn Perffaith yn bodoli. A hithau ar drothwy ei thrigeinfed pen-blwydd ac ar fin dechrau ar gyfnod newydd yn ei hanes gan ei bod newydd ymddeol o'i swydd fel peiriannydd sifil yn y byd diwydiannol, gwyddai na fyddai hi ddim balchach o gael cymar o gwbwl mewn gwirionedd.

Beth bynnag, un diwrnod chwyslyd o boeth, a hithau'n gwisgo pâr o sandalau cochion drudfawr oedd yn ddim byd ond dwy wadan a dau strap, trodd Plu i mewn i'r tŷ tafarn arti-ffarti yr olwg hwnnw oedd newydd agor yn y Stryd Fawr. Cerddodd yn syth a phwrpasol at y bar heb edrych o'i chwmpas o gwbwl, felly thalodd hi ddim sylw i'r ffaith fod y dafarn yn orlawn, a bod rhywun neu rywrai'n eistedd wrth bob bwrdd oedd yno bron.

Wedi iddi ordro coctel diddorol yr olwg oedd yn dwyn yr enw 'Traed dan Bwrdd' a drachtio swig go helaeth ohono, mentrodd godi ei golygon a chwilio am sêt. Suddodd calon Plu Chwithig druan wrth iddi sylweddoli y byddai'n rhaid iddi rannu bwrdd hefo rhywun, a sefyll wrtho gan nad oedd golwg o gadair wag. Roedd hi rhwng dau feddwl: ddylai hi rhoi clec i'r coctel a rhedeg allan, ynteu sefyll yn ei hunfan ar ei thraed a sipian yn sidét, pan sibrydodd rhywun yn awgrymog yn ei chlust:

'Pssst! Hei, Miss Sandalau! Dwi'n fa'ma!'

Trodd Plu yn syfrdan i gyfeiriad y llais. Yno o'i blaen, safai stwcyn byr, barfog. Aeth ton o ryddhad drosti. Codai'r

dyn ei olygon bob hyn a hyn i edrych i fyw llygaid Plu
**Chwithig, bob yn ail â syllu i lawr yn edmygus ar ei thraed.
Mentrodd hithau syllu i lawr** (roedd hi gryn fetr yn dalach
nag o) i fyw ei lygaid yntau, a gwenu arno, gan fethu credu
bod ei breuddwyd ar fin cael ei gwireddu!

'Steddwch,' meddai'r dyn.

'Ista? Yn lle?' holodd Plu, yn methu gweld bwrdd gwag
yn unman.

'Fa'ma,' meddai yntau, gan amneidio at fwrdd bychan a
dwy gadair wrtho oedd o'r golwg, bron, mewn cornel
dywyll. Aeth y ddau i eistedd yno, gan gilwenu ar ei gilydd yn
lletchwith. Yna, mentrodd y dieithryn blygu a chodi godre'r
lliain bwrdd a rhythu'n hir ar sandalau Plu, cyn edrych arni a
dweud: 'O'n i'n gwbod yn syth pan welis i'r sandalau 'na ma'
chi o'dd hi, ma' chi o'dd yr un!'

'O!' ebychodd Plu. 'Anhygoel, Mr . . . ym . . . y . . .'

'Dan. Galwch fi'n Dan.'

Syllodd y ddau ar ei gilydd, ac yna, yn union yr un pryd,
codasant gwr y lliain a sbecian o dan y bwrdd ar draed ei
gilydd. O! Roedd gan Dan draed godidog, meddyliodd Plu,
rhai anferthol o solat a llydan, yn union fel traed chwadan!
Ac amdanyn nhw, roedd pâr o sgidiau diddorol, anarferol,
deuliw *two-tone*. Plygodd y ddau eu pennau'n is i syllu mewn
edmygedd ar esgidiau'r naill a'r llall, cyn codi eu golygon a
gwenu mewn cyd-ddealltwriaeth.

Canai calon Plu Chwithig fel na chanodd erioed o'r
blaen wrth iddi sylweddoli mai hon oedd yr eiliad
dyngedfennol. Rhoddodd glec i'r 'Traed dan Bwrdd', a chyn
iddi fedru meddwl am ordro un arall, roedd ei chydymaith
wedi cythru yn ei dwy law ac wedi sodro swp o oriadau
ynddyn nhw.

'O!' ebychodd Plu, ar ben ei digon. 'Y goriada! O'r diwadd!'

'Ymddeoliad hapus iawn i chi, Miss Parry,' meddai Dan.
'Mae'n bleser o'r mwya gen i drosglwyddo goriada siop

sgidia f'annwyl, ddiweddar wraig ichi. Dwi'n gwbod y bydd **y busnes yn ffynnu yn eich dwylo medrus. Rŵan 'ta, gwydraid o rywbeth bach i ddathlu. Be gymrwch chi?'**

'Wel,' meddai Plu, 'gymera i goctel, sgwelwch yn dda: Traed dan Bwrdd.'

* * *

Sgrifennais y stori uchod yn ystod haf 2007. Rhoddais deitl arall iddi ar y dechra, sef 'Wysg ei Thraed' am fod gwrthrych serch Plu Chwithig wedi'i swsian yn nwydwyllt ar ddiwedd fersiwn gynta'r stori, ac wedi cydiad ynddi gerfydd ei thraed a'i llusgo i fyny'r grisia! A'r frawddeg glodd y stori honno, os cofia' i, oedd: 'Mae 'na frân i frân yn rwla . . . a siawns bod 'na Draed Chwadan i Blu Chwithig hefyd!' Ond erbyn i mi ailddarllen y stori bum mlynedd yn ddiweddarach, penderfynais fod Plu Chwithig yn gymeriad dipyn mwy syber ar ôl ei holl dreialon, ar ddechrau ei chyfarfyddiad â Dan, o leia!

A deud y gwir, 'run person oedd Drysfa Andorra Huws a Martha Parry, a dwy ymgais wahanol i sgrifennu am ddynes yn byw ar ei phen ei hun oedd y ddwy stori.

Cydwybod Cymunedol

Gafaelodd Sandra Parry yn ei thebot. Rhoddodd ei dwy law arno, a'i anwesu. Teimlodd ei arwynebedd llyfn â blaenau ei bysedd. Yn sydyn, daeth rhyw ysfa drosti i daflu'r celficyn ar lawr a'i falu'n yfflon. Felly cododd ef yn uchel uwch ei phen, ac yna, safodd yn stond am ennyd. Yn ara deg, lledodd gwên fach chwareus ar draws ei hwyneb, a martsiodd yn dalog a phwrpasol at ddrws y ffrynt; agorodd hwnnw'n sydyn hefo'i llaw dde, gan roi plwc bendant iddo am fod rhyw natur cydiad ynddo. Safodd ar y rhiniog, gan barhau i ddal y tebot uwch ei phen ag un llaw. Anelodd ef at y wal frics a amgylchynai ei thŷ. Ond cyn iddi gael cyfle i luchio dim, heb sôn am ei thebot, daeth rhywun rownd y talcen yn annisgwyl.

"Glwy'!' meddai'r postmon llygadrwth. 'Sdim isio bod fel'na, nagoes? 'Sna dach chi'n licio te tebot, sticiwch at *tea-bags* mewn *mugs*!'

Cochodd Sandra, ac yn ffrwcslyd ddifeddwl dyma hi'n mwngial yr esgus cynta ddaeth i'w phen:

'Ym . . . y . . . jest meddwl . . . y . . . 'sa rhywun yn lecio panad o'n i.'

'Dim amsar heddiw,' meddai'r jiarff postmon, a rhoi winc awgrymog arni gan hwrjio amlen frown i gyfeiriad ei llaw wag yn ddiseremoni. 'Rywdro eto ella,' meddai, a 'nelu winc arall i'w chyfeiriad wedi iddi gymryd ei phost ganddo. Yna diflannodd yn larts rownd y talcen dan chwibanu.

'Damia!' meddyliodd Sandra, 'Fedar neb neud dim byd rownd fa'ma heb ga'l copsan.' Aeth yn ôl i'w thŷ a chau'r drws yn glep ar ei hôl, a'i thebot yn dal yn gyfa' dan ei chesail.

Yn llofft y tŷ gyferbyn, sbeciai Edwina Morris drwy'r *Venetian blinds* a rwystrai haul y bore rhag breuo crandrwydd ei llenni.

'Wallis!' meddai wrth ei gŵr a oedd yn ei sanau Pierre Cardin, ei grys claerwyn a'i dei flodeuog, ond nad oedd yn gwrando dim ar glebran ei wraig am ei fod yn bustachu i mewn i drôns tyllog. 'Ma' hi 'di bod allan yn 'i choban efo'i thebot eto!' ychwanegodd Edwina'n gyhuddgar.

Chymerodd Wallis ddim sylw, dim ond estyn am drowsus ei siwt.

'Wallis!'

'Mmm?'

'Yli, 'sa well i chdi wrando arna i, achos 'sa hyn yn medru bod yn argyfwng!'

'Y?'

'Ma' Sandra dros ffor' 'di bod allan yn 'i choban efo tebot arall bora 'ma!'

'O.'

'Mond hynna fedri di'i ddeud?' ffrwydrodd Edwina.

Ystyriodd Wallis y sefyllfa am eiliad wrth gau botymau ei siaced, cyn gofyn:

'Falodd hi o?'

'Be? O, naddo, dim heddiw.'

'O.'

Edrychodd ei wraig yn hurt arno. 'Mond hynna sgin ti i' ddeud?'

'Be w't ti'n ddisgwl i mi'i ddeud, Edwina?' holodd Wallis yn flin.

'Mwy na hynna, debyg! Ma'r hogan druan 'na 'di bod yn ymddwyn yn rhyfadd ers i'r sinach gŵr 'na o'dd gynni hi fynd a'i gadal hi. Lle ma' dy gydwybod cymunedol di, d'wad – a chditha'n brifathro?'

'Yn 'rysgol, lle mae o i fod. A 'cofn nad w't ti 'di sylwi, 'dan ni ar ganol arolwg!'

'Ond Wallis!'

''Sgynna i'm amsar, Edwina. Dos di ati hi, gan fod gen ti ddigonadd o gydwybod ac amsar ar dy ddwylo!'

'Be? Fi? Hefo amsar? Dydw i'n gneud dim byd ond tendiad ar bawb yn tŷ 'ma a gneud job ysgrifenyddes ran amsar! Jest am bo' chdi 'di bod mewn prifysgol a finna ddim, ti'n meddwl bo' fi'n . . .!'

'Ia, ia, ia . . . wn i, wn i! O, sym' o'r ffor', wir! Dwi'n mynd!'

'Ww! Paid di â meiddio ngwthio fi fel'na! Hei, ti'm 'di ca'l brecwast!'

Roedd hi'n rhy hwyr. Clywodd Edwina glep y drws ffrynt, ac yna gar ei gŵr yn tanio ac yn sgrialu wrth ymadael. Ochneidiodd, a throi at y ffenest unwaith eto. Doedd 'na'm golwg o Sandra Parry yn unman, er siomedigaeth i Edwina. Ond roedd yr hen Begi Wilias yn ara ymlusgo'n gefngrwm hefo'i basged olwynion tuag at y siop gymunedol, oedd hefyd yn swyddfa bost ac yn gaffi, i nôl ei phapur dyddiol, torth frith, peint o lefrith, bwyd cath, a phensiwn.

'Diolch byth nad ydy hi'n bwrw heddiw 'ma,' meddyliodd Pegi Wilias wrthi'i hun, 'neu 'swn i byth 'di medru mentro'i helcyd hi cyn bellad efo'r cricmala 'ma!'

'Iwhŵ!'

Clywodd waedd yn y pellter. O gornel ei llygaid gwelodd Edwina Morris, oedd hanner ffordd i mewn i'w thop côt ddrudfawr, yn rhoi clep ar ei drws ffrynt, ac yn dynesu tuag ati fel cath i gythraul. Suddodd calon Pegi.

'Be ma'r hen snoban fusneslyd yna isio?' meddyliodd. 'Fel arfar, dwi'm gwell na chwyn mewn cae tatws gynni hi!' Ymdrechodd Pegi i grymu'n waeth nag arfer, a rhythodd i lawr ar slabiau'r pafin, yn y gobaith y byddai Edwina Morris yn ei hanwybyddu'n llwyr o'r herwydd, ac yn mynd heibio iddi. Ond chafodd hi fawr o lwc.

'Iwhŵ, Pegi Wilias!' gwaeddodd Edwina wrth ddynesu.

'Cachu hwch a mwnci main!' meddai Pegi dan ei gwynt, gan ddal i lusgo yn ei blaen a rhythu ar y craciau yn y pafin wrth hercio heibio iddyn nhw.

'Wedi colli rwbath dach chi?' holodd Edwina, gan arafu a chydgerdded hefo hi.

'Sut?' meddai Pegi, gan esgus byddardod, i drio cael gwared unwaith eto â'r 'snoban fusneslyd'.

'Wedi colli rwbath?' gwaeddodd Edwina, gan bwyntio'n gynddeiriog o wyllt at y slabia.

'Fy nhymar, myn brain, 'sna watsiwch chi!' meddyliodd Pegi. Ond nid dyna ddwedodd hi chwaith. 'Cyfri cracs dwi, ylwch – cyfri cracs yn pafin. Mae o'n help i dynnu fy meddwl i odd'ar yr hen riwmatics pan fydda i'n cerddad.'

'O, ia siŵr,' meddai Edwina nwyfus, heini yn hollol ddi-ddallt, cyn cofio'n sydyn pam y rhuthrodd hi allan.

'Deudwch i mi, welsoch chi Sandra a'i thebot heddiw, Pegi Wilias?' gwaeddodd.

'Sandra? Pwy ydy Sandra, dwch?' holodd yr hen wreigen yn fwriadol niwlog.

'Be, dach chi'm 'di clywad?!'

'Clywad be?'

'Am Sandra Parry, yndê. Ma' pawb ffor' hyn yn sôn amdani!'

'Chlywis i'm byd,' meddai Pegi'n ddiniwed.

'Gneud sôn amdani'i hun hefo'i thebot!

'Tewch chitha! Be, ydy hi'n gneud petha go ryfadd efo fo, 'lly?'

'Nag ydy. Wel, yndi ma' hi.'

'Brensiach mowr!'

'O, 'rargoledig Pegi, dach chi'n dallt dim, nagdach!'

'Wel, be sy 'na i' ddallt, felly? Y? Gneud te ma' hi, ma' siŵr, yntê. Yn lle, dwch? Yn y WRVS ella, ia?'

Ar hynny, collodd Edwina Morris ei hamynedd yn llwyr. Doedd 'na ddim posib cael sesiwn hel clecs gall hefo hon o gwbwl.

'O, dio'm ots!' hyffiodd, a brasgamu yn ei blaen yn gyflym, fel petai 'na ddim fory.

Wedi iddi sicrhau bod Edwina Morris wedi diflannu, cododd Pegi Wilias ei golygon a throi i edrych 'nôl tuag at dŷ Sandra Parry. Cafodd gip sydyn ar honno yn y pellter, yn ei gardd ffrynt – ac oedd, mi roedd hi'n chwifio tebot. Cododd yr hen wraig law arni, a chwerthin wrthi'i hun, wrth styried peth mor ryfedd oedd ymddygiad cymuned o bobol. Er eu bod nhw (wel, rhai ohonyn nhw'n enwedig), wrth eu boddau'n busnesu ym mywydau eraill, doedden nhw ddim wirioneddol fel 'sa nhw'n deall ei gilydd, achos roedd pobol byth a hefyd yn diffinio ymddygiad y naill a'r llall drwy'u llygaid nhw'u hunain, heb wrando'n iawn, na mynd at wraidd gwir deimladau neb. Roedden nhw'n clywed be oedden nhw'n ddymuno'i glywed, ac yn gweld be oedden nhw'n ddymuno'i weld. Malwenodd yn ei blaen i nôl ei neges a'i phensiwn, gan ddal i athronyddu wrthi'i hun, a mwngial canu dan ei gwynt wrth fynd.

Ffrwydrodd Edwina Morris i mewn i'r siop oedd yn eitha prysur y bore hwnnw – rhwng un peth a'r llall. Edrychodd o'i chwmpas yn drachwantus, yn hesb o sgwrs ac angen cael un hefo rhywun â chydwybod gymunedol fel hithau fyddai'n ymddiddori yn helynt Sandra Parry, druan. Fu hi fawr o dro'n dod o hyd i'r chwiorydd Esyllt a Mererid Rhonwy yn eistedd yn rhadlon yng nghornel glonc caffi'r siop. Glaniodd ar gadair wag wrth eu bwrdd fel glöyn yn cyrraedd blodyn lliwgar llawn neithdar. Edrychodd y ddwy arall yn ddisgwylgar arni, a'u clustiau'n cosi am sgandal.

''Sna rwbath 'di digwydd?' holodd un o'r ddwy, gan rhyw natur ddal ei gwynt.

'Ydy hi 'di malu un arall?' meiddiodd y llall ofyn yn ddistaw ddifrifol.

Edrychodd Edwina ar wynebau awchus y ddwy am funud cyfan cyn torri gair, a mwynhaodd bob eiliad o'u sylw.

'Wel!' meddai'n awgrymog tu hwnt.

'Wel be?' cydadroddodd y ddwy arall. 'Ydy hi, 'ta tydy hi ddim?'

Tynnodd Edwina ei gwynt ati, cyn dweud yn hollwybodus:

'Mi dda'th hi allan yn ei choban bora 'ma, a . . .'

'O, naddo!' meddai'r ddwy, ar binnau.

'Do.'

'O'dd gynni hi . . .?'

'Debot?'

'O, oedd, tad. Un mawr. O'dd hi'n ei ddal o'n uchal uwch ei phen.'

'Brensiach! A nath hi . . .?'

'Naddo.'

'Be, nath hi ddim . . .?'

'Naddo.'

Edrychodd y tair ar ei gilydd yn siomedig am un munud tawel.

'Pam nath hi mo'i daflu o yn erbyn y wal heddiw, dybad?' holodd Mererid.

'Am bod y blicin postmon 'di cyrradd, a 'di'i styrbio hi,' oedd ateb sychlyd a siomedig Edwina. Aeth munud neu ddau arall heibio wrth i'r tair edrych ar ei gilydd, a'u llygaid yn serennu gan sgandal.

'Ma' hi'n sâl iawn, ma'n rhaid, yn dydy,' oedd casgliad Edwina yn hunanbwysig, o fod wedi gwneud deiagnosis. Ac yna, hefo rhyw dinc o gydymdeimlad nawddoglyd, ategodd: ''Sa well i ni drio'i helpu hi.' Cytunodd y ddwy arall yn llawn tosturi brwdfrydig.

Felly, dros sawl paned o goffi, cynhaliwyd pwyllgor, a daeth y tair i'r casgliad nad oedd gan Sandra Parry deulu o gwbwl, a bod 'na gyfrifoldeb arnyn nhw i ofalu nad oedd y gryduras druan yn cael cam ar ôl i'w gŵr ei gadael hi ar ei phen ei hun, heb blant na dim yn gwmni iddi. Ond doedd gan 'run ohonyn nhw affliw o glem be i'w neud ar gownt mater mor . . . wel, mor beth'ma!

Mi arhoson nhw yng nghaffi'r siop bost i drafod mwy ar 'argyfwng Sandra Parry' dros ginio cynnar, ac mi benderfynwyd ei bod hi'n ddyletswydd rhoi gwybod i'w doctor fod yr hogan yn ymddwyn yn od, a'i bod hi'n sâl ei meddwl. Cymerodd Edwina'r cyfrifoldeb hwnnw arni'i hun am ei bod hi'n rhannu'r un meddyg teulu â Sandra.

Roedd y tair yn y gornel yn clebran ac yn cnoi gormod i sylwi bod Pegi Wilias wedi hen gyrraedd, wedi codi'i phensiwn a nôl ei neges i gyd – ac wedi ychwanegu chwarter o de at yr hyn oedd yn ei basged olwynion. Welon nhw, na neb arall o ran hynny, yr hen wreigen yn ymadael, oherwydd gwnaeth hynny mor ddiffwdan ac mor dawel â chysgod.

Roedd Sandra Parry'n eistedd wrth fwrdd ei chegin gefn yn edrych ar y llythyr gyrhaeddodd hefo'r postmon am y degfed tro. Meddyliodd y dylai fwyta cinio, ond doedd ganddi hi ddim awydd bwyd o gwbwl, gan ei bod hi wedi cynhyrfu gormod o lawer i fedru llyncu'i phoer heb sôn am ddim byd arall. Rhyfeddai at y ffordd yr oedd amgylchiadau ei bywyd wedi newid yn syfrdanol mewn mater o funudau yn unig.

Y noson cynt, roedd hi wedi methu'n lân â chysgu oherwydd ei bod hi'n poeni'n arw. Bellach, cafodd wybod nad oedd raid iddi fod wedi colli cwsg o gwbwl, ac roedd hi wedi gwirioni cymaint o'r herwydd, wyddai hi ddim be i'w neud â'i hun. Teimlodd fel dathlu, ond doedd ganddi hi ddim clem lle i ddechrau. Ochneidiodd, a darllen y llythyr unwaith yn rhagor. Yna, yn hollol benderfynol, taniodd y tecell, ac ymestyn am ei thebot.

Ymestyn am y post oedd y tu mewn i'r blwch postio coch er mwyn ei wagio roedd Pete Wilson, y postmon, y prynhawn hwnnw pan ddaeth 'Mw-mw, Me-me a Cwac-cwac', chwedl fyntau, allan o'r siop, yn dal i glebran o'i hochor hi ar ôl boliad o frechdanau a choffi a the bob yn ail â'i gilydd.

'Haia, genod!' cyfarchodd Pete hwy.

Edrychodd y tair yn syn arno, a'r un peth yn union yn mynd drwy eu meddyliau, sef styried mewn difri calon be andros ddaeth dros ben y postmon heddiw, yn meiddio'u cyfarch nhw fel'na. Felly ddwedon nhw ddim wrtho, a rhyw natur droi ymaith. Ond llwyddodd Pete i'w rhwystro rhag symud o'r fan drwy ofyn yn bryfoclyd:

'Dach chi 'di clywad am Pegi Wilias, do?'

Trodd 'Triawd y Buarth' fel un ato, a dweud:

'Naddo.'

Cilwenodd Pete, a dweud yn awgrymog: ''Di mynd a'n gadal ni, w'chi.'

Edrychodd y tair ar ei gilydd. Yna, gan feddwl bod y postmon yn bod yn goeglyd, dyma Edwina Cwac-cwac yn dweud yn dalog:

'Paid di â meiddio tynnu arnon ni fel'na'n ddig'wilydd! Fel mae'n digwydd, dwi'n gwbod yn iawn bo' chdi'n palu clwydda, yli!'

'A twll dy din ditha 'fyd, yr hen jadan uffar!' meddai Pete dan ei wynt, a'i ben i mewn yn y bocs llythyrau.

Trodd y tair ymaith, a stompio oddi yno'n dalog, tra oedd Pete yn chwibanu 'Mw-mw, me-me, cwac-cwac' wrth stwffio llythyrau i mewn i'w fag casglu.

Newydd ddod adref o'r ysgol roedd Wallis Morris. Tu hwnt i flinder yn ei gegin newydd oedd wedi cael ei saernïo'n arbennig ar gyfer ei gartref, suddodd i'r gadair agosaf â glasiad o chwisgi Glenmorangie yn ei law grynedig.

'Iwhŵ!' galwodd Edwina o ddrws y ffrynt. 'Dwi 'nôl!'

'O, *shit*!' meddyliodd Wallis, a'i galon yn suddo fel plwm. Doedd ganddo ddim gobaith o gael llonydd bellach. Trybowndiodd ei wraig i mewn, a phlygu i roi sws glec ar ei gorun nes bod ei bronnau helaeth yn ei ddallu.

'Helô, cariad,' meddai hi, 'lle ma' Mared a Gruffudd?'

'Ma' Mared yn gneud rwbath ar Facebook yn nhŷ Luned Finch, a ma' Gruff yn . . .'

'O, ma' gynno fo 'marfar pêl-droed, yn does.'

'Oes.'

Erbyn hyn, roedd pen Wallis bron â hollti wrth i fân

siarad Edwina ei flino, ond mi gafodd ddihangfa wyrthiol drwy lwyddo i droi'r stori:

'Glywis di hanas yr hen Begi Wilias, ma' siŵr, yn do, Dwins?'

Peidiodd honno â siarad am eiliad rhag ofn iddi golli sgandal, ac yna gofynnodd:

'Pegi Wilias – be amdani?'

'Ti heb glywad 'lly.'

'Clywad be, Wallis?' gofynnodd Edwina braidd yn biwis, gan ddechrau amau nad oedd y postmon wedi bod yn tynnu arni hi a'i ffrindia wedi'r cwbwl.

'Ma' hi 'di . . . mynd.'

'Y? Mynd? Pwy ddeudodd 'that ti?'

'Vera Norton.'

'Vera Norton? *Cook* 'rysgol? Pff! Sut 'sa honna'n gwbod hanas Pegi Wilias?'

'Ddeudodd rhywun 'thi bora 'ma. A dwi'n deud 'that ti rŵan, Dwins, ma' Pegi 'di'n gadal ni.'

Edrychodd Edwina'n hurt ar Wallis, cyn wfftio:

'Wel, fedar hi'm bod wedi mynd ymhell, achos welis i hi bora 'ma.'

'Naddo!' meddai Wallis, wedi dychryn braidd.

'Wel do. Gerddis i i'r siop efo hi.'

Er gwaetha'i flinder, dechreuodd Wallis Morris ymddiddori yn hanes yr hen wreigen.

''Nes di'm ei gweld hi, siŵr! Gweld rhywun tebyg iddi 'nes di.'

'Naci, tad. 'Nes i siarad hefo hi, Wallis!'

Edrychodd Wallis Morris yn syn ar ei wraig.

'Paid ag edrach fel'na arna i!' cyhuddodd hithau. 'Be sy?'

Tynnodd Wallis ei wynt ato, a'i ollwng wedyn yn ara deg.

'Wallis?' bygythiodd Edwina, ac arlliw o ofn yn ei llais. 'Deud wbath, wir!'

'Yli, Dwins,' meddai ei gŵr yn lletchwith, 'dwn i'm sut i ddeud hyn wrthat ti, ond . . .

'Ond be?'

'Wel . . . ma' hi wedi . . . marw, sdi.'

'Be? Ma' hi wedi marw! Paid â malu ca . . .!'

'Do, Edwina. Ma' hi wedi marw . . . ers tridia.'

'Arglwy mawr!' ebychodd hithau, ac eistedd yn glewt yn y gadair agosaf ati. Ac fel petai hi mewn llesmair, gafaelodd yn y gwydr chwisgi oedd yn llaw ei gŵr a rhoi clec i'r ddiod ar ei thalcen.

Newydd orffen ei shifft roedd Pete Wilson, a cherddai'n sionc i lawr y stryd dan chwibanu a dweud ambell 'Haia!' rŵan ac yn y man wrth gyfarch unrhyw aelod o'r gymuned a âi heibio iddo. Yn sydyn, saethodd pêl-droed drwy'r awyr, a'i daro'n galed ar ei ben.

'A-a-w!' ebychodd, ond llwyddodd i ddal y bêl er gwaetha'r ffaith fod honno wedi gadael ei marc ar ei dalcen. Edrychodd o'i amgylch a gweld bachgen bochgoch tua deg oed yn loncian tuag ato'n lletchwith.

'Chdi bia hon?' gofynnodd iddo.

'Ia. Sorri,' meddai Gruff Morris gan gymryd ei bêl yn euog.

'Cicia hi ar y cae tro nesa, washi, dim ar ganol lôn!'

'Iawn, o-cê. Sorri,' meddai Gruff, gan droi ymaith yn wyllt i ddianc oddi wrth sefyllfa annifyr.

'Hei!' galwodd Pete ar ei ôl wrth rwbio'i ben bynafus, 'ti'm am ofyn dwi'n iawn? 'Swn i 'di medru ca'l *concussion, for all you care!*' Ond roedd y bachgen wedi diflannu o'i olwg rownd y gornel, a phrin y gwyddai Pete fod Gruff a'i ffrindiau'n dal i sbecian arno o bellter.

'Ti'n iawn?' holodd llais y tu ôl iddo wrth i Pete ddod ato'i hun ar ôl y gnoc. Trodd, a sylwi ar ferch gyfarwydd yr olwg yn edrych yn gydymdeimladwy arno o'r tu ôl i'r wal frics a **amgylchynai ei thŷ.**

'Welis i hynna,' meddai hi wedyn, a rhyw hanner gwên chwareus ar ei hwyneb. 'Ti'n o-cê ar ôl y swadan 'na ?'

Yn sydyn, cofiodd Pete pam fod yr hogan glên 'ma yn lled gyfarwydd iddo, a gwenodd yn ôl arni:

'Yndw, dwi'n ocê, diolch 'ti am ofyn, ond 'swn i'm yn meindio panad.'

'O, wel ia, iawn siŵr,' meddai hithau'n lletchwith, gan fod hyn yn annisgwyl braidd.

'Os ydy dy debot di'n dal yn gyfa, 'de.'

'Be? O . . . yndi, mae o,' cochodd y ferch wrth gofio am y gopsan gafodd hi'r bore hwnnw.

'Neu mi neith *tea-bag* mewn myg y tro – a dwy *painkiller* 'fyd, os oes gin ti rei.'

Gwenodd Pete Wilson a Sandra Parry ar ei gilydd.

Rhuthrodd Gruffudd Morris i mewn i'r gegin at ei rieni yn ei ddillad pêl-droed, yn fwd o'i gorun i'w sawdl a'i wynt yn ei ddwrn.

'Maaam!' bloeddiodd. 'Ma' Pete Post wedi mynd *off* efo Sandra Tebot, a ma' Jason a Karl yn deud bo' nhw'n boncio fatha cwningod yn llofft rŵan hyn a . . .!'

'Gruffudd!' rhuodd ei dad arno.

Tawelodd Gruff wrth syweddoli'n sydyn fod ei rieni'n rhythu'n hurt arno, a bod golwg welw iawn ar wedd ei fam. Aeth chwa o ofn drwyddo, ac edrychodd o'r naill riant i'r llall:

'B-be sy? D-dach chi'm am ga'l *divorce*, nagdach?'

Toddodd calon Wallis fymryn a cheisiodd egluro'r sefyllfa i'w fab.

'Yli, Gruff, ma' dy fam 'di ca'l rhyw hen sioc annifyr.'

'Be, un letrig?' rhyfeddodd Gruff, a rhythu ar ei fam fel 'tai ganddi gyrn. 'Dyna pam ma' hi'n edrach fatha sombi, ia?'

'Na, dim sioc drydanol gafodd hi. Yli, ma' hi newydd **glywad bod Pegi Wilias wedi . . . wel ma' hi 'di marw, sdi.'**

'**Yr hen, hen ddynas bach, bach 'na sy 'run siâp â banana,** dach chi'n feddwl, 'di marw? Ew, ga' i fynd i ddeud wrth Jason a Karl?'

'Na chei!' gorchmynnodd ei dad.

'Dos i folchi a newid!' gorchmynnodd ei fam, yn dechrau dadebru o'i dychryn o'r diwedd.

Ond chlywodd eu mab 'run ohonyn nhw. Roedd o newydd fynd allan a'i wynt yn ei ddwrn, a saethu i lawr llwybr yr ardd ar ei *skateboard*.

Eisteddai'r chwiorydd Esyllt a Mererid Rhonwy yn rhadlon a bodlon braf o bobtu eu tân glo, yn gwau a gwrando ar gerddoriaeth. Gan eu bod nhw'n cael eu swyno cymaint gan weithiau J. S. Bach, yn reddfol roedd y ddwy yn gwneud i'w gweill glician yn rhythmig i'r gerddoriaeth. Ac am eu bod nhw'n gwrando ar 'Air on a G-string' y munud hwnnw, a hwnnw'n ddarn melfedaidd, ara deg – felly roedden nhw'n gwau hefyd. Petaen nhw wedi bod yn gwrando ar ddarn cyflym, fel y 'William Tell Overture' gan Rossini, fydden nhw wedi gwau'n llawer gwylltach. Rhwygwyd eu mwynder gan sŵn aflafar cloch ddi-baid y ffôn.

'Drapia unwaith!' meddai Esyllt. 'Pwy alla hwnna fod?'

'A' i i'w atab o,' cynigiodd Mererid, 'a mi wna i banad i ni'n dwy wedyn.' A ffwrdd â hi i'r cyntedd i weld pwy oedd eisiau ei sylw.

Trodd Esyllt y gerddoriaeth yn is er mwyn medru clustfeinio ar ei chwaer, a chododd ei chlustiau'n arw o glywed ei hymateb:

'O, Edwina! Pa hwyl? O, na! Taw â deud! Wedi cael sgrytfa – ia, wyt, ti'n swnio braidd yn sigledig. Be? O, naddo! Gryduras! Ma' hi 'di mynd a mi gwelist hi bora 'ma, ac eto fuodd hi farw dridia 'nôl! Nefoedd fawr, Edwina! Ti 'di gweld doctor? Ti'm isio? . . . O, ti wedi'i ffonio fo. Wela i . . . Be, i ddeud wrth Doctor bod Sandra Parry'n dechra colli arni. Ia, siŵr – cytuno, cytuno, rhaid i ni 'forol am ein gilydd yn yr hen gymuned 'ma, yn bydd. Er, mi fethon efo'r hen wreigan, ma'n amlwg. Sut? Naddo, wir i ti, dwi'm yn cofio'i gweld hi o gwbwl yn y siop bora 'ma. Aros funud, ofynna i i Esyllt . . . Es! Es!'

Rhuthrodd ei chwaer ati:

'Gweld pwy, Mer?'

'Pegi Wilias yn y siop bora 'ma.'

'Ymm – na, fedra i'm cofio'i gweld hi yno.'

'Glywis di hynna, Edwina? . . . Naddo, welodd hi mo'ni, sdi, sorri. O, sobor, 'te. Be, ti 'di bod yn ffonio rownd pawb o'dd yn siop bora 'ma, a 'sna neb yn cofio'i gweld hi? Ond nath rhywun ei syrfio hi, bownd o fod. Meryl Lloyd? Wedi mynd? O, na! Biti, biti, biti! Ac ella 'sa hi'n medru tystio'i bod hi wedi'i gweld hi. Ia. Ia, oes siŵr, ia – iawn, ia, well ti fynd i orffwys rŵan. A cym' ofal wir! Da bo' chdi, Edwina. Hwyl!'

Rhoddodd Mererid dderbynnydd y ffôn yn ôl yn ei grud yn drwsgwl.

'Be sy'n bod ar Pegi Wilias, Mer?' holodd ei chwaer.

'Ma' hi 'di marw ers tridia, ond mi welodd – na, mi siaradodd Edwina efo hi bora 'ma!'

'Arswyd y byd! Ond . . . ddeudodd hi rwbath bod Pegi yn y siop 'run pryd â ni, yn do?'

'Do . . . ond welon ni'n dwy mo'ni, naddo?'

'Naddo.'

'Welodd neb arall hi chwaith, medda Edwina. Yr unig un arall allsa fod wedi'i gweld hi fasa Meryl Lloyd o'dd yn gweithio tu ôl i gownteri'r post a'r siop bora 'ma.'

'Welodd hi mo'ni, 'ta?'

'Chawn ni byth wbod, achos dim ond bora o'dd Meryl yn ei weithio, a ma' hi ar ei ffordd i'r maes awyr erbyn hyn.'

'Be, o'dd hi'n gweithio bora 'ma, cyn mynd i ffwr'?'

'Paid â sôn! Ma' hi a'i ffrind 'di mynd i fyw i Sbaen pnawn 'ma i'r haul, medda rhywun, ac ma' hi 'di lluchio'i ffôn symudol, er mwyn ca'l llonydd. 'Di laru ar glebran a busnesu pawb o'dd y ddwy, meddan nhw.'

'A rŵan chawn ni byth wbod o'dd Pegi yn y siop.'

Bu seibiant am funud, ac wedyn meddai Esyllt yn go sigledig:

'Sa well i ni'n dwy ga'l *sherry* go fawr bob un, yn lle'r te 'na oeddat ti am 'i neud i ni gynna!'

Erbyn hyn, roedd Sandra Parry wedi rhoi *tea-bags* mewn mygia, ac roedd hi a Pete Wilson wedi cael sawl paned ac wedi rhoi'r byd yn ei le. Roedd y ddau wedi bod yn cymharu nodiadau ynglŷn â dirwyn perthynas â phobl eraill i ben. Yn achos Sandra, datgelodd ei bod hi wedi rhoi'r 'hwi' i'r gŵr anffyddlon oedd ganddi:

'Peth gora 'nes i rioed, cofia,' meddai. 'Mistêc o'dd priodi'r llo yn lle cynta.'

'Mmm,' cytunodd Pete. 'Mae'n hawdd 'i gneud hi, 'dydy. 'Nes inna uffar o fistêc yn byw efo'r blydi Alexia 'na am rhy hir o lawar 'fyd. Duw, o'dd gynni hi chwech o blant, a finna heb ddim, a ddim 'di arfar efo nhw chwaith, 'de. Eniwê, o'dd hi'n hen.'

'Hen?'

'Ia. Jyst iawn yn *thirty-five*, sdi. Ond ar y pryd, o'n i isio rywun *experienced.*'

'O? Ti'n licio rhywun *experienced*, w't ti?' pryfociodd Sandra.

Edrychodd Pete i fyw ei llygaid hi, a gwenodd nes bod canhwyllau ei lygaid ef ei hun fel dwy farblen ddu, yn cuddio'u glesni arferol.

Rhuthrodd y bachgen dengmlwydd i mewn i'r gegin at ei dad. Roedd ei wyneb yn welw wyn dan yr haenau o fudreddi oedd arno. Trodd Wallis oddi wrth y stof, lle roedd yn ffrio *fish fingers*, i edrych ar Gruff.

'Lle ddiawl w't ti 'di bod? Yli golwg s'arnat ti! Ddeudodd dy fam a finna wrthat ti am beidio mynd allan!'

'Ond Dad . . .!'

'Dw't ti'n gwrando dim arnon ni'r dyddia yma, a 'dan ni 'di bod yn poeni'n ofnadwy amdanat ti, a ma' dy fam yn . . .!'

Dechreuodd y bachgen feichio crio. Rhyfeddodd ei dad, achos fel arfer byddai Gruff wedi'i herio a rhoi rhyw esgus tila am ei ymddygiad haerllug. Ond rŵan, gallai Wallis weld bod rhywbeth mawr yn bod arno.

'Hei, be sy, was?' holodd yn dyner.

'Jason a Karl . . .' meddai'r bachgen drwy ei ddagrau.

'Be naethon nhw i chdi?' meddai ei dad yn amddiffynnol.

'G-gadal fi ar ben fy hun yn t-twllwch.'

'Yr hen sinachod bach!' Dechreuodd Wallis golli'i limpyn, ond meddyliodd yn sydyn, 'Yli, pam ti 'di ypsetio cymaint, Gruff? Fyddi di'm ofn twllwch fel arfar.'

'N-na. Ond . . . o'na *ghost* yna, Dad!'

'Y? Ysbryd? Yn lle? Lle gythral dach chi'ch tri 'di bod, Gruffudd?'

'Y . . . yn tŷ . . . Pegi Wilias.'

'Be?'

''Nes i ddeud wrth yr 'ogia bod hi 'di marw, a – a naethon ni fynd i chwilio am 'i *ghost* hi . . . a . . . a . . . nath nhw pwsio fi mewn i cwt glo . . . a blocio drws . . . a wedyn . . . o'n i'n styc yno.'

'Blydi hel!'

'Sorri, Dad.'

Tosturiodd ei dad wrth Gruff.

'Ty'd yma, cyw,' meddai wrtho'n dyner, a'i gofleidio er gwaetha'r mwd a'r llwch glo oedd drosto. 'Sut ddois di o'na, boi?' holodd. A daeth y bachgen ato'i hun yn rhyfeddol wrth gael mymryn o gydymdeimlad.

''Nes i falu ffenast a mynd allan,' cyfaddefodd Gruff braidd yn ymffrostgar. 'Sorri, ond o'dd 'im ots, nagoedd, bicos o'dd 'rhen ddynas 'di marw eniwê. Be sy 'na i swpar?'

'*Fish fingers.*'

'Iym!'

'Hei! Golcha dy ddwylo cyn ista wrth y bwrdd 'na!'

Ufuddhaodd Gruffudd Morris fel oen bach, er mawr ryfeddod i'w dad. Meddyliodd hwnnw efallai fod gwario orig fechan mewn cwt glo yn y nos hefo ysbryd wedi gwneud byd o les i'w fab anhydrin. Ar y llaw arall, gweddïodd Wallis yn dawel fach nad oedd y profiad erchyll wedi niweidio Gruff.

'Dad, lle ma' Mam?' holodd y bachgen wrth sychu ei ddwylo, gan sylweddoli'n lletchwith ei fod wedi'i cholli tra bu yn ei garchar tywyll, du. Gwelodd y gwewyr ar wyneb ei dad yn ogystal.

'Ydy Mam yn iawn?' holodd yn bryderus.

'Mi fydd hi,' meddai Wallis, 'ond ro'dd raid ca'l doctor ati heno i roi rwbath i' thawelu hi.'

'Be, ar ôl y sioc 'na ga'th hi, ia?'

'Ia.'

Trodd y bachgen ei gefn at ei dad, a bu'n ddistaw am rai munudau. Yna dywedodd, fwy neu lai wrtho'i hun yn hytrach nag wrth ei riant:

'Peth ofnadwy ydy ca'l 'ych dychryn gin *ghost.*'

Edrychodd ei dad yn bryderus iawn arno.

Roedd Sandra Parry yn dathlu o'i hochor hi. Roedd Pete a hithau wedi claddu *take-away*, ac ar eu hail botelaid o win. Bellach, roedd y ddau'n cael snog ar y soffa. Wrth iddyn nhw gael saib i gael eu gwynt atynt cyn ailddilyn trywydd eu nwydau, sobrodd Pete fymryn wrth gofio am y tebot.

'Hei, Sand?' gofynnodd yn ddifrifol.

'Be sy?' holodd hithau, ac arlliw o bryder yn ei llais wrth ofni bod rhywbeth o'i le.

'Ga' i ofyn wbath rhyfadd i chdi?'

'*Carry on*! Ma' heddiw 'di bod yn rhyfadd drw' dydd!'

'Ydy o?'

'Yndi. Ffoniodd doctor fi pnawn 'ma i ofyn o'n i'n o-cê.'

'Asu! W't ti?'

'Yndw, siŵr. *In fact*, dwi rioed 'di teimlo cystal yn y mywyd! Be o'dd y peth rhyfadd o'ddat ti isio'i ofyn?'

Edrychodd Pete ar Sandra am funud neu ddau cyn mentro,

'Pam o'ddat ti am luchio dy debot bora 'ma?'

Edrychodd Sandra arno a chwerthin.

'Pam ti'n gofyn hynna rŵan – ijiyt?' meddai, a'i binsio'n chwareus.

Ond roedd Pete yn dal i fod yn reit ddifrifol.

'Dwi rili isio gwbod, sdi,' meddai, ''chos dwi newydd gofio wbath rhyfadd.'

Tro 'ma, wnaeth Sandra ddim chwerthin.

'Pan a'th 'y ngŵr i o'ma, 'nes i benderfynu gweithio o adra. Ma' gynna fi gwt yn cefn, a dwi di'i droi o'n *workshop*. Gynna i *kiln* yna, a fydda i'n gneud *pottery*.'

'Felly, chdi nath y tebot 'na?'

'Ia. Dwi 'di gneud *loads* ohonyn nhw. A pan dydy'r *glaze* ddim yn iawn neu rwbath arall yn rong, fydda i'n 'u lluchio nhw yn erbyn wal ffrynt.'

'Waw! Cŵl!'

'Deud y gwir, dwi mor falch bo' chdi 'ma heno, 'chos o'n i isio dathlu, ond do'n i'm yn gwbod be o'n i am neud.'

'Selebrêtio be w't ti, 'lly?'

'Ddois di â llythyr i fi bora 'ma, ac yn hwnnw o'na gontract yn cynnig i fi neud *loads* o debotia ar gyfar Tresco!'

'Waaaw, Sand! Brilliant!'

'Ond cyn i fi ga'l y llythyr 'na, o'n i 'di bod yn teimlo'n *shit* ers oes pys, 'chos o'dd neb isio prynu ngwaith i. A rŵan . . .'

Neidiodd Pete oddi ar y soffa, a mynd i chwilio am rywbeth ym mhoced ei siaced. Yna tynnodd becyn chwarter o de allan, a'i roi'n seremonïol i Sandra. Cliriodd ei lwnc cyn cyhoeddi:

'Yr wyf fi, Pete Wilson, yn rhoi'r pacad te 'ma yn bresant i chi, Sandra Parry, i ddathlu'ch bod chi 'di ca'l uffar o gontract bora 'ma. Llongyfarchiada a congrats *an' all that*, 'de.'

Chwarddodd Sandra nes roedd hi yn ei dyblau, a gofyn yn chwilfrydig:

'Lle ces di afa'l ar hwnna mor sydyn? Mae o'n *spot on*, rwsut, 'dydy?'

Difrifolodd Pete, a chrafu ei ben gan gysidro:

'Dwn 'im, sdi. Ffendis i o yn 'y mhocad tua tri dwrnod yn ôl. 'Sgynna i'm clem o lle ddoth o. Wa'th i chdi ei ga'l o rŵan ddim.'

'Wel, diolch yn fawr i ti, Pete. Ti'n foi efo "cydwybod cymunedol" fel ma' nhw'n ddeud rownd ffor' 'ma. 'Na' i gadw hwn ar y silff ben tân i gofio am heddiw. Ac amdanon ninna'n dau . . . heno.'

Rhyw bythefnos wedyn, roedd hi'n wyliau ysgol ac yn benblwydd ar Gruff. Neidiodd o'i wely pan glywodd y post yn disgyn yn dwmpath ar lawr drwy'r twll llythyrau. Rhuthrodd i gythru am ei gardiau, ond cyn iddo'u hagor nhw, ac mi roedd yna lawar yno, gwelodd gerdyn post lliwgar wedi'i gyfeirio ato fo, o bawb!

'Wi-yrd!' meddyliodd yr hogyn chwilfrydig. 'Dim fi fydd yn ca'l cardia post fel arfar!'

'Studiodd y marc post yn ofalus iawn cyn ei ddarllen. Gwelodd mai o Sbaen y daeth y cardyn. Yna darllenodd y llawysgrifen ffurfiol:

Annwyl Gruffudd Morris,

Yr wyf newydd glywed am eich anffawd gyda'r ysbryd. Gobeithio y byddwch wedi trwsio ffenest y cwt glo gyda hyn.

Wedi syrffedu yma. Am ddod adref cyn bo hir . . .

'Does unman yn debyg' wedi'r cyfan.

Yr eiddoch yn gywir,

P. W.

* * *

Nid fi ddewisodd deitl y stori uchod, a doedd o ddim yn apelio ata i ar y dechrau am ryw reswm. Testun cystadleuaeth stori fer Canolfan Dreftadaeth Cae'r Gors oedd o, ac ysgogwyd fi i gystadlu am mod i'n cofio Dr Kate yn dod i siarad hefo ni yn Ysgol Dyffryn Nantlle erstalwm, ac mi roeddwn i'n awyddus i gefnogi'r gystadleuaeth o'r herwydd.

Wedi pwyso a mesur y teitl sawl gwaith, penderfynais ddilyn trywydd dramodydd o'r Eidal, Luigi Pirandello, a'i ddrama *Cosí è* (*se vi pare*) (*Fel y Tybiwch y Mae*), lle mae'r dramodydd yn holi be'n union ydy realiti, gan fod y gwirionedd, iddo fo, yn wahanol i bawb a phob unigolyn. Dwi'n tueddu i gytuno. A dyna pam y lluniais i gymeriadau Pegi Williams a Sandra Parry – i weld sut yn union yr oedd unigolion o fewn eu cymuned yn ymateb iddyn nhw, am nad oedd 'run o'r ddwy yn gonfensiynol iawn, er gwaetha'r gwahaniaeth oedran rhyngddynt. Agwedd Pegi Williams, a fun innau hefyd 'sa hi'n dod i hynny ydy, yng ngeiriau Pirandello: 'Mi rydw i'r hyn rydych chi'n dymuno i mi fod.'

Dwi'n falch o ddeud mod i wedi ennill y gystadleuaeth, ac wedi cael fy ngwobrwyo'n dderbyniol iawn!